HISTOIRES A LIRE
AVEC
PRÉCAUTION

ALFRED HITCHCOCK

présente :

HISTOIRES
A LIRE
AVEC PRÉCAUTION

PRESSES POCKET

Titre original :

TALES TO BE READ WITH CAUTION

© 1979, by Davis Publications, Inc.
Published by agreement with Scott Meredith Literary Agency, Inc., 845 Third Avenue, New York, N.Y. 10022.

ISBN 2-266-01244-4

Diamants volent !

par

Edward D. Hoch

Peu après neuf heures, un homme muni d'une canne à pommeau d'argent tourna dans Union Street. Il marchait d'un pas vif au milieu des rares acheteurs attardés et des vendeurs rentrant chez eux après leur journée de travail. C'était une belle soirée d'avril, assez fraîche pour justifier le pardessus de notre passant, mais dont la clémence annonçait la fin de l'interminable hiver. Tout en marchant, il jeta un coup d'œil à quelques vitrines, mais ne s'arrêta qu'au coin d'Union et Madison. Là, il sembla hésiter un instant devant Les Diamantaires du Centre. Il regarda vivement, à droite, puis à gauche, comme pour s'assurer qu'il n'y avait personne dans les parages, puis, de son pommeau d'argent, fracassa la vitrine la plus proche.

Au milieu des hululements stridents de la sirène et du fracas de verre brisé, il passa prestement le bras par l'ouverture. Quelques passants se figèrent sur place ; mais, comme l'homme se retournait pour s'enfuir, un agent en tenue apparut soudain au coin de la rue.

— Haut les mains ! aboya-t-il en portant la main à son holster.

L'homme se retourna, stupéfait d'entendre une voix si proche, et abattit sa canne sur le policier. Puis, comme celui-ci continuait à avancer, l'homme récidiva et l'atteignit à la tempe, juste au-dessous de la casquette. L'agent chancela et s'écroula, tandis que l'homme à la canne tournait le coin en courant.

— Arrêtez-le ! cria un homme en bras de chemise, debout sur le seuil des Diamantaires du Centre. Au voleur !

L'agent, étourdi et ensanglanté, essaya de se relever, mais retomba sur le trottoir. C'est alors qu'un jeune homme en blouson et pantalon taché de peinture se détacha du groupe des passants pétrifiés et s'élança à la poursuite du voleur. Il courait vite et le rattrapa à la moitié du bloc. Ils s'écroulèrent ensemble dans une pile de boîtes en carton, roulèrent sur la chaussée, et le fugitif leva sa canne pour se débarrasser de ce nouvel adversaire.

Il parvint à se libérer en abandonnant sa canne, et se remettant debout, il s'enfuit vers une ruelle. Grincements de pneus : une voiture de police, attirée par la sirène, s'arrêtait dans la rue, et deux agents sautaient sur la chaussée, pistolet au poing.

— Arrêtez ou on tire ! commanda l'un d'eux, faisant feu en l'air.

Le bruit de la détonation se répercuta dans la rue et l'homme s'arrêta d'une glissade à l'entrée de la ruelle. Il se retourna, mains levées au-dessus de sa tête.

— Ça va, dit-il. Je ne suis pas armé. Ne tirez pas.

L'agent tint son pistolet braqué sur lui jusqu'à ce que son collègue lui eût passé les menottes.

— Merde ! explosa le capitaine Leopold, considérant le gobelet de café ultra léger que le lieutenant Fletcher venait de poser devant lui. C'est tout ce que vous pouvez tirer de la machine ?

— Elle est détraquée, capitaine. J'ai appelé le réparateur.

Leopold grommela et porta le gobelet à sa bouche. Il renonça dès la première gorgée. Ses hommes lui avaient offert sa cafetière personnelle quand il avait pris le commandement de la Criminelle, mais, ce matin-là, ayant fini sa boîte de café, il s'était vu contraint de retourner au distributeur capricieux placé dans le couloir.

— Allez plutôt me chercher un Coca, Fletcher, s'il vous plaît, dit-il en vidant son gobelet dans le lavabo de son bureau.

Quand le lieutenant revint, il demanda :

— Phil Begler est à l'hôpital ?

Fletcher acquiesça d'un hochement de tête.

— J'ai mis le rapport sur votre bureau. Phil est tombé sur un type qui venait de faucher des diamants dans la vitrine des Diamantaires du Centre. Le mec l'a assommé d'un coup de canne et a filé en courant. On l'a arrêté, mais Phil est à l'hôpital avec un traumatisme crânien.

— Je passerai le voir, déclara Leopold. Phil est un brave gars.

— On a identifié le voleur ; un certain Rudy Hoffman, de New York. Les vitrines, c'est sa spécialité ; il a un casier long comme ça.

Leopold hocha la tête.

— Peut-être que le traumatisme de Phil nous permettra de le retirer de la circulation pour un bon bout de temps.

Fletcher opina de la tête.

— Je l'espère, capitaine, mais il y a un petit problème.

— Lequel ? demanda Leopold.

— Eh bien, on a arrêté Hoffman à cinquante mètres de la scène ; un jeune gars l'avait pris en chasse, et l'a maîtrisé jusqu'à l'arrivée d'une voiture de police. Hoffman a volé 58 000 dollars de diamants et, jusqu'à ce qu'on l'emmène, il a toujours été en vue d'au moins une personne.

— Et alors ?

— Il n'avait pas un diamant sur lui, capitaine. Pas un seul.

— Il les a jetés dans la rue.

— On a cherché dans la rue. On l'a fouillé, on a

même fouillé la voiture qui l'a emmené après son arrestation. Pas de diamants.

Leopold était vaguement irrité qu'une affaire aussi simple vînt bouleverser sa routine matinale.

— On ne l'a pas questionné ?

— Il reste bouche cousue, capitaine.

— D'accord, dit Leopold avec un soupir. Allons-y. Je vais vous montrer comment on s'y prend, les gars !

Rudy Hoffman était un homme aux cheveux grisonnants, tout juste passé la quarantaine, avec le teint pâle et les yeux sournois d'un homme qui a passé de nombreuses années en prison. Tout en parlant, il se passait souvent la langue sur les lèvres, et nerveusement, regardait tour à tour Leopold et Fletcher.

— Je ne sais rien, dit-il. Je ne parlerai qu'en présence de mon avocat. Vous ne pouvez même pas m'interroger sans lui. Je connais mes droits !

Leopold s'assit en face de lui.

— Cette fois, ce n'est plus simplement un petit casse, Rudy. Le flic que vous avez assommé, il pourrait y rester. Et vous pourriez en prendre jusqu'à la fin de vos jours.

— Il a un traumatisme, c'est tout. J'ai entendu parler les gardes.

— Quand même, on vous a bouclé pour attaque à main armée. Et avec votre casier judiciaire, ça suffit. Nous n'avons même pas besoin de tenir compte du vol. Alors, vous n'avez pas intérêt à vous taire au sujet de ces diamants. Même si nous ne les trouvons pas, vous êtes fait.

Rudy Hoffman se contenta de sourire d'un air endormi.

— Les diamants, vous ne les trouverez jamais. Ça, je vous le jure !

Pensant à Phil Begler dans son lit d'hôpital, Leopold le foudroya du regard.

— C'est ce qu'on verra, dit-il en se levant. Venez, Fletcher, nous l'empêchons de faire sa sieste.

De retour dans le bureau de Leopold, Fletcher dit :

— Vous comprenez maintenant, capitaine ? C'est un dur.

Leopold avait l'air sombre.

— Je les retrouverai, ces maudits diamants, et je les lui ferai avaler jusqu'au dernier ! Racontez-moi, en détail, tout ce qui s'est passé depuis la minute où il a cassé la vitrine.

— J'ai mieux à vous proposer, capitaine. Le môme qui l'a pris en chasse est ici pour faire sa déposition. Vous voulez le voir ?

Neil Quart n'était pas exactement un môme, bien qu'il n'eût pas encore atteint les vingt-cinq ans. Leopold connaissait bien le genre, dont il avait vu pas mal d'exemplaires : ébouriffé, crasseux et gouailleur.

— Vous êtes le héros du jour, lui dit Leopold. Racontez-nous donc comment ça s'est passé.

Quart se frotta le nez, essayant de prendre l'air *cool*.

— Je travaille chez Baumbaum, au service expéditions. Je termine à neuf heures, et je rentrais chez moi. Plus bas, devant Les Diamantaires du Centre, je vois un mec qui casse une vitrine. Je n'étais pas assez près pour l'arrêter, mais juste comme il file en courant, un flic débouche d'une rue. Ce mec l'assomme d'un coup de canne et le flic s'écroule. Bon, je ne porte pas les flics dans mon cœur, mais je décide quand même de lui courir après. Je le rattrape au milieu du bloc et on se bagarre. Il essaie de m'étendre avec sa canne, moi aussi, mais je parviens à détourner le coup. Alors il se relève et repart en courant, mais les autres fiics arrivent. Un flic a tiré un coup en l'air et le mec n'a pas insisté.

Leopold hocha la tête.

— Pendant combien de temps avez-vous perdu de vue le voleur ?

— Je ne l'ai jamais perdu de vue. Pas une seconde. Je lui ai couru après dès qu'il a assommé le flic. Merde, je croyais qu'il l'avait tué !

— Vous ne l'avez pas vu jeter quelque chose dans la rue ?

— Rien.

— A-t-il pu jeter quelque chose quand il a levé les mains ?

— Je ne crois pas.

A ce moment, Fletcher intervint :

— On l'a arrêté à l'entrée d'une ruelle, capitaine. Laquelle a été passée au peigne fin.

Leopold revint à Neil Quart.

— Comme vous l'avez sans doute compris, nous recherchons les diamants volés. Vous avez une idée de ce qu'il a pu en faire ?

Le jeune homme haussa les épaules.

— Pas la queue d'une. A moins que… Il y avait des boîtes là où on s'est bagarrés.

— On les a toutes examinées, dit Fletcher. On a tout vérifié. La police a cherché toute la nuit.

— Quoi qu'il en soit, je vous félicite, dit Leopold au jeune homme. Vous n'avez pas eu peur d'intervenir et c'est ça qui compte.

— Merci. Ça ne m'a pas plu de le voir assommer ce flic, c'est tout.

Dehors, Fletcher demanda :

— Alors, capitaine, satisfait ?

— Pas exactement. Et les vêtements d'Hoffman ?

— On les a examinés minutieusement, y compris le pardessus. Rien.

— C'est bon, dit Leopold, lugubre. Allons jeter un coup d'œil sur les lieux.

Les Diamantaires du Centre portaient encore les marques du vol de la veille : planches clouées sur la vitrine et petit tas d'éclats de verre.

Le sous-directeur, de service le soir du vol, un homme aux cheveux blond pâle, du nom de Peter Arnold, semblait fort affecté par cette affaire.

— Racontez-nous ce qui s'est passé, lui dit Leopold. Tout ce que vous pourrez vous rappeler.

— Neuf heures venaient de sonner et nous allions fermer. Le commis était déjà parti et j'avais verrouillé

12

la porte d'entrée. A ce moment, j'ai entendu un grand bruit de verre et je l'ai vu rafler les diamants.

— Revenons un peu en arrière, monsieur Arnold. Combien de diamants y avait-il dans la vitrine !

— Des douzaines ! Nous avions quelques grosses bagues fixées sur des cartes donnant leur prix, puis vingt-cinq ou trente pierres plus petites, en vrac.

— Le tout estimé à 58 000 dollars ?

Peter Arnold hocha la tête avec tristesse.

— Notre bureau de New York me l'a déjà fait savoir.

— Vous laissez autant de diamants en permanence en vitrine ?

— Pas du tout. Ces pierres ne sont en vitrine que pendant les heures d'ouverture. Tout de suite après la fermeture, je devais les rentrer et les enfermer dans le coffre. Je venais juste de verrouiller la porte, et je me dirigeais vers les autres vitrines quand j'ai entendu un bruit de verre. J'ai regardé, et j'ai vu un homme qui ramassait les diamants à poignées. L'alarme s'était déclenchée, bien entendu, et au moment où il s'enfuyait, l'agent Begler est apparu au coin de la rue.

— Vous connaissez Phil Begler ?

Le bijoutier acquiesça.

— Il fait sa ronde dans le quartier depuis quatre ou cinq ans. En général, il se tient au coin, mais, à neuf heures, il va à cent mètres d'ici régler la circulation à la sortie du parking. C'est un pur coup de chance qu'il se soit trouvé là juste quand cet homme a descendu la vitrine.

— Vous avez idée de ce qu'il a pu faire des diamants dans sa fuite ?

— Je n'y comprends rien. S'il les avait lâchés, il me semble qu'on en aurait retrouvé au moins quelques-uns.

Leopold s'approcha de la vitrine aveuglée par des planches, et écarta le rideau de velours noir pour regarder. Les plateaux étaient toujours à leur place, au milieu des éclats de verre, mais pas une pierre.

— Il a tout pris ?

— Non. Nous avons retrouvé quatre bagues sur cartes et six diamants non montés, mais il n'a pas perdu sa journée. 58 000 dollars, c'est sûrement un minimum.

Leopold laissa retomber le rideau, puis exhiba une photo de Rudy Hoffman.

— Vous l'avez vu dans le magasin, avant le vol, en train de repérer les lieux ?

— Je ne me souviens pas de lui mais, bien entendu, je n'étais peut-être pas de service.

— Je vous laisse cette photo. Montrez-la à votre directeur et aux vendeurs. Pour voir si quelqu'un se souvient de lui.

— Vous pensez qu'il avait préparé son coup ?

— Il s'est débarrassé des diamants quelque part, et cela suppose un plan.

En sortant, Leopold s'arrêta près du petit tas d'éclats de verre et se baissa pour l'examiner de plus près.

— Vous avez trouvé quelque chose, capitaine ? demanda Fletcher.

— Avez-vous déjà remarqué comme les diamants et le verre se ressemblent, Fletcher ?

— Il y a des diamants dans ce tas ?

— Non, juste du verre cassé.

Sur le chemin du retour, Fletcher dit :

— Et on a aussi radiographié Hoffman. Au cas où vous penseriez qu'il a avalé les pierres.

— Je n'y ai pas pensé une seule seconde.

Il regardait défiler les rues à travers le pare-brise crasseux de la voiture. Le commissariat était séparé des boutiques d'Union Street par dix pâtés d'immeubles délabrés — condamnés à la démolition, pour la plupart, par un plan de rénovation sans cesse retardé. Les plus présentables abritaient encore, au rez-de-chaussée, des boutiques de disques et des librairies, tandis que les étages étaient loués à de jeunes barbus et à des épaves. Quartier miteux, mais où la délinquance n'était pas aussi élevée qu'on aurait pu le craindre.

— Ils devraient raser tout ça, commenta Fletcher.

14

— C'est ce qu'ils feront, un de ces jours, je suppose.

Soudain, Leopold eut une idée.

— Et les hommes qui ont passé la rue au peigne fin ? L'un d'eux aurait-il empoché les diamants ?

Fletcher réfléchit un instant.

— Il y a des brebis galeuses ici comme partout, capitaine, mais j'ai confiance dans les hommes qui étaient de service hier soir. Je les connais tous, les autres comme Begler. Ils sont honnêtes.

Leopold ne dit plus rien avant d'arriver au bureau. Il demanda alors à Fletcher de lui apporter les vêtements de Rudy Hoffman. Ils les examinèrent ensemble, pièce par pièce, bien que ce travail eût déjà été fait, et ne trouvèrent rien.

Leopold fronça les sourcils et, se postant près de la fenêtre, laissa son regard errer sur le parking qui constituait son seul panorama.

— Vous avez pensé à une perruque, des fausses dents, ou des trucs comme ça ?

Fletcher secoua la tête.

— Rien, capitaine.

Leopold se retourna soudain.

— Nom de Dieu, je n'y ai pas pensé plus tôt, Fletcher ! Il y a une chose que nous avons complètement oubliée, une chose qui ne figure pas dans les affaires d'Hoffman !

Fletcher eut l'air perplexe.

— Quoi, capitaine ?

— La canne, voyons ! La canne à pommeau d'argent avec laquelle il a fracassé la vitrine et assommé Phil Begler ! Où est-elle ?

— C'est l'arme du crime. Elle doit être rangée avec les pièces à conviction, ou déjà chez le District Attorney, pour être présentée au Grand Jury.

— Allez la chercher, Fletcher. On va y jeter un coup d'œil.

Le lieutenant Fletcher revint cinq minutes plus tard avec une longue canne noire, couronnée d'une boule d'argent tenue dans une serre d'oiseau. Leopold la tourna et retourna dans ses mains en grognant.

— Elle ne va pas avec Hoffman, remarqua Fletcher. Ce n'est pas son style.

— Non.

Leopold essaya de dévisser le pommeau. Il semblait massif, comme le bois de la canne.

— Il a dû la voler quelque part. Il n'y a rien de caché dedans, c'est sûr.

— Prenons le temps de la réflexion, proposa Fletcher. On trouvera peut-être quelque chose d'ici demain.

Leopold consulta sa montre et acquiesça. Il était trois heures passées, et il voulait aller voir Begler à l'hôpital avant de rentrer chez lui.

— Bonne idée, approuva-t-il. A demain.

— Et si vous veniez dîner à la maison ce soir, capitaine ? Carol me disait l'autre jour qu'elle ne vous a pas vu depuis Noël.

— Merci, Fletcher. J'apprécie beaucoup sa cuisine, mais ce sera pour une autre fois. Remerciez-la de ma part.

Arrivé à Memorial Hospital, Leopold passa une demi-heure avec Begler qui souriait sous ses pansements et semblait avoir le moral. En sortant, il bavarda un moment avec deux infirmières, puis il prit le chemin de son domicile, tombant dans les embouteillages de l'heure de pointe qu'il s'efforçait généralement d'éviter. Remontant Union Street, il se rappela qu'il n'avait plus de café au bureau et s'arrêta devant une épicerie.

Elle était bondée de marchandises, grouillante de clients. Il prit une boîte de café et trouva un vendeur pour payer.

— Et avec ça, monsieur ?

Leopold secoua la tête.

— Ce sera tout.

C'est alors qu'il remarqua une brune entrée derrière lui. Elle faisait semblant de choisir un paquet de pain de mie mais, en réalité, elle l'observait. Personne ne met si longtemps pour choisir du pain, il le savait, et tout en s'approchant enfin d'un commis avec son achat, elle continuait de regarder Leopold.

Le vendeur glissa la boîte dans un sac en papier, et Leopold sortit. Mais, avant d'avoir eu le temps de traverser le trottoir pour rejoindre sa voiture, il entendit derrière lui une voix féminine.

— Vous êtes de la police, non ?

Il se tourna vers elle, avec un sourire qu'il voulait amical. A guère plus de vingt ans, elle était jolie, mais avec un visage pâle et fatigué.

— En effet.

— Vous voulez récupérer le magot des Diamantaires du Centre ?

Jamais rien de pareil ne lui était arrivé depuis qu'il était dans la police. Il venait de passer toute sa journée à essayer de localiser les diamants disparus comme par magie, voilà que cette fille l'abordait à la sortie d'une épicerie, et proposait de les lui rendre. Comme ça !

— Vous savez où ils sont ?

Elle hocha la tête.

— Je peux vous y conduire si vous promettez de ne pas m'arrêter, ni mon fiancé non plus.

— Qui est votre fiancé ?

— Le nom n'a pas d'importance. Il n'a rien à voir avec le vol.

— Alors, comment est-il en possession des diamants ?

— Il doit les emporter à New York pour les vendre... comme un receleur, quoi. Mais je ne veux pas de ça. Je veux que vous les repreniez.

— Comment avez-vous su que je suis policier ?

— Je vous ai suivi à la sortie de l'hôpital. Vous êtes venu voir l'agent blessé. J'étais passée prendre de ses nouvelles, et une infirmière m'a dit que vous étiez de la police.

— Vous vous inquiétez de l'état de l'agent Begler ?

— Bien sûr. Je ne pensais pas que ça en arriverait là quand Freddy a accepté de se charger de la marchan-

17

dise. Je veux laisser tomber, avant qu'on soit tous derrière les barreaux.

— Vous pouvez m'emmener jusqu'aux diamants ?

Elle regarda vivement vers le bout de la rue et hocha la tête.

— Laissez votre voiture ici. Nous prendrons la mienne.

Il la suivit jusqu'au coin et s'introduisit dans une petite bagnole étrangère, tenant toujours à la main le sac avec la boîte de café. La fille conduisait à tombeau ouvert, se faufilant diaboliquement dans les embouteillages de l'heure de pointe, et, en cinq minutes, ils atteignirent la section miteuse d'Union Street, où tous les immeubles attendaient le démolisseur, et Leopold sut qu'ils étaient arrivés. Elle parqua la voiture, et le précéda dans un étroit escalier chichement éclairé, jusqu'à un petit appartement au-dessus d'une boutique de coiffeur désaffectée. Comme tous les locataires arboraient de longues tignasses, Leopold comprit sans peine pourquoi la boutique avait dû fermer.

— Freddy est là ? demanda-t-il à la fille, prenant le paquet de café de la main gauche pour rapprocher la droite de son pistolet.

— Qui vous a dit son nom ? demanda-t-elle, stupéfaite.

— Vous-même.

— C'est juste. Non, il n'est pas là. S'il savait ce que je fais, il me tuerait !

Elle ouvrit la porte et fit entrer Leopold dans un séjour sombre et crasseux. Un gros chat noir vint se frotter contre les jambes de la jeune femme, et elle se baissa pour le caresser.

— Où sont les diamants ? lui demanda-t-il.

— Par ici. Dans la cuisine.

Il la suivit, s'attendant à un piège, à une grande scène de séduction, à n'importe quoi, sauf au petit sac en cuir qu'elle prit dans la boîte à pain et ouvrit sous ses yeux. Elle le vida sur la table — des diamants, des gros, des petits, certains sur des bagues, mais la plupart non montés. Leopold les regardait, fasciné, muet d'étonnement.

— Ils y sont tous ? demanda-t-il enfin.

— Oui.

— Comment Hoffman vous les a-t-il fait parvenir ? Il est en prison.

— Il a un complice qui les a apportés à Freddy. Bon, prenez-les et allez-vous-en avant le retour de Freddy.

Mais à l'instant où la main de Leopold se refermait sur le petit sac, ils entendirent un bruit à la porte. Une clé tourna dans la serrure, et un instant plus tard, la porte s'ouvrit.

— C'est lui ? chuchota Leopold.

— Oui, oui ! Il va nous tuer tous les deux !

— Allez-y et essayez de le retenir.

Livide, elle sortit en toute hâte, et Leopold regarda autour de lui. Il n'y avait qu'une porte menant à un cagibi, et une fenêtre ouvrant sur une impasse. Il essaya la fenêtre, mais, collée par la peinture, elle ne bougea pas. Il se tourna vers la porte du séjour, écoutant les voix étouffées venant de l'autre pièce, et sortit son revolver. Il considéra un instant les diamants, puis une idée lui vint.

Deux minutes plus tard, il entrait dans le séjour, revolver au poing.

— Haut les mains, Freddy !

La fille étouffa un cri et Freddy se retourna, stupéfait, mais il comprit immédiatement ce qui se passait.

— Espèce de salope ! cria-t-il à la fille. Je te tuerai pour ça, Glenda !

Il fit un pas vers elle, mais Leopold agitant son revolver, lui fit signe de reculer.

— Vous ne tuerez personne. Je suis le capitaine Leopold, de la Brigade Criminelle, et s'il lui arrive quelque chose, je vous ferai arrêter immédiatement.

— Qu'est-ce qu'elle vous a dit ?

— Elle m'a fait venir ici pour me donner les diamants et essayer de sauver votre peau, mais quelqu'un est passé avant moi. Ils se sont envolés.

Freddy, petit homme à face de rat, s'agitait maintenant comme un rongeur qui vient de s'apercevoir que le piège ne contenait pas que du fromage.

— Comment ça, envolés ? C'est impossible !

Glenda, les yeux dilatés d'étonnement, essayait de comprendre la manœuvre de Leopold.

— Voyez vous-même, dit-il à Freddy, abaissant son arme.

Le petit homme fonça dans la cuisine sans perdre une seconde. Il fouilla la boîte à pain, la poubelle, les placards, tandis que Leopold regardait, debout sur le seuil. Enfin, au bout de dix minutes, il demanda :

— Où ils sont, Glenda ? Allez, donne-les-moi !

— C'est bien comme il t'a dit, Freddy ! Je te le jure !

— Tu les as cachés quelque part ! accusa-t-il.

— Non ! Je te le jure !

— M'aurait-elle fait venir ici si elle avait caché les diamants ailleurs ? fit observer Leopold.

Freddy le lorgnait avec une visible méfiance.

— Et qui me dit que vous ne les avez pas dans votre poche ?

Leopold rangea son revolver et leva les bras.

— Vous pouvez me fouiller si vous voulez.

Maintenant qu'il avait vu Freddy en action, le policier savait qu'il n'avait pas besoin d'arme pour le maîtriser, si les choses devaient en arriver là.

Le petit homme s'approcha, dévisageant toujours Leopold, et le palpa soigneusement, sans oublier les poches, les revers de pantalon et les manches. Travail soigné, mais vain. Leopold ressortit son arme afin de lui montrer l'intérieur du holster, puis ouvrit la crosse pour le convaincre que le magasin ne contenait que des balles.

— Qu'est-ce qu'il y a dans ce sac ? demanda Freddy.

Leopold sourit.

— Une livre de café. Je rentrais chez moi quand Glenda m'a contacté.

Freddy sortit la boîte et inspecta le sac, puis il remit le café dedans, dégoûté.

— C'est bon, je vous crois. Mais si les diamants ne sont pas là, où sont-ils ?

— J'ai autant envie que vous de les retrouver, l'assura Leopold. A part vous, il me semble qu'une seule personne peut les avoir.

— Qui ça ?

— Le type qui vous les a apportés, le complice de Rudy Hoffman.

Freddy pesa la chose.

— Et pourquoi il les aurait pris ?

Leopold haussa les épaules.

— Hoffman en prison, il a peut-être pensé pouvoir garder tout le magot pour lui. En vous livrant les pierres, puis en vous les reprenant, il était dédouané.

— Ouais, dit Freddy, qui commençait à mordre à l'hameçon. Quel salaud de me doubler comme ça !

— Alors, qui est-ce ?

Freddy étrécit les yeux, méfiant.

— Je m'en occuperai seul.

— Vous êtes sur la corde raide. Si je vous pince avec les diamants, je vous arrête pour recel.

Freddy réfléchit.

— Non, décida-t-il. Je ne vous dirai rien. Peut-être que c'est pas lui qui les a pris.

Leopold soupira et se tourna vers la fille.

— Glenda, qui est le complice d'Hoffman ?

— Je ne sais pas. Je ne l'ai jamais vu.

— Elle dit la vérité. Je suis seul à le savoir, à part Hoffman — et il n'y a pas de danger qu'il parle. Même s'il est condamné, il n'en chopéra pas pour longtemps et, en sortant, il pourra recommencer son petit jeu ailleurs.

— Vous faites partie de ce petit jeu ?

— Je devais fourguer les pierres, c'est tout. Mais ce n'est pas la peine de prendre des notes, parce que je nierai tout.

— Si vous ne voulez pas me donner le nom du complice, appelez-le. Dites-lui que vous savez que c'est lui qui a la marchandise, et faites-le venir ici.

L'idée sembla plaire au petit homme.

— Ouais, dit-il, je crois que c'est ce que je vais faire.

— Si j'ai les diamants et le complice, Freddy, vous êtes hors de cause.

— D'accord, je vais l'appeler.

Il s'approcha du téléphone, et Leopold regarda Glenda pour lui faire comprendre qu'elle devait l'épauler. Avec un peu de chance, il arrêterait le complice et ni Freddy ni Glenda ne seraient inquiétés.

— Allô! Ici Freddy Doyle. Ouais, ouais... Mais il y a du nouveau. Les diamants ont disparu... Tu m'as bien compris : *disparu!*... Tu ferais bien de venir au trot... Ouais, tout de suite! Et si c'est toi qui as les diams, je te conseille de les apporter!

Il raccrocha et Leopold dit :

— Parfait. Il a avoué les avoir volés?

— Que non! Il croit que c'est moi qui le double! En tout cas, c'est ce qu'il a dit. Il arrive.

Ils s'assirent pour l'attendre, et Leopold regarda la nuit tomber sur la ville. Il se sentait bien à l'idée que, dans une heure, l'affaire serait terminée. A un moment, Freddy ordonna :

— A boire!

Et Glenda fila à la cuisine.

Peu après sept heures, la sonnette tinta et ils entendirent des pas dans l'escalier.

— Vous attendez quelqu'un d'autre? demanda Leopold.

— Non, ça doit être lui. Attention : il est peut-être armé.

— Faites-le entrer. Je serai juste derrière vous, à la porte.

Tandis que Glenda, terrifiée, restait sur le seuil de la cuisine, Freddy Doyle ouvrit la porte de l'appartement, scruta l'obscurité du palier et dit :

— C'est toi...?

Leopold jura entre ses dents. Il essaya de reculer vivement en tirant Freddy, mais c'était trop tard. Trois détonations claquèrent soudain dans le noir, et Freddy tomba à la renverse dans les bras du policier.

— Halte ! cria Leopold. Police !

Il entendit quelqu'un dégringoler l'escalier, et posa par terre le corps flasque de Freddy. Derrière lui, Glenda hurlait. Leopold courut à la balustrade du palier et tira un coup au hasard dans le noir. On ouvrit d'un coup sec la porte de la rue et l'agresseur de Freddy disparut. Le temps que Leopold arrive sur le trottoir, l'autre était loin.

Le policier remonta dans l'appartement. Glenda était à genoux dans une flaque de sang qui s'agrandissait à vue d'œil.

— Il est mort ! hurla-t-elle, au bord de la crise de nerfs.

— Je sais, dit Leopold, se sentant soudain très vieux.

Il s'approcha du téléphone et appela le commissariat.

Fletcher le trouva dans son bureau, fixant le mur d'un air sinistre.

— Je suis venu aussi vite que j'ai pu, capitaine. Qu'est-ce qui s'est passé ?

— J'ai bousillé le coup, voilà ce qui s'est passé, Fletcher. J'ai voulu tendre un piège, et j'ai fait descendre un pauvre type.

Fletcher s'assit sur sa chaise habituelle, en face du bureau.

— Racontez-moi ça.

Leopold lui fit un bref résumé des événements de la soirée, depuis sa visite à l'hôpital jusqu'à l'assassinat de Freddy Doyle.

— Je ne pensais pas que mon homme se sentirait coincé au point de commettre un meurtre, avoua-t-il.

— Mais pourquoi tuer Doyle ?

— Parce que le type a compris que c'était un piège. Peut-être aussi que ses balles m'étaient destinées, mais Doyle était entre nous. Je suppose qu'il a flairé quelque chose quand Freddy lui a dit que les diamants avaient disparu, parce qu'il savait ne pas les avoir volés.

— Mais où étaient-ils ? demanda Fletcher. Vous dites que vous les avez vus...

Leopold hocha la tête.

— Les voici : mon seul succès de la journée.

Il sortit du sac la boîte de café.

— Je ne suis resté seul que deux minutes dans la cuisine, mais je me suis dit que Freddy pourrait me mener au complice d'Hoffman s'il pensait que celui-ci lui avait repris les diamants. Alors, j'ai ouvert partiellement le fond de ma boîte de café avec un ouvre-boîte qui était dans la cuisine et j'ai vidé un peu de café dans l'évier pour faire de la place aux diamants. Puis j'ai redressé le fond de la boîte du mieux que j'ai pu, et j'y ai adapté le couvercle en plastique qu'on vend avec, pour que le café ne coule pas. Quand Freddy a cherché les diamants, il a bien soulevé la boîte hors du sac, mais le couverle étant scellé, il n'a pas eu l'idée de la retourner.

Fletcher ouvrit le petit sac et vida quelques pierres sur le bureau.

— Très astucieux, capitaine.

— Astucieux, oui — sauf que Freddy est mort, et qu'on a maintenant un meurtrier sur les bras. Et l'assassin n'est pas homme à attendre tranquillement qu'on vienne le cueillir.

Le lieutenant fronçait les sourcils en considérant les pierres.

— Si Hoffman s'est servi d'un complice, il faut que celui-ci soit entré en contact avec lui au cours des quelques minutes qui ont suivi le vol. Il n'a pas pu cacher les diamants quelque part, car on a passé la rue au peigne fin. Et une seule personne a eu un contact physique avec lui — la seule à qui il ait pu passer les pierres.

Leopold hocha la tête.

— J'y ai déjà pensé, Fletcher. Lance un mandat d'amener contre Neil Quart.

Le jeune homme, assis dans la salle des interrogatoires, regardait alternativement les deux hommes, mal à l'aise.

— Qu'est-ce que ça veut dire ? Vous me traînez ici à minuit comme un assassin ? Et ce matin, j'étais un héros !

— C'était ce matin, dit Fletcher.

Leopold s'était assis sur le bord de son bureau, tout près du suspect.

— Ecoutez, Neil, il est temps de vous mettre à table ! Il ne s'agit plus d'un simple vol, maintenant, mais d'un meurtre !

— Un meurtre ! Je ne...

Il voulut se lever, mais Fletcher le repoussa sur la chaise.

— Hoffman a passé ces diamants à quelqu'un, qui les a livrés au receleur et, ensuite a tué celui-ci. Vous êtes la seule personne qui ait eu un contact physique avec Hoffman après le vol.

— Mais je lui ai couru après ! Je me suis battu avec lui ! Je l'ai retenu jusqu'à l'arrivée de la police ! Vous le savez bien, tout ça !

— Et pendant que vous le reteniez gentiment, il vous a passé les diamants.

— Non ! Vous êtes fous ! Je ne...

Leopold se mit à arpenter la pièce.

— Il n'y a pas d'autre solution. C'est forcément vous le complice, Quart.

— Ecoutez, ça n'a pas de sens ! Il courait ! Pourquoi imaginer un cinéma pareil pour me passer les diamants, alors qu'il filait avec ? Si je ne l'avais pas rattrapé, il serait toujours dans la nature !

Leopold réfléchit, essayant de trier mentalement les faits. C'était logique, ce que disait Neil Quart, trop logique.

— Où étiez-vous, ce soir-là à sept heures ?

— Chez Baumbaum, au service des expéditions, comme tous les soirs. Vous pouvez leur demander.

— C'est bon, soupira Leopold. Allez-vous-en. Rentrez chez vous. Nous vérifierons demain matin.

Fletcher eut l'air étonné.

— Mais... capitaine.

— Non, ça va, Fletcher. Je me suis trompé — une fois de plus. Ce n'est pas mon jour.

Fletcher le suivit dans son bureau.

— Je vais vous faire un peu de café, capitaine.

Leopold lui tendit la boîte.

— Je suis complètement dans le brouillard, Fletcher. Je n'arrive même plus à réfléchir. Je fais arrêter ce môme en essayant de lui coller un meurtre sur le dos. Je fais tuer un pauvre type, et tout ça pour rien.

— Vous avez récupéré les diamants, capitaine.

— Ouais !

Fletcher remplissait la cafetière.

— Enfin, Hoffman a bien fait quelque chose de ces diamants ! Il les avait quand il a frappé l'agent Begler, et il ne les avait plus quand on l'a arrêté quelques minutes plus tard.

Leopold se redressa dans son fauteuil.

— Comment pouvons-nous le savoir, Fletcher ?

— Enfin, merde, il n'a quand même pas assommé Begler parce qu'il *n'avait pas* les diamants !

— Fletcher, énonça Leopold en détachant les syllabes, je crois que c'est exactement ce qui s'est passé.

Le lendemain matin, ils attendaient déjà devant la porte quand Peter Arnold arriva pour ouvrir la boutique des Diamantaires du Centre. Il haussa les sourcils, étonné.

— Capitaine Leopold ! On dirait que vous ne vous êtes pas couché de la nuit.

— Vous ne croyez pas si bien dire ! rétorqua Leopold en le suivant dans le magasin.

Fletcher entra aussi, mais resta près de la porte.

— J'ai tiré plusieurs personnes de leur lit, pour vérifier vos finances, Arnold. Je ne voulais pas commettre une autre erreur.

— Quoi ?

— Sacrément astucieux, votre plan, je vous l'accorde. Je suppose que c'est une idée d'Hoffman, et qu'il a fait le tour de plusieurs bijoutiers jusqu'à ce qu'il en trouve un ayant besoin d'argent.

— Je ne sais pas de quoi vous parlez.

— Si, vous le savez, Arnold. L'autre soir, vous avez fermé à neuf heures et vous avez rapidement vidé la vitrine. Rudy Hoffman est passé comme prévu, a cassé la vitre et s'est enfui. Vous avez empoché les pierres et appelé la police. Puis vous avez apporté les diamants à Freddy Doyle qui devait les vendre. Ce plan avait un grand avantage : Hoffman ne perdait pas de précieuses secondes à ramasser les bijoux dans la vitrine, et s'il était arrêté un bloc ou deux plus loin, il n'avait rien sur lui. Pas de diamants, pas de preuves. Il avait sans doute l'intention de se débarrasser de sa canne ainsi que de son pardessus et de filer. Malheureusement, l'agent Begler n'était pas où il aurait dû être : en train de diriger la circulation. Hoffman savait qu'il ne pouvait pas se laisser arrêter près de la vitrine : comme il n'avait pas de pierres sur lui, tout le plan aurait été éventé. C'est pourquoi il a assommé Begler avant de s'enfuir. Mais la déveine ne l'a pas lâché pour autant. Un jeune homme du nom de Neil Quart l'a pris en chasse. Et pendant tout ce temps, vous aviez les diamants. Malheureusement, Hoffman n'a même pas eu la possibilité de prétendre s'en être débarrassé. Nous avions un mystère sur les bras, bien que cela n'eût pas été prévu au programme.

Peter Arnold ne les quittait pas des yeux. Humectant ses lèvres, il dit :

— Je suppose que vous avez des preuves de ce que vous avancez ?

— Des tas de preuves ! Vous avez de gros ennuis d'argent, et cette participation au vol des diamants de votre compagnie vous permettait d'en sortir facilement. Nous avons récupéré les pierres, et quand vous serez derrière les barreaux, je suis sûr qu'Hoffman se laissera convaincre de parler.

— Mais il y a des témoins qui ont vu Hoffman voler dans la vitrine !

— Ils l'ont seulement vu passer la main à l'intérieur. Il n'aurait pas eu le temps de rafler tous ces diamants en vrac, et vous seul, Arnold, avez déclaré l'avoir vu. Vous avez affirmé l'avoir vu pendant que vous fermiez la porte, bien que la vitrine soit fermée par un rideau de velours qui empêche de voir depuis l'intérieur du magasin. Vous ne l'avez pas vu prendre les diamants, car il ne les a jamais pris. Ils étaient déjà dans votre poche quand il a brisé la vitrine et s'est enfui en courant.

— Je ne…

— Vous avez paniqué quand Freddy vous a appelé, et surtout quand vous m'avez aperçu derrière lui. Vous m'avez reconnu, bien entendu, et vous avez tiré. Cela m'a fait comprendre que le tueur devait être quelqu'un que j'avais interrogé au cours de cette affaire.

C'est alors que Peter Arnold passa à l'action, comme l'avait prévu Leopold. Il ne restait plus qu'à deviner si l'arme du crime était dans sa poche ou derrière le comptoir. Il porta la main à sa poche, et Fletcher tira de la porte. Une balle dans l'épaule : sa spécialité.

Arnold s'effondra contre une vitrine et hurla en se tenant l'épaule, tandis que Leopold le délestait de son pistolet.

— Vous auriez dû le jeter dans la rivière, dit-il. Sans lui, nous n'aurions jamais pu prouver que vous avez tiré.

Fletcher ferma la porte à clé et appela une ambulance. Il leur fallait faire panser Arnold, avant de l'écrouer pour vol et assassinat. Ensuite, ils pourraient aller se coucher.

A Melee of Diamonds.
D'après la traduction de S. Hilling.

L'identification

par

EDWARD WELLON

Mort Seymour attendait que la porte s'ouvre. Il était affalé sur une chaise, comme accablé sous le fardeau des années, et une douleur lancinante lui faisait parfois fermer les paupières qu'il relevait aussitôt pour fixer son regard sur la porte. Il entendit un bruit de pas et se mit à chercher le nom de l'officier de police. Une vague de panique l'effleura : il voulait le retrouver avant que celui-ci n'entre dans la pièce.

Soulagé, il se laissa retomber sur le dossier de sa chaise dans un mouvement d'abandon trop soudain qu'il paya d'un nouvel élancement — mais ça ne faisait rien ; il venait de se rappeler le nom du policier : Young. Mort Seymour mettait un point d'honneur à retenir le patronyme des gens qu'il rencontrait, et à s'adresser à eux nommément. Non seulement il savait que ça flattait le client comme l'acheteur potentiel, mais encore il estimait que les êtres humains disposaient chacun d'une identité, et il voulait leur faire prendre conscience de cette identité unique, dans un monde qui tendait de plus en plus à niveler les individus, à les réduire en autant de trous dans une carte perforée.

Lorsque la porte s'ouvrit, Mort Seymour perçut tout à la fois le cliquetis assourdi de doigts malhabiles taquinant le clavier d'une machine à écrire, et les accents rocailleux d'une voix s'expliquant sans ménage-

29

ments au téléphone ; puis le sergent Young entra dans la pièce. Il n'y avait pas si longtemps, Young était un jeune homme ; il avait maintenant les cheveux gris, comme Mort Seymour. En dépit de tout ce qui pouvait les séparer, quelles que fussent leurs dissensions, tous les hommes avaient cette chose en commun : ils subissaient le passage du temps.

Mort Seymour se leva vivement, mais le policier lui fit signe de se rasseoir.

— Allons, allons, ne vous affolez pas !

— Merci, sergent Young, répondit Mort Seymour en se laissant aller avec reconnaissance contre le dossier de sa chaise ; il ne pensait pas avoir les jambes aussi flageolantes.

Young posa sa lampe de bureau sur le dessus d'un classeur et en dirigea le faisceau lumineux vers le mur nu, comme s'il réglait l'éclairage d'une scène. Après quoi il passa la tête dans le couloir où il fit un signe ; six hommes entrèrent alors et vinrent se planter en rang d'oignon devant le mur éclairé d'une lumière blafarde. Puis il braqua son regard sur Mort Seymour et tendit vers eux sa main droite, la paume tournée vers le ciel, comme s'il les lui présentait sur un plateau.

De ses yeux étrécis, Mort Seymour dévisagea les six individus. Ils étaient à peu près de la même taille, mais il y avait des différences entre eux, et c'est à cela qu'il reconnaîtrait son homme. Le premier avait les cheveux trop clairs ; le second était trop corpulent ; le troisième, trop brun ; le quatrième...

Mort Seymour se releva péniblement. Ses jambes tremblaient sous lui, mais il resta debout. Il regarda le quatrième homme droit dans les yeux. L'homme lui retourna son regard avec ennui. Mort jeta un coup d'œil au cinquième et au sixième personnage, mais il en revenait toujours au quatrième. Il se rapprocha de la lumière. Du côté de sa tête restée dans l'ombre, un pansement de gaze retenue par du sparadrap renvoyait la lueur blafarde du mur situé derrière lui ; dans son crâne subsistait quelque chose de la terreur qu'éprouvaient les hommes préhistoriques à l'époque où ils se terraient peureusement dans leur caverne à la vue d'un éclair. Mort Seymour tendit le doigt, au mépris de la douleur qui le tenaillait.

— C'est lui.

Si seulement son doigt voulait bien ne pas trembler...

— Lequel ?

Il y avait une note d'espoir dans la voix du sergent Young.

— Celui-là. Le quatrième.

Young poussa un soupir. Mort Seymour se retourna et le vit faire la moue.

— C'est bien ce que je craignais, dit le policier en hochant la tête d'un air attristé. Désolé, monsieur Seymour. Sans doute êtes-vous encore trop choqué pour pouvoir l'identifier. D'ici quelque temps, peut-être.

Mais son intonation trahissait le doute. Mort Seymour se rendit compte qu'il était resté bouche bée ; il ne pouvait s'en empêcher.

— Que voulez-vous dire ? articula-t-il péniblement. Je vous affirme que c'est lui.

Le sergent Young eut une inclinaison de tête et les hommes sortirent de la salle à la queue leu-leu.

— Restez-là, Muller, dit-il.

Le quatrième homme quitta la file et attendit. *C'est lui*, se répétait Mort Seymour qui ne parvenait pas à détacher son regard de l'individu. *C'est lui, c'est lui, je sais que c'est lui. Quelle mouche a piqué le sergent Young ?*

Le policier était resté debout toute la journée. Il poussa un profond soupir.

— J'espérais que vous indiqueriez le troisième gaillard. C'était notre principal suspect.

Une nouvelle fois, Mort Seymour tendit le doigt vers le quatrième homme, presque à le toucher.

— C'est lui qui est entré dans mon magasin et m'a frappé sur la tête avant de me voler.

Young parut sur le point de faire la grimace, mais répondit patiemment :

— Monsieur Seymour, cet homme est l'agent Muller. Un policier en civil. Lors de la confrontation, nous entourons toujours le suspect de policiers en civil dont le signalement correspond approximativement au sien. Comme cela, le prévenu est traité équitablement, et ne peut ensuite aller raconter au tribunal que nous avons pour ainsi dire forcé la main au témoin.

Mort Seymour dévisageait l'agent Muller, qui lui retournait son regard d'un air blasé. Il secoua la tête avec opiniâtreté, indifférent à la douleur qui lui lancinait le crâne. Quand, dans la moitié du monde, non seulement le crime arbore le masque de l'innocence, mais brandit encore le glaive de la justice pour mener les victimes au banc des accusés, peut-on s'étonner qu'il existe des flics marrons ? C'est à peu près ce qu'il allait demander à Young lorsque celui-ci reprit la parole.

Le sergent s'efforçait visiblement de parler avec douceur, et cependant sa voix ne pouvait dissimuler sa contrariété :

— Ecoutez, monsieur Seymour, on ne rajeunit pas. Personne. Il n'y a rien à faire. On n'a plus les jambes aussi solides ; on a les mains qui tremblent, et la vue qui baisse. Il n'y a pas de quoi avoir honte ; tout le monde y a droit. Muller, ramenez M. Seymour chez lui.

Mort Seymour aurait voulu protester avec véhémence, se mettre à crier. Le sergent ne savait pas ce qu'il faisait en le renvoyant chez lui tout seul avec celui qu'il savait pertinemment être entré dans son magasin pour lui administrer un coup sur la tête avant de le dévaliser. Mais la douleur l'aveuglait, et le temps qu'il retrouve la vue avec l'usage de la parole, le sergent Young avait déjà quitté la pièce, le laissant aux mains de ce Muller.

Prenant tout son temps, ce dernier, qui arborait toujours la même expression désabusée enleva la lampe de dessus le classeur pour la remettre à sa place sur le bureau. Au passage, la lumière projeta sur son visage anguleux des ombres menaçantes dans lesquelles Mort Seymour crut lire un avertissement. Aussi profitant que Muller arrangeait l'abat-jour de la lampe, il se rapprocha discrètement de la porte, bien décidé à s'éclipser sans laisser à l'inspecteur le temps de le suivre.

Comme il l'entendait aucun bruit de pas derrière lui, Mort Seymour crut avoir réussi et accéléra l'allure. Mais Muller ne tarda pas à le rejoindre. Ils traversèrent la salle des inspecteurs sans échanger une parole. L'homme qui tapait à la machine, pas plus que celui qui téléphonait, ne leur accordèrent un regard.

Lorsqu'ils arrivèrent au parking du commissariat, Muller s'arrêta pour montrer du doigt une longue conduite intérieure noire.

— Ce n'est pas la peine, dit Mort Seymour en secouant la tête. Je vais prendre un taxi.

— Je vous ramène chez vous, rétorqua l'agent Muller d'un ton calme mais sans réplique.

— Je ne voudrais pas vous déranger, poursuivit Mort.

— L'inspecteur m'a dit de vous ramener, rétorqua Muller.

— Vous ne pourriez pas lui dire que vous l'avez fait ?

Pour la première fois, Muller dépouilla son air ennuyé.

— Vous croyez toujours que c'est moi ? demanda-t-il en ébauchant un sourire.

Mort Seymour scruta le visage de l'homme. Si seulement il avait entendu parler son agresseur... Mais, en dehors d'un grognement de surprise, il était presque certain que le malfaiteur n'avait pas dit un mot. Et même s'il avait prononcé la moindre parole — grommelé quelque chose à propos de la somme, par exemple — la voix de l'agent Muller n'éveillait aucun écho dans le subconscient de Mort Seymour. Le sourire du policier s'épanouit, et Mort Seymour se sentit tout d'un coup très vieux.

Le policier lui tendit une main secourable, mais, se faisant violence, Mort Seymour se redressa.

— Ça va aller, dit-il avec un pauvre sourire. Pour cette identification... ça ne fait jamais plaisir de devoir reconnaître qu'on vieillit et qu'on n'a plus ses yeux de vingt ans, vous savez.

Muller hocha la tête. Il dirigea Mort vers la grosse voiture noire dans laquelle ils s'engouffrèrent.

— Où habitez-vous ?

— Je ne rentre pas chez moi, répondit Mort avec lassitude. Je vais ouvrir le magasin.

Le policier jeta un coup d'œil au pansement puis au visage livide de Mort Seymour avant de hausser les épaules.

— Comme vous voudrez.

La voiture bondit vers la rue et tourna à gauche.

Le cœur de Mort Seymour cognait si fort dans sa poitrine qu'il redoutait que Muller l'entendît. Si ce dernier était innocent, il ne pouvait savoir où se trouvait le magasin. Pourquoi alors avait-il pris à gauche ? Les battements du cœur de Seymour retrouvèrent leur rythme normal. C'était une rue à sens unique ; Muller n'avait pas le choix : il était obligé de tourner à gauche. Mort décida de rester dans l'expectative et de garder le silence.

— Où est le magasin ? lui demanda Muller avant même qu'ils n'arrivent au bout de la rue.

— Continuez tout droit, répondit Mort Seymour. Jusqu'à la rue d'Eccles. Là, vous tournerez à droite. C'est presque au bout de la rue. Au douze. Au numéro douze.

Muller hocha la tête. La nuit était tombée tout d'un coup, et il alluma les phares. Comme c'était étrange et terrifiant, songeait Mort Seymour, de filer dans cette grosse voiture noire, le long de rues familières qui, métamorphosées par l'obscurité, lui semblaient brusquement étrangères. Il aurait bien voulu parler de choses et d'autres avec légèreté, afin de détendre l'atmosphère, au lieu de quoi il ne pouvait s'empêcher de dévisager le policier.

Soudain, ce dernier plaqua ses grosses pattes sur le

volant et éclata d'un rire tonitruant. Le bruit raviva une douleur fulgurante dans le crâne de Mort Seymour.

— Ce serait drôle, maintenant, si c'était moi, non ? fit-il avec un regard en coulisse vers l'homme assis à côté de lui.

Mort Seymour eut un sourire lamentable.

— Vous avez de la chance que ce ne soit pas moi, poursuivit Muller en coulant vers son passager un nouveau regard. Et savez-vous pourquoi ? Parce que, si c'était moi — or je crois que vous en étiez vraiment persuadé, et que vous pensiez que j'allais vous régler votre compte —, eh bien, vous ne vous en sortiriez pas comme ça. Et vous voulez que je vous dise comment je m'y prendrais ? Je vous frapperais simplement au même endroit. Tout le monde croirait à une séquelle fatale du premier coup.

Le sourire de Mort Seymour se fit plus pitoyable encore. Il contemplait avec hébétude le visage sur lequel jouait la lumière des phares. Muller était-il vraiment coupable, et dans ce cas, était-ce là une menace détournée ? Peut-être prenait-il seulement un malin plaisir à rendre la monnaie de sa pièce à Mort Seymour, qui l'avait identifié à tort ?

Le policier se remit à rire.

— Ce serait marrant !

Mort Seymour s'efforça de prendre l'air amusé.

— Pour ça, oui...

Quelle que fût la vérité, il n'avait pas envie de s'y appesantir. Il était presque reconnaissant à la douleur des instants où elle l'empêchait de penser. Et pourtant, il se contraignit à réfléchir. Tout en palpant le pansement qui ornait son crâne, il se remémora le moment ayant précédé l'agression. Le malfaiteur, qui le soupçonnait sans doute de dissimuler une arme sous le comptoir, avait attendu que Mort Seymour s'en éloigne pour arranger les bouteilles sur les rayons du haut, tournant ainsi le dos à la porte. L'homme s'était alors approché, tout doucement, et Mort n'aurait rien entendu s'il n'avait buté dans la latte de parquet qui avait joué et que le propriétaire promettait sans cesse de remplacer sans jamais le faire. Il s'était retourné précipitamment, mais n'avait eu que le temps d'apercevoir son assaillant avant de recevoir le coup sur la tête.

Un éclair de douleur lui rappela les propos du sergent Young ; paroles d'autant plus cruelles qu'elles n'étaient que trop justifiées : les années ne l'avaient pas épargné. Il n'avait plus les jambes aussi solides ; ses mains tremblaient, et sa vue baissait.

Il fallait bien s'accommoder de la vie. Il eut un soupir mais sourit quand Muller tourna la tête vers lui. Après tout, qu'y pouvait ce dernier si, aux yeux de Mort Seymour, ses pauvres yeux usés, il ressemblait tellement au bandit ? Mort Seymour éprouva un immense soulagement : il aurait pu montrer du doigt un autre innocent, quelqu'un qui n'eût pas joui de la même considération que l'agent de police, et n'aurait pas eu d'alibi. Il frissonna. Il aurait pu, lui, Mort Seymour, se rendre coupable de faux témoignage.

Muller rangea la grosse voiture noire le long du trottoir.

— C'est là ?

Mort sursauta et regarda autour de lui ; c'était bien l'enseigne de son magasin : « Seymour, vins et spiritueux ». Il hocha la tête. Quelle situation gênante... Il aurait voulu prendre congé du policier, le remercier et lui présenter ses excuses tout à la fois, mais il ne savait comment s'y prendre. Il sonda Muller du regard ; s'il l'avait profondément blessé, le fait de lui offrir quelque chose en dédommagement ne risquait-il pas d'ajouter l'injure à l'offense ? Comment savoir ?

— Oui, c'est là, dit-il enfin.

Muller eut l'air impressionné par l'étalage.

— Vous êtes bien installé, dites-donc.

— Ma foi, oui, répondit Seymour. Ce n'est pas grand, mais c'est l'emplacement rêvé pour ce genre de commerce. Je m'en sors.

Il se risqua à faire une plaisanterie.

36

— Cela dit, c'est trop petit pour nous nourrir tous à la fois, les cambrioleurs et moi.

— Ouais, opina froidement Muller.

Le souvenir de la méprise commise lors de la confrontation se dressait de nouveau entre eux. Plus que jamais, Mort Seymour eut envie de se racheter.

— Permettez-moi au moins de vous offrir une bouteille de quelque chose, dit-il. Ce que vous voudrez.

Muller ne parut pas s'en offusquer ; tout au contraire, cela sembla lui faire plutôt plaisir. Ils descendirent de voiture. Mort Seymour sortit ses clefs de sa poche, ouvrit la porte de la boutique et alluma la lumière, qui fit étinceler les rangées de bouteilles. Il passa derrière le comptoir où se trouvaient le papier et la ficelle. Planté sur le pas de la porte, Muller contemplait la multitude de bouteilles.

— Prenez ce que vous voulez, dit Mort Seymour avec un geste large.

Les yeux rivés sur l'objet de sa convoitise, le policier avança pour le prendre. Machinalement, sans réfléchir, il évita la planche gondolée et s'immobilisa aussitôt.

Mort Seymour le dévisagea. *C'est lui,* se dit-il. Le policier ne le quittait plus des yeux, ayant compris qu'il venait de se trahir. L'espace d'un instant, ils s'affrontèrent du regard, puis Muller eut un mouvement vers la matraque pendue à son côté.

Mais, d'un geste preste et sûr, Mort Seymour passa la main sous le comptoir où il saisit fermement son revolver qu'il braqua sur le policier. Le regard brillant, il avait les pieds solidement plantés sur le sol et sa main ne tremblait pas.

— Un geste de plus, et vous ne ferez pas de vieux os, dit-il.

Il se redressa de toute sa hauteur. Il tenait son homme. Mais était-ce bien sûr ? Il connut un instant de désarroi. En évitant la latte de parquet, Muller avait signé son forfait, mais cela ne suffirait pas pour le faire condamner, pas plus que l'éclair de culpabilité qui avait traversé son regard. Il faudrait une preuve concrète.

Sa main mollit. Mais la seconde d'après, elle retrouva toute sa fermeté. Peut-être pourrait-on déceler des traces de sang, de cellules ou de cheveux sur la matraque ; une écharde de la latte déclouée avait pu s'enfoncer profondément dans le bout de la chaussure de Muller ; des traces de la poussière du tiroir-caisse de Mort Seymour, une poussière particulière aux magasins de vins et spiritueux, adhérait peut-être encore aux billets qui se trouvaient dans le portefeuille de Muller. Mais tout cela, c'était la tâche du sergent Young et maintenant, Mort Seymour était sûr qu'il la mènerait à bien.

Which One's the Guilty One ?
Traduction de Dominique Haas.

Sans enfreindre la loi

par

JOHN LUTZ

J'aime l'ordre, la méthode et la règle ; j'aime que les choses soient nettes ; mon esprit est ainsi fait. Ce qui est bâclé ou demeure dans le flou, les questions pas tranchées ou les problèmes non résolus, tout cela m'indispose au plus haut point, surtout lorsque je suis directement concerné. Quand on choisit la musique, il faut payer les violons — œil pour œil, dent pour dent ; enfin, vous m'avez compris. La peine capitale n'a pas de plus ferme partisan que moi. C'est pourquoi je poursuis Jack Hall et m'attache à ses pas.

Hall a tué ma femme il y a un peu plus d'un an. Personne ne peut le prouver ; les avocats les plus futés ou les plus fins limiers en seraient bien incapables, pour la bonne raison qu'il n'existe pas la moindre preuve. Hall a pris à cet égard toutes les précautions voulues avant de la tuer. Adélaïde avait avec lui une liaison de plus en plus difficile à dissimuler ; le pot aux roses menaçait d'être découvert. Hall ne pouvait tolérer de voir son ménage brisé par la même occasion, et ce pour d'excellentes raisons financières. Il a donc minutieusement combiné son affaire et étranglé Adélaïde ; plusieurs témoins ont juré qu'il se trouvait à plus de quinze cents kilomètres du théâtre du crime au moment où celui-ci se perpétrait.

Moi, je sais que c'est faux, parce que j'ai suivi Adélaïde ce soir-là et que je l'ai vue rejoindre Hall. Il l'a tuée et il paiera ; j'y veillerai. Oh, certes, elle m'a trompé avec lui, mais c'était ma femme, et il l'a tuée, indiscutablement. Un homme doit aimer sa femme ; il le devrait en tout cas.

Pour l'heure, je suis en train de déambuler derrière Hall à Denver. Son métier lui fait parcourir le pays dans tous les sens, et moi, je le suis, en prélevant sur mes économies. Il va pénétrer dans ce bar élégant, je parie ; oui, effectivement. Il est homme à fréquenter ces endroits-là ; c'est son genre.

Je pénètre à mon tour et déniche une banquette d'où je peux l'observer. Il est assis au comptoir et il sait que je suis là. Je fais toujours en sorte qu'il me voie ; j'y tiens. Son visage sanguin, plutôt séduisant, disons-le, s'empourpre au moment où il m'aperçoit dans la glace en commandant son verre. Depuis quelque temps, cela l'énerve de plus en plus de me sentir sur ses talons.

Hall va probablement venir me trouver et essayer encore une fois de me sonder, tenter de me faire abattre mon jeu, de manière à savoir comment faire face à la situation, mais moi, chaque fois que la conversation s'engage entre nous, je prends garde de ne pas dévoiler entièrement mes batteries, afin de le maintenir sous pression. Je sais ce qui le tracasse, et il a bien raison de ne pas être rassuré.

Le voici qui me toise de son haut, le verre à la main, un peu pansu mais d'aspect assez athlétique tout de même dans son pantalon sombre et son veston de sport gris élégamment coupé. Très homme à femmes.

— Quand vous déciderez-vous à laisser tomber, Brewster ?

— Vous devez pourtant savoir à présent que je ne renoncerai jamais, Jack. (Je l'appelle toujours par son prénom ; il n'aime pas ça.)

Sans que je l'y invite, il s'assied en face de moi.

— Enfin, bon sang, je ne comprends pas ! A quoi pensez-vous aboutir en me suivant ainsi à travers tout le pays ?

Je m'astreins à conserver un ton calme.

— Vous devez payer pour le meurtre de ma femme et vous paierez.

— Mais je n'ai pas tué votre femme ! (Hall me dévisage avec un mélange d'irritation et d'incompréhension ; on dirait qu'il essaie de se convaincre que je suis un inoffensif cinglé, sans plus.) D'ailleurs, en tant que suspect, ajoute-t-il, j'ai été blanchi. Du côté de la police, c'est une affaire classée.

— Du côté de la police ; pas du mien.

Il émet un rire gras.

— C'est la police qui compte, mon bonhomme. J'ai été blanchi, et contre ça, vous ne pouvez pratiquement rien faire. (Il lève son verre et ingurgite une bonne lampée.) Entre nous soit dit, Adélaïde allait vous quitter de toute façon. Alors pourquoi perdre votre temps à vous ronger les sangs à propos d'une femme infidèle et défunte, un peu putain sur les bords, et qui ne pouvait plus vous voir en peinture ?

— Vous ne comprendriez pas.

— Ah, ouais ? Eh ! bien, vous, voilà ce que vous ne comprenez pas : toute cette histoire est terminée, révolue, enterrée. Vous pourrez bien me suivre jusqu'à la Saint-Glinglin ; ça ne changera rien à rien. A la moindre menace d'agression de votre part, je vous fais arrêter. Et si par hasard vous me tuiez, vous grilleriez pour la peine ; je vous le certifie.

— Je sais. La lettre.

Hall m'avait appris un certain temps auparavant qu'il avait déposé une lettre chez son notaire ; celui-ci devait l'ouvrir au cas où il mourrait de mort violente. La lettre parlait de ma filature permanente et me dénonçait comme meurtrier probable. Par ailleurs, j'avais un mobile évident ; je pensais qu'il avait tué Adélaïde et ne m'étais pas privé de le claironner à la ronde.

— Vous ne pouvez rien prouver, me déclare Hall. Vous *savez* que vous ne pouvez rien prouver.

— Vraiment ? (Je bois ; je prends mon temps ; je sirote.) Je considère que vous méritez la chaise électrique, Jack. J'estime que pour avoir tué Adélaïde vous devez passer de longs mois dans le couloir de la mort, tandis que vos appels aboutiront tous à d'inéluctables culs-de-sac, pendant que vous compterez les jours, les repas, les minutes, et jusqu'aux pas qui vous conduiront à la salle d'exécution. J'estime même que vous devriez compter les secondes, lorsqu'on fixera le casque métallique sur votre crâne rasé.

— Ça suffit ! (Hall transpire ; ses doigts, autour de son verre, blanchissent aux jointures.)

Je hausse les épaules.

— Comme vous me l'avez fait remarquer, je ne peux rien prouver.

Il me foudroie du regard ; ses sourcils sombres se rejoignent sous l'empire de la colère.

— Alors pourquoi persistez-vous à me suivre ?

— Je vais où vous allez ; ça se trouve comme ça ; c'est tout.

Il serre les mâchoires, son regard courroucé toujours fixé sur moi, puis se lève et sort. J'attends quelques secondes avant de me lever moi-même pour le suivre.

Hall a raison, bien entendu. Je ne peux prouver qu'il a assassiné Adélaïde, sinon je l'aurais fait depuis longtemps. Toutefois, pour le faire payer, je connais un moyen. La Justice veut qu'un assassin paie pour son crime.

Je loge au même hôtel que Hall. Je le fais toujours, par principe, pour le surveiller de près. En fait, ce n'est plus tellement nécessaire. Il ne prend pas la peine d'essayer de m'échapper. Il sait fort bien que même s'il réussissait à me semer je le rattraperais à sa prochaine étape. Je connais son itinéraire commercial ainsi que tous ses clients. Dans le pire des cas, je suppose que je pourrais me contenter d'attendre près de son domicile jusqu'à ce qu'il se montre ; après quoi je recommencerais à le suivre. Mais cette éventualité ne s'est jamais produite.

Tout en suivant Hall jusqu'à l'hôtel, je pense à la lettre. Je ne doute pas une seconde qu'il l'ait écrite et qu'elle soit entre les mains de qui de droit. Il croit qu'elle le met à l'abri d'une voie de fait ou pire encore et j'avoue qu'en un sens il n'a pas tort. Je souris en pénétrant dans le hall à sa suite. N'importe comment, je ne me risquerais pas à le tuer ; je me l'interdis. Ce serait enfreindre la loi.

Ce mois-ci, nous sommes passés par Saint Louis, Indianapolis et Chicago. Nous venons d'arriver à Detroit. Je connais si bien son circuit que j'aurais presque pu m'y rendre directement et l'y attendre. Mais c'eût été contraire à mon dessein ; je tiens à le serrer de près, à demeurer toujours sous son nez pour ainsi dire, en attendant qu'il craque — et il n'est pas loin de craquer. A Indianapolis, au bar de l'hôtel, il a foncé sur moi et menacé de me frapper, mais j'ai dit au barman d'appeler la police ; ce qui l'a calmé.

Je suis tout près de Hall en ce moment même, et lorsqu'au bureau de la réception je l'entends faire une réservation par téléphone pour le vol de l'après-midi à destination de Miami, cela ne me surprend guère. Pourtant, bien que je ne sois pas émotif, je sens mon cœur battre un peu vite. Miami n'est pas sur l'itinéraire de Hall.

J'appelle la compagnie qu'il utilise régulièrement et retiens une place pour le même vol. Chez moi, c'est une réaction à peu près automatique. J'aime être assis juste devant lui en avion ; cela le force à contempler ma nuque. A bord, impossible de m'éviter ou de me semer ; il le sait aussi bien que moi.

A l'aéroport de Miami, il loue une voiture et se rend à un grand motel situé à la périphérie de la ville dans une zone passablement isolée ; mais, pour une fois, je ne vais pas loger au même endroit que lui. Je m'inscris au plus vaste hôtel que je puisse trouver, avec plage privée, aire de jeux, distractions en tous genres. L'établissement fourmille de monde. Je prends, à l'étage central, une petite chambre bien meublée, avec fenêtre donnant sur une rue très passante. Elle est tranquille, mais tout autour l'activité bat son plein. Je téléphone à Hall, à la fois pour l'irriter et pour lui faire savoir où je suis. Puis je m'installe et j'attends.

Hall surgit le soir même, comme je m'y attendais. Il ne peut se permettre de perdre du temps. Quand j'ouvre la porte, je sens qu'il s'apprête à pénétrer de force, et il paraît plus ou moins surpris de me voir sourire en m'effaçant pour le laisser entrer.

— A quoi dois-je l'honneur ? fais-je.

Hall jette un coup d'œil à la ronde, comme pour vérifier que la chambre lui convient. Le store est baissé. D'une poche de son costume brun, terne, tout à fait banal, il sort un revolver.

— Je présume que vous allez me tuer, dis-je.

— C'est exact, dit Hall avec une ébauche de sourire en coin (mais dans ses petits yeux, je lis la haine). Vous l'avez cherché. C'est le seul moyen de me débarrasser de vous.

— Et vous n'avez pas peur d'être pris ?

— Cet argument ne vous sauvera pas, dit Hall (son rictus s'accentue). J'ai voyagé sous un autre nom et je retourne là-bas dès ce soir. Personne ne saura que j'étais à Miami. Et pour le cas où l'on me soupçonnerait, je me suis acheté un excellent alibi à Detroit. A l'heure qu'il est, je suis en train de jouer au poker dans une chambre d'hôtel.

— Vous étiez aux courses quand Adélaïde a été assassinée, non ?

— Bien sûr. J'avais même des billets déchirés pour le prouver... expédiés par exprès de Louisville.

— Très malin, dis-je, feignant l'admiration.

— Plus malin que vous, en tout cas, mon bonhomme. Cette fois, vous vous êtes surpassé, en volant jusqu'ici comme un vrai pigeon et si vite que vous n'avez même pas eu le temps de dire à qui que ce soit où vous alliez, ni pour quoi faire. D'ici qu'on trouve votre cadavre, je serai de retour à Detroit. Et ce qu'il y a de mieux, en ce qui concerne la police, c'est que je n'ai aucune raison de vous tuer ; je n'ai pas de mobile.

— Vous oubliez une chose, dis-je. Et si je vous avais attiré ici pour vous tuer, vous ?

Hall ne peut s'empêcher de marquer le coup et son visage rougeaud pâlit soudain. Mais il ne tarde pas à se ressaisir.

— Vous ne toucherez pas à un seul de mes cheveux, mon bon ami, vous vous souvenez de la lettre ?

J'avale ma salive et acquiesce d'un signe de tête.

— Allez, avancez ! (Sa voix devient plus aiguë ; il rassemble son énergie pour passer à l'acte.)

— Vous l'aurez, la chaise électrique, lui dis-je, tandis qu'il m'enfonce le canon au creux des reins et me pousse vers le lit. Vous les compterez, ces dernières secondes.

— Vous rabâchez et vous vous fourrez le doigt dans l'œil, mon bonhomme.

Il saisit un oreiller et en coiffe le revolver.

Je n'entends même pas les coups de feu ; je sens seulement les balles me transpercer et je m'écroule à la renverse sur le lit. Je parie qu'il se demande pourquoi je souris en mourant. Je parie que cela va le tracasser.

Il ignore qu'un petit magnétophone se trouve dans ma poche. Et que, *moi aussi*, j'ai déposé une lettre chez mon notaire.

Within the Law.
Traduction de Philippe Kellerson.

Les lettres de Mme de Carrère

par

OSCAR SCHISGALL

Monsieur George d'Armentil
Avoué
23, rue Bouget — Paris.

Monsieur,

Il y a trois jours, juste avant sa mort, mon ami Paul Surat m'a fait venir à son chevet. En raison de ma notoriété dans ce village. il m'a demandé de vous écrire en son nom pour tenter de vous faire comprendre ce qui l'avait poussé à agir comme il l'a fait. Une fois que vous auriez compris sa situation et son point de vue, il voulait croire que vous lui pardonneriez et adouciriez ainsi quelque peu l'épreuve de son passage dans l'au-delà.

Ce pardon, j'espère que vous le lui accorderez, Monsieur, car ce n'était vraiment pas un méchant homme. Au cours des soixante-dix années qu'il a vécues, il n'a jamais fait de tort à quiconque, jamais lésé personne, jamais rien escroqué ni extorqué. En conséquence, pourrait-on dire, il est mort sans un sou. Cela, je ne le sais que trop bien. Etant en effet le responsable des pompes funèbres dans ce village, la triste tâche m'a incombé de procéder à son enterrement, et pour ce service indispensable il n'a pas été en mesure de me payer d'avance, si ce n'est en me

47

remettant sa montre en or, dont la valeur, je vous l'assure, n'a guère été suffisante pour couvrir mes frais. Mais je passe là-dessus, pardonnant à Paul comme vous lui pardonnerez aussi, je n'en doute pas.

Tout d'abord, permettez-moi de vous le dire, Monsieur, l'image que je retiens de vous est aussi nette que plaisante. Chaque fois que vous êtes venu en notre village pour rendre visite à la jeune Mme de Carrère, le trajet en voiture vous faisait passer devant mon café. Vous vous en souvenez, je pense ; c'est le plus grand des trois qui se trouvent à Cobline-sur-Aisne — celui qui fait face à l'église sur la Grand-Place. Lorsqu'il vous est arrivé d'y faire halte pour prendre un verre, ce fut pour moi un grand honneur de recevoir en mon établissement un client aussi distingué.

Toutefois, à supposer que vous ayez vous-même conservé de moi un quelconque souvenir, je me rends compte que celui-ci pourrait s'avérer fâcheux. Peut-être Mme de Carrère vous a-t-elle signalé, à un moment ou à un autre, qu'elle avait estimé déraisonnable mon taux d'intérêt, lorsque je lui ai avancé quelques milliers de francs — elle attendait alors qu'expirent les délais avant de pouvoir toucher l'héritage et l'assurance de son mari. Pourtant, je vous en donne ma parole d'honneur, Monsieur, je ne lui ai rien demandé de plus qu'aux autres emprunteurs ; et j'ai prêté de l'argent à un grand nombre de mes voisins, ayant toujours à cœur de les aider à franchir une passe difficile. Je déplore également qu'après avoir enfin réglé sa dette à mon égard, Mme de Carrère se soit laissée aller à dire du mal de moi au lieu de me remercier. C'était manquer absolument à l'équité. Mais tout passe, Monsieur, tout s'efface, comme s'est effacé le ressentiment que j'ai pu éprouver devant son injuste courroux.

Laissons donc cela et parlons à présent de notre défunt ami, le regretté Paul Surat.

Veuillez le considérer avec mansuétude et bienveillance, Monsieur. Vous devez savoir qu'il a passé toute sa vie d'adulte, c'est-à-dire cinquante-deux années, au service de la famille de Mme de Carrère. Il a commencé comme garçon d'écurie et s'est élevé peu à peu jusqu'au poste de majordome, entièrement chargé de veiller à la bonne marche de la maison.

Paul, il se peut que vous le sachiez aussi, n'a jamais été grassement rétribué, loin de là. La famille Carrère, bien qu'à l'aise, n'était ni véritablement riche ni d'une grande générosité envers ses serviteurs. Mais Paul — cet aimable petit homme tranquille — était doux, loyal et peu exigeant, se contentant d'avoir un bon gîte. Il n'a jamais été en mesure d'économiser suffisamment pour ses vieux jours, ayant tout lieu cependant d'espérer — et ce, à juste titre, vous en conviendrez — qu'après une existence entière de bons et loyaux services, la famille ne manquerait pas de prendre soin de lui au déclin de sa vie.

Hélas, Monsieur, comme le destin nous joue des tours ! Après la guerre, étant devenue veuve, Mme de Carrère disposait de la maison mais de trop peu d'argent pour lui permettre de mener longtemps le même train de vie. Néanmoins, comme elle était jeune et séduisante, il était on ne peut plus raisonnable d'escompter qu'un jour plus ou moins proche elle connaîtrait à nouveau le mariage — et qu'en plus ce serait un bon mariage.

Paul fut enchanté lorsque, après quelques années de veuvage, elle se mit à voyager, allant à Paris, Cannes, Nice, dans l'espoir d'y rencontrer l'homme qu'il lui fallait. Ce fut lors d'un de ses séjours dans la capitale, à ce que j'ai cru comprendre, qu'elle vous a connu. Paul m'a appris que vous aviez témoigné un profond intérêt à Mme de Carrère, quoique étant considérablement plus âgé qu'elle. Et il fut très heureux de voir que vous étiez un monsieur manifestement comblé par la fortune. Il accueillit avec une grande joie vos fréquentes visites à Mme de Carrère et il lui plut aussi infiniment de constater, en voyant arriver le courrier quotidien, que vous entreteniez avec elle une correspondance suivie.

La nouvelle de sa mort prématurée l'année dernière a dû être pour vous un grand choc, Monsieur, comme elle le fut pour nous tous à Cobline-sur-Aisne. Nombreux sont ceux qui persistent à dire qu'elle n'aurait jamais dû se risquer à conduire la nuit sur une route de montagne verglacée ; mais après tout, pour ce que nous autres mortels appelons des accidents, le Ciel doit sûrement avoir des raisons qui nous échappent. J'ai supervisé moi-même les obsèques, et j'ose ajouter que, pour ce service, je n'ai pas réussi à me faire pleinement dédommager. Nous éprouvâmes tous une douloureuse surprise en apprenant qu'elle était morte au bord du dénuement.

Ce fut particulièrement pénible pour ce pauvre Paul Surat, vous le comprendrez aisément, lui qui comptait tant que Mme de Carrère le mettrait, la vieillesse venue, à l'abri du besoin. Et voilà qu'il découvrait qu'il n'aurait rien du tout, si ce n'est quelques menues choses qu'il put récolter dans la maison, comme par exemple plusieurs paquets de lettres.

Il m'a laissé entendre que, après les obsèques, vous vous étiez précipité chez Mme de Carrère pour y rechercher les lettres que *vous-même* lui aviez écrites, mais qu'il avait déjà veillé à les mettre de côté, en lieu sûr. Et il ne put s'empêcher, éprouvant pour vous la plus grande sympathie, de partager votre crainte de les voir divulguées ou de voir attirée sur elles l'attention de votre épouse.

Monsieur, je vous en conjure, ne portez point sur Paul un jugement trop sévère. Il était vieux. Il n'avait plus d'emploi, plus d'argent, plus rien. Il lui fallait trouver un moyen de subsister pour le restant de ses jours, et c'est pourquoi il s'est offert à garder ces lettres au secret si vous daigniez lui octroyer juste de quoi vivre — la modique somme de 5 000 francs par semaine. Et vous savez, en fin de compte, eu la générosité d'y consentir. Ce faisant il recherchait une seule chose : demeurer en vie, et il espérait avant sa mort que vous

50

auriez assez de grandeur l'âme pour ne pas lui en tenir indéfiniment rigueur.

Très respectueusement vôtre,

Armand Bezac.

P.S. — Etant donné que je suis à présent en possession de ces lettres, je me ferai une joie de les conserver secrètes aux mêmes conditions que celles accordées par vous à ce pauvre Paul — 5 000 francs par semaine. Veuillez avoir l'amabilité de joindre le premier paiement à votre réponse.

Monsieur Armand Bezac
  Cobline-sur-Aisne

Monsieur,

Vous passez les bornes ; votre effronterie est inqualifiable. Ignorez-vous qu'il existe des lois concernant le chantage ? Je refuse de discuter plus avant avec vous.

Georges d'Armentil.

Monsieur Georges d'Armentil
  23, rue Bouget — Paris.

Monsieur,

Je déplore pareille explosion de colère de votre part. Néanmoins, je conserverai mon calme, en vous assurant à nouveau que si vous consentez à m'envoyer 5 000 francs par semaine, les lettres resteront secrètes. Si vous prenez le parti de refuser, cependant, je prendrai les mesures que je jugerai les plus efficaces.

Armand Bezac.

Monsieur Armand Bezac
Cobline-sur-Aisne

Monsieur,

Quelques semaines avant son décès Paul Surat m'a écrit une lettre. Il l'avait remise à des amis en leur laissant pour instruction de me la faire parvenir après sa mort. Elle vient d'arriver, à l'instant. Laissez-moi vous en citer un passage. Surat écrit :

« Toute ma vie j'ai chéri ce village ainsi que ceux qu'il a vu naître et qui depuis toujours l'habitent. Maintenant que je suis seul, je découvre qu'ils sont pour moi de vrais amis. Bien que j'ai peu d'argent — ayant réussi à économiser juste assez pour être à même de pourvoir à mes besoins les plus simples — ils m'accueillent tous cordialement chez eux ; et quoique nombre d'entre eux ne soient guère mieux lotis que moi, ils font montre d'une émouvante générosité en partageant ce qu'ils ont avec moi.

Et beaucoup de ces amis — beaucoup trop — vivent dans le désespoir et l'angoisse du lendemain à cause des méfaits de l'usurier local, Armand Bezac. Il est venu s'installer à Cobline-sur-Aisne voici quelque cinq ans, et en cinq ans il a réussi à les exploiter au point de leur rendre la vie intenable. En fait, d'une manière ou d'une autre, il est parvenu à pressurer et plonger dans le malheur à peu près tous les habitants de notre village. Cet homme est un véritable vampire. Il me l'a prouvé — et pour cela je le hais — en saignant pour ainsi dire à blanc Mme de Carrère, alors que, matériellement et moralement, elle connaissait la période la plus pénible de son existence — immédiatement après la mort de son mari. Tous les membres de cette commune, tous ceux que j'aime, seraient plus heureux et soulagés d'un grand poids si cet individu se trouvait là où il devrait être, en prison.

Il s'était fait, Monsieur, des idées toutes personnelles au sujet de vos visites à Mme de Carrère. Il a même dit à

52

de nombreuses personnes que je vivais probablement grâce à ce que je récoltais pour ne pas révéler ce que je sais à ce sujet. Ce mensonge concernant Mme de Carrère et vous-même m'a rendu furieux. Mais, à présent, je tiens à tirer parti de ce mensonge. Je veux pour sa perte, l'utiliser comme appât.

Veuillez me pardonner, Monsieur, mais j'ai l'intention de faire à Bezac, à propos de certaines lettres, des confidences dénuées de tout fondement. Le connaissant comme je le connais, je suis persuadé — pour ne pas dire certain — qu'il tentera de vous faire chanter lorsque je serai mort. Bien entendu, il ne sera pas en possession de lettres compromettantes, étant donné qu'elles n'existent pas, mais il *croira* qu'elles existent, et essaiera de vous faire croire qu'il les détient.

Vous et moi, Monsieur, nous savons que, tout en lui témoignant de l'amitié, vous n'avez vu Mme de Carrère qu'en votre qualité de conseiller juridique. Comme vous ne lui avez jamais envoyé une seule lettre d'amour, vous n'aurez rien à craindre des menaces tout à fait vaines de Bezac. Mais cela, il ne le saura pas, et ce qu'il osera vous écrire, ce gredin, suffira amplement, j'en suis sûr, à le faire mettre sous les verrous pour tentative de chantage. Vous rendrez, je l'espère bien, un inestimable service à tous ces braves gens de Cobline-sur-Aisne, en faisant transférer cette malfaisante créature au seul endroit qui lui convienne — derrière les barreaux.

Je demande à mes amis d'observer un certain délai après ma mort avant de vous expédier cette lettre, de façon que les mesures que vous prendrez contre Bezac soient le résultat de votre propre indignation d'honnête homme, et non d'une quelconque collusion avec moi. Puisse cet horrible usurier être condamné à une lourde peine ; pauvre comme je suis, c'est le legs le plus précieux que je puisse faire à tous ces braves gens de Cobline-sur-Aisne, en mémoire de Mme de Carrère. »

Voilà ce que m'a écrit Paul Surat, et j'ai pensé, Monsieur, que cet extrait de sa lettre pourrait vous intéresser.

Georges d'Armentil.

P.S. — Hier — soit un jour entier, pour le moins, avant d'avoir reçu la lettre de Surat — j'avais transmis votre correspondance de maître chanteur à la Préfecture de police.

The Letters of Mme de Carrère.
Traduction de Philippe Kellerson.

Bleu camarde

par

JACK SHARKEY

L'homme qu'il choisit s'appelait Shemley. Philip Shemley. Ce fut après mûre réflexion car Eddie Sherwood poursuivait un but auquel s'ajoutaient quelques petites questions secondaires. Ce but était d'assassiner sa femme, Anita. En plus de quoi il tenait à assister à la mort de celle-ci sans pour autant voir les soupçons se porter sur lui. Afin d'en arriver là, il fallait que le meurtre fût accompli par une tierce personne et, par ailleurs, que cette tierce personne pût agir de son plein gré. Ce dernier point écartait donc le choix d'un tueur à gages qui pouvait soit parler, soit essayer plus tard de faire chanter Eddie. Eddie avait donc porté son choix sur un homme qui tuerait spontanément, un homme qui se trouverait normalement en contact avec Anita et suivrait alors tout simplement son instinct. En bref, un fou meurtrier.

Pour trouver pareille personne, on ne peut évidemment pas s'adresser au bureau de placement ni razzier les asiles d'aliénés. Et, en admettant même que cela fût possible, comment mettre un dément en relations avec sa propre femme sans risquer par ailleurs de devenir soi-même sa victime ? Après avoir bien réfléchi, Eddie décida d'essayer avec un homme sain d'esprit qu'il rendrait fou. « Et », pensa-t-il, « pour éviter le danger caché dans le fait de créer cet article parfait — le fou en question — j'ai besoin d'un homme déjà un peu timbré sur les bords, tout en paraissant parfaitement normal en surface. Calme, aimable, etc. Jusqu'à ce que quelque chose casse en lui. » Par conséquent, il lui fallait découvrir : 1° un individu qu'il pourrait conduire au bord de la démence ; 2° une gâchette en quelque sorte, sur laquelle Anita appuierait elle-même.

Un sujet adéquat ? Cette première partie du plan s'avérait facile. Eddie possédait une grande maison et un nombreux personnel au sein duquel il trouverait quelqu'un pour faire le travail prévu. Et Eddie choisit le plus effacé et le moins brillant des domestiques, se fondant sur la théorie qui veut que seuls les gens d'intelligence moyenne soient bavards. Quelqu'un qui parle peu a pour cela deux raisons : il est très intelligent et réfléchit beaucoup, ou bien il est peu intelligent et veut déplacer beaucoup d'air. Quand il est d'intelligence supérieure, l'homme se trouve très près du niveau où il peut sombrer dans la folie. Quand il est sot, il se trouve assez disposé à se moquer des lois. L'un ou l'autre serait parfait.

Voià comment il en vint à choisir Philip Shemley. Shemley n'était qu'un second valet de chambre timide et réservé de nature. Eddie ne le voyait presque jamais car Shemley recevait les ordres de Robinson, le premier valet de chambre. Robinson s'occupait de la garde-robe d'Eddie, l'aidait à s'habiller. A Shemley étaient réservés les nécessaires mais beaucoup moins reluisants travaux de nettoyage, repassage, astiquage.

Quand Eddie le fit appeler, Shemley se montra visiblement nerveux.

— Asseyez-vous, lui dit Eddie en lui montrant la chaise en face de lui. Et quand Shemley, ahuri par cette infraction au protocole, eut réussi à se percher avec précaution sur le bord de la chaise en question. Eddie continua :

— Je vous observe depuis quelque temps, Shemley.

Pressentant qu'une pareille entrée en matière ne pouvait conduire qu'à une accusation concernant des bijoux, de l'argent ou bien de l'argenterie disparus, Shemley pâlit et se mit à transpirer.

— J'espère, balbutia-t-il d'une voix à peine audible, que mon travail donne satisfaction à Monsieur.

— Bien sûr, répondit Eddie qui sentit aussitôt le soulagement de l'homme.

Après un silence, il ajouta : « Mais... », le mot le plus terrifiant qui soit pour quelqu'un rongé par l'inquiétude.

Notant la tension grandissante chez Shemley, Eddie expliqua :

— Je me trouve actuellement dans une situation très particulière, Shemley. Une assiduité au travail telle que la vôtre ne peut demeurer sans récompense. Et pourtant, que pourrais-je vous offrir ? La place de premier valet de chambre seulement. Mais, d'un autre côté, il reste encore à Robinson quelques années de service à faire et je suis parfaitement satisfait de lui.

— Oui, Monsieur ? s'enquit Shemley de façon pressante et obséquieuse quand le silence devint trop long à supporter.

— Eh bien, je crois que je vais être obligé de me passer de vos services.

— Je... je vous demande pardon ? murmura Shemley d'une voix faible et apeurée. Vous passer de mes services ? Je ne vois pas, Monsieur... je ne comprends pas bien...

— N'est-ce pas pourtant clair ? répondit Eddie en laissant paraître un aimable intérêt pour l'homme. J'ai en vous un serviteur de classe à qui est dévolu un travail ne correspondant plus à ses capacités et je n'ai aucune place disponible à lui proposer. Vous saisissez ? La seule chose décente qu'il me reste à faire c'est de laisser partir ce serviteur afin qu'il puisse trouver ailleurs un meilleur emploi.

— Je vous demande pardon..., répéta Shemley avec difficulté, ce... ce n'est pas très facile de trouver actuellement une situation...

— Vous disposerez des meilleures références, reprit

Eddie qui savait parfaitement bien, comme Shemley, que les recommandations les plus élogieuses se trouvent toujours passablement diminuées par le fait que le domestique, aussi bon soit-il, a tout de même été renvoyé par son précédent maître.

— J'apprécie la chose, Monsieur, dit Shemley avec un tremblement dans la voix, et je vous en remercie. Mais je ne suis plus jeune... et la jeunesse constitue toujours une meilleure référence que les certificats les plus élogieux.

Cette façon de parler fit froncer les sourcils à Eddie. Puis il se dit que l'habituelle taciturnité de Shemley provenait peut-être de son intelligence et non de sa sottise, ce qui était parfait.

— Alors, reprit-il avec bonté, que suggéreriez-vous ?

— Si... si Monsieur pense que je ne convienne plus comme second valet de chambre... n'y a-t-il pas autre chose que je puisse faire ? Je sais un peu jardiner et, avec un peu de pratique je pourrais aussi conduire la voiture...

— Aide-jardinier serait pour vous une déchéance, dit Eddie. Quant à la place de chauffeur, votre âge... eh bien, votre âge serait contre vous. Un homme âgé a naturellement des réflexes plus lents, Shemley. Et je suis certain que vous ne voudriez pas me causer d'accident...

Pourtant, en regardant le visage de Shemley, Eddie était bien sûr du contraire. A cette minute même, le domestique aurait certainement tué avec plaisir ce maître dont le bon cœur complotait sa fin.

— Je... je ne sais que dire à Monsieur, répondit Shemley avec la voix d'un homme qui manque d'air. J'aimais travailler ici. J'ai toujours fait de mon mieux pour donner satisfaction... (Il respira profondément.) ... et j'avais quelque peu espéré demeurer au service de Monsieur jusqu'à ma retraite.

— Je vous comprends, Shemley.

Le ton qu'employait Eddie dénotait une chaude

sympathie qui, étant donné les circonstances, mettait le domestique au supplice.

— Je vous assure que si je voyais quelque chose qui puisse vous convenir... Ah, attendez !

Il y eut une minute de terrible suspense. Puis Eddie reprit :

— J'aurais bien un travail... Mais il est tellement stupide que je crains que vous ne veuilliez pas... »

— Quoi donc, Monsieur ? laissa échapper Shemley. Je serais fin de faire *n'importe quoi* pour rester au service de Monsieur !

— Alors je vais vous avouer quelque chose, Shemley, dit Eddie d'un ton soudain confidentiel. Je ne peux supporter la couleur bleue.

— Est-ce... est-ce vrai, Monsieur ? s'exclama Shemley.

— Oui, et c'est terrible. (Eddie hocha la tête.) Peut-être avez-vous remarqué que vous, les autres domestiques, ma femme et moi-même avons tous les yeux bruns ?

— Je... je ne l'avais pas encore remarqué, Monsieur..., répondit pensivement Shemley. Mais à présent que Monsieur me le dit, il me semble en effet n'avoir jamais vu ici une personne aux yeux bleus...

— Il y a à cela une raison, Shemley.

— Ah ?

— Oui. Cette couleur me déprime. Elle emplit mon âme de ténèbres, me fait devenir neurasthénique.

— Je comprends, dit Shemley d'un ton laissant supposer qu'il suivait l'idée sans pour autant en deviner la fin.

— Avez-vous déjà remarqué que, lorsque je sors, je porte toujours des lunettes aux verres teintés ?

— En effet, Monsieur. Mais je supposais simplement que les yeux de Monsieur ne supportaient pas le soleil.

C'était la vérité et Eddie eut envie de sourire.

— Non, Shemley, mentit-il d'une voix douce, c'est à cause du ciel. En hiver, je m'en passe parce que les couleurs en général sont grises. Mais en été, le ciel est bleu et... je ne peux l'endurer.

Eddie resta ensuite une longue minute sans parler, puis déclara :

— Mais je ne vois pas le rapport qu'il peut y avoir entre cette allergie et un travail pour moi.

De la part d'un homme aussi timide, c'était là une réflexion audacieuse. Mais les piqûres d'aiguille opérées en douceur depuis un moment par Eddie conduisaient peu à peu Shemley au-delà des convenances.

Eddie fit semblant de ne pas remarquer ce changement. Il se contenta de sourire.

— Ma foi, Shemley, je pensais que vous l'auriez déjà compris. Vous seriez chargé de ne laisser *aucune* chose bleue — quelle qu'elle soit — entrer dans cette maison ! (Il soupira.) Si, naturellement, ce travail vous convenait.

Chose étonnante, Shemley hésita. Puis il dit.

— C'est un étrange travail, Monsieur. Un peu celui d'un chien de garde.

— Je savais bien que vous n'accepteriez pas.

— Oh ! je n'ai pas dit cela, Monsieur ! s'empressa de rétorquer le domestique. Au contraire, je serais fier de l'accepter. Seulement...

— Seulement... ?

— Je souhaiterais avoir une idée plus claire de mes devoirs.

— Rien n'est plus simple. *Aucune chose de couleur bleue ne doit jamais entrer dans cette maison.* Vous avez sur cette couleur un pouvoir absolu. Shemley. Chassez impitoyablement tout, choses et gens. Je ne peux pas poser mes yeux sur cette couleur.

— Et si... si j'échouais. Monsieur ? bégaya l'homme. Je veux dire, si... par exemple un oiseau bleu entrait par la fenêtre ?

— Eh bien, Shemley, c'est vous qui sortiriez par la porte, répondit brièvement Eddie. Que j'aperçoive seulement cette couleur et je serais obligé de vous faire comprendre que vous avez failli à votre devoir. Vous

60

vous sentez sûr de pouvoir remplir cette tâche, Shemley ? Sinon, il vaudrait mieux le dire tout de suite. Je vous donnerai d'excellentes références, une petite gratification pour vos années de service ici, ainsi que ma bénédiction. Mais si vous vous chargez de ce travail et ne vous en montrez pas capable, vous serez renvoyé sans références, ni gratification, et bien heureux encore de quitter les lieux sans que je vous donne une leçon devant les autres domestiques.

Le sourire de Shemley était forcé et son visage plus gris encore que lorsqu'il était entré. Mais il n'avait pas le choix. Et, comme Eddie, il le savait bien.

— J'accepte ce travail, Monsieur, dit-il.

— C'est très bien, Shemley, répondit Eddie en prenant un livre qu'il n'avait pas l'intention de lire. Vous pouvez disposer.

Après avoir assuré Eddie, dans un flot de paroles, qu'il saurait se montrer à la hauteur de la tâche qu'on lui confiait, Shemley quitta la pièce.

Eddie reposa aussitôt le livre et, croisant les mains, il se permit le sourire diabolique qu'il retenait depuis une demi-heure.

« Un homme qui voit l'effondrement de ses espoirs et se trouve placé devant deux possibilités, un travail ingrat ou la pauvreté », pensait-il, « est aussi mûr pour le meurtre que celui parvenu au bord de la folie. » Eh bien, cet après-midi, quand Anita commencera à surveiller les travaux de décoration du salon, nous verrons ce que nous verrons. Je me demande ce que je déteste le plus. Son idée de faire recouvrir de papier peint ce panneau de chêne ancien, ou bien le papier qu'elle a elle-même choisi ? Des bleuets ! Quelle horreur !

A regret il se leva de son fauteuil et monta vivement dans sa chambre. Rien ne prouvait que Shemley fût prêt à agir. Il lui faudrait sans doute un certain rôdage.

Prenant une clef dans sa poche, Eddie ouvrit l'un des tiroirs de son bureau. Il y avait là tout un assortiment de choses destinées à son plan.

« La couleur bleue », se dit-il en sortant le contenu

du tiroir, « c'est l'idéal. Elle est si peu répandue dans la nature que le nombre des objets sera limité. Juste assez pour tenir Shemley en haleine... Ceci en particulier, va jeter la panique dans son vieux cœur ! »

« Ceci » englobait une chemise de soie bleue pâle qu'Eddie rangea dans son armoire, une bouteille remplie d'un liquide bleu à déposer au sous-sol près de la machine à laver (Nelly, la blanchisseuse de la maison, Eddie l'avait appris, employait cet adoucisseur pour le linge, mais Shemley ne s'en rendrait pas compte), une partition de musique choisie pour sa décoration bleue et son titre : « *Petite fille bleue* », trois pains de savon bleu pastel, un pour la salle de bains de chaque étage, et une bouteille d'encre bleue paon pour le bureau du fumoir.

— Avec ceci, murmura Eddie, content de lui, en montant et descendant l'escalier afin de répartir ses pièges, je saurai tout de suite si j'ai bien choisi mon homme. Je lui donne une heure pour découvrir et enlever ces choses. Puis j'irai me rendre compte de son habileté.

Comme il déposait le dernier des pièges : la bouteille d'encre, il remarqua, au pied du mur, près de la bibliothèque du fumoir, quelques petits débris de papier. Quand il les regarda d'un peu près, il s'aperçut que c'étaient des fragments d'un papier coupé certainement à la hâte avec des ciseaux, épais, glacé, comme celui qui sert à faire les pages des livres coûteux.

Très vite Eddie comprit ce qui venait de se passer. Il se releva et prit le volume « B » de l'encyclopédie sur le rayon de la bibliothèque. Une rapide recherche à travers le volume lui montra l'exactitude de ses déductions. Il manquait des pages. Celles qui donnaient la liste des mots découlant du terme *bleu*.

« Eh ! bien !... pensa Eddie avec une réelle admiration, ... il ne perd pas de temps ! »

Il remonta aussitôt dans sa chambre. La chemise de soie bleue ne se trouvait plus dans son armoire. Dans la salle de bains, plus de savon non plus.

Sachant très bien ce qu'il allait trouver, il descendit néanmoins dans le sous-sol où la bouteille d'adoucisseur avait également disparu. Durant le temps qu'il mit à remonter au fumoir, l'encre était partie aussi. Un rapide galop jusqu'au salon de musique et Eddie trouva cette fois la partition sur le piano. Mais quand il s'approcha, il vit tout de suite que là aussi Shemley avait agi. La partition n'était plus la même. Elle s'appelait « *Voiles rouges au soleil couchant* ».

« C'est vraiment à vous donner le frisson ! » pensa Eddie.

Il quitta le salon de musique et, comme il allait traverser le vestibule, il rencontra un jeune homme inconnu qui s'en allait.

— Vous désiriez me voir ? lui demanda-t-il.

L'inconnu secoua la tête.

— Non, Monsieur. C'est terminé ?

— Terminé ? répéta Eddie. Qu'est-ce qui est terminé ?

— La mise au point des poste de radio et de télévision.

— Ah ! Eddie fut sur le point de s'éloigner mais revint soudain vers le jeune homme qui ouvrait la porte de la rue.

— Excusez-moi, mais... vous ne me semblez pas être un ouvrier ?

L'inconnu portait un costume gris anthracite d'excellente coupe. Ses lunettes noires étaient cerclées d'écaille et sa coiffure plutôt désinvolte. Il ne ressemblait évidemment en rien à un dépanneur.

— Je n'en suis pas un, répondit-il en s'arrêtant près de l'un des grands piliers blancs qui ornaient le perron de chaque côté de la porte. Je suis professeur à l'Université. J'enseigne la physique. Votre domestique, Shemley, m'a demandé de lui rendre un service. Je n'accepte d'ordinaire jamais de faire des réparations mais Shemley m'a payé généreusement mon temps.

— Je ne comprends pas..., commença Eddie.

A ce moment-là, le jeune homme montra un taxi qui montait l'allée en direction de la maison.

— C'est pour moi, expliqua-t-il en se hâtant de descendre les marches.

Shemley vous donnera certainement tous les renseignements. Au revoir, Monsieur.

— Au revoir..., répondit Eddie en refermant la porte et se demandant ce que cela pouvait vouloir dire...

Mais comme il ne perdait jamais son temps en vaines conjectures, il retourna tout droit au fumoir. D'une légère pression de la main il fit glisser un panneau du mur et découvrit ainsi un écran de télévision en couleur. Eddie mit le poste en marche et une image apparut. Il s'agissait d'une vue de Washington. La voix onctueuse d'un speaker décrivait les beautés de la capitale fédérale tandis que la caméra glissait sur le majestueux ensemble. Le soleil brillait et le ciel était d'un magnifique *vert* émeraude.

Ahuri, Eddie se laissa tomber dans un fauteuil et regarda. Une vision rapide du drapeau national prouva que lui aussi subissait cette métamorphose. Eddie essaya de régler la tonalité mais ne parvint pas à changer quoi que ce fût à la couleur générale. Il n'obtenait qu'un gris, le vert émeraude déjà mentionné ou bien un ton de jade triste et sombre. Aucune trace de bleu.

« Ah ! » pensa soudain Eddie, « et que dit le speaker ? »

Il écouta attentivement. Sur l'écran passait à ce moment-là le chœur d'une société militaire. Et comme il arrive si souvent, les hommes chantaient une œuvre d'Irving Berlin, le favori de l'année. Eddie dut écouter une minute entière avant de comprendre réellement ce qu'il entendait. La chanson semblait être « *cieux verts* ».

Eddie bondit vers le poste de télévision et écrasa son nez contre le verre de l'écran afin de suivre mieux des yeux les paroles sur les lèvres des chanteurs. En réalité, chaque fois qu'ils devaient prononcer le mot interdit, leurs lèvres avaient un petit mouvement saccadé. Elles ne disaient pas *bleu*, mais *vert*.

« Je vais reconnaître qu'*il* est formidable », murmura Eddie en éteignant le poste de télévision. Puis il se retourna brusquement et marcha vers la fenêtre. Audehors, le ciel gardait sa couleur naturelle. Eddie n'avait interdit le bleu qu'à l'intérieur. Shemley savait qu'Eddie porterait ses verres teintés quand il sortirait, puisque le bleu lui faisait tant de mal.

Sur le mur se trouvait un miroir baroque. Eddie le décrocha avec quelque difficulté et l'emporta vers la fenêtre.

« Le ciel bleu reflété dans ce miroir pourrait constituer la rupture de nos conventions », se dit-il en installant le miroir sur une chaise face à la lumière, et en le penchant de façon à ce qu'il reflétât le ciel. Puis il le regarda longuement, avec une extrême attention. Dans le miroir, le ciel avait une teinte mauve assez jolie.

« Comment a-t-il pu faire ? » s'étonna Eddie en examinant ce miroir de plus près. Il vit alors sur le verre une mince couche de rose pâle qui formait un écran transparent suffisant pour transformer la couleur extérieure du ciel.

Il éprouva alors une véritable admiration pour le vieux domestique et raccrocha le lourd miroir au mur. Puis, comme toutes ses allées et venues dans la maison et le fait inhabituel de porter de lourds objets commençait à le fatiguer, Eddie ouvrit le bar et se prépara une boisson. D'un air un peu absent, il regardait les bouteilles quand il remarqua que l'une d'entre elles portait une nouvelle étiquette. *Cordon Bleu* était devenu *Cordon Jaune*.

« Brave Shemley ! soupira-t-il. Il ne veut même pas laisser le mot écrit en langue étrangère !... »

Il buvait pensivement à petites gorgées un scotch sans eau quand tout à coup il entendit un cri perçant. De surprise il laissa tomber son verre sur le parquet. C'était la voix d'Anita !

Il avait trouvé si fascinant de suivre Shemley dans l'exécution fidèle des ordres par lui donnés qu'il en avait totalement oublié la vraie raison. Quand il s'en souvint, il poussa un gémissement et ferma les yeux.

« C'est monstrueux ! » grinça-t-il entre ses dents... « Il a agi *beaucoup* trop tôt ! Je comptais qu'il ne deviendrait pas complètement fou avant un jour ou deux. Je n'aurai pas ainsi la satisfaction de faire savoir à Anita, au dernier moment, que c'est moi qui ai voulu sa mort !... Enfin », soupira-t-il en se hâtant vers l'endroit d'où était parti le cri, « j'en aurai été débarrassé sans qu'on puisse jamais me soupçonner. C'est déjà quelque chose, évidemment... »

A ce point de ses réflexions, il ouvrit la porte du salon et entra. Les peintres avaient terminé leur travail. Le papier peint recouvrait les murs. Mais sur chaque fleur bleue de ce papier, quelqu'un avait soigneusement collé celle d'un pissenlit. Un vrai.

« Il a travaillé plus vite qu'une moissonneuse ! » pensa Eddie en se représentant le travail qu'avait dû avoir Shemley pour trouver toutes ces fleurs dans le jardin. Puis il vit ce qu'en réalité il venait voir : le corps de sa femme, Anita, étendu sur le tapis au centre du salon. Sa robe paraissait en désordre et la fermeture-Eclair dans le dos ouverte.

« Je me demande comment il a pu la tuer », s'étonna Eddie en s'approchant sur la pointe des pieds du corps inerte pour y chercher la trace d'un poignard, d'une balle de revolver ou autre chose du même genre. Mais comme il se penchait il vit sa femme frissonner légèrement puis se retourner et s'asseoir sur le tapis.

— Qu'est-il arrivé ? murmura-t-elle. J'étais là, en train d'admirer le nouveau papier quand soudain...

Elle fronça les sourcils.

Mais qu'ai-je donc dans le dos... ? »

— Ah ! ça alors, non ! s'exclama Eddie en se souvenant d'une *envie* qu'avait sa femme et qu'aucun domestique, à son avis, ne devait connaître. Tournez-vous ! cria-t-il furieux. Tournez-vous, que je voie !

Surprise, elle obéit sans mot dire et Eddie, par l'ouverture de la robe, regarda dans la région de la colonne vertébrale, près de la seconde fausse côte de gauche, où Anita avait une petite tache bleue de naissance. Cette tache était peinte en brun. « Du brou de noix ! » se dit Eddie, le souffle coupé. « Cela ne s'effacera pas avant des mois ! »

Et comme Anita levait les yeux vers le mur devant elle, elle poussa de nouveau un cri : « Eddie ! Mon beau papier ! Qui a pu faire une chose pareille ? Des *pissenlits !* » On sentait très bien qu'elle eût mieux accepté la chose s'il se fût agi de roses ou d'orchidées. Mais Eddie n'était plus avec elle pour en discuter. Il se dirigeait maintenant vers un lointain fracas mêlé à un rire aigu de fou.

Il monta les trois étages au galop et pénétra en coup de vent dans l'une des pièces du grenier. Là, il y avait Shemley occupé à mettre en pièces les carreaux de mosaïque bleue d'une table à thé. Il tenait à la main une courte hachette au bord tranchant. Les yeux exorbités, il semblait en proie à une hâte folle et ricanait comme un dément.

— Shemley ! cria Eddie en essayant de dominer le bruit. Shemley ! Arrêtez !

— Ne regardez pas, Monsieur ! Ne regardez pas ! croassa le vieux domestique en continuant son travail de destruction tout en essayant de s'interposer entre les carreaux bleus et les yeux d'Eddie. J'ai fini ! J'ai presque fini !

Un rire sec le secoua.

— Plus que ça...

Il frappa de nouveau.

— Rien que ça... et ça...

— Arrêtez, vous dis-je ! hurla Eddie. On ne s'entend plus et vous démolissez tout chez moi ! Je ne vous laisserai pas continuer ce travail insensé !

Livide, Shemley se retourna.

— Monsieur m'a suivi ? demanda-t-il poliment d'un air curieux. Il a vu ce que j'ai fait ?

— Oui, répondit Eddie en grinçant des dents. Et j'en suis bleu !

— C'est… c'est vrai, sourit alors le vieux Shemley en faisant un pas vers lui, oui, cela saute aux yeux…

— Il est bien difficile d'attribuer à chaque domestique la tâche qui lui convient vraiment, déclara Anita lors de l'enquête judiciaire.

Deadly Shade of Blue.
Traduction de Simone Millot-Jacquin.

Cœur de pierre

par

DONALD OLSON

Bert Palm avait courtisé Madelyn Hume pendant quinze ans. A sa manière de vieux garçon et de chien dévoué, mais trois années ne s'étaient pas écoulées que déjà Madelyn savait que Bert n'était pas fait pour le mariage. Tout ce qu'il attendait d'elle était une loyale camaraderie, ou, en d'autres mots, des relations conjugales mais strictement platoniques. Un arrangement qui comportait certains avantages, sinon Madelyn aurait réagi bien avant.

Dans le passé, Bert avait fait partie des « Jeunes Hommes de l'Année » de la Chambre de Commerce de Libya. Maintenant, à cinquante-cinq ans, c'était un agent immobilier florissant. Un homme sobre, corpulent, que ses voisins appelaient « l'Aristocrate de Regent Street ». Un franc-maçon, un diacre à l'église, un homme qui n'avait pas de manie plus dépravée que de bricoler sur sa conduite intérieure bleue Essex 1932, dont l'âge et l'aspect en disaient plus sur le caractère de Bert que n'importe quel témoignage humain.

Comment font de nombreux hommes de son âge pour conduire encore la toute première voiture qu'ils ont possédée et pour lui garder exactement — oui, exactement — l'aspect qu'elle avait eu dans la vitrine du marchand ?

Une réussite comme celle-ci est susceptible de provoquer une certaine hargne d'envie chez la plupart d'entre

69

nous qui, impuissants, regardons nos monstres de trois ans rouiller et se déprécier sous nos yeux. Dans la petite ville de Libya, on faisait des plaisanteries sur Bert et son Essex. Madelyn savait qu'elle avait sa part des plaisanteries quand on la voyait descendre la grand-rue de Libya, assise à côté de Bert, par les dimanches après-midi de beau temps.

Dans ces conditions, pourquoi le faisait-elle ? Eh bien, d'abord, parce que les amoureux n'avaient jamais exactement réclamé ses faveurs. Pour une rousse, elle était plutôt mignonne mais son sens de l'humour les décourageait. Sa langue était agile, mais elle avait la dent dure.

Elle savait, comme tout le monde, qu'au cours des années Bert devait avoir amassé une confortable fortune, qu'il ne rajeunissait pas, et qu'il était peu probable que sa famille moissonne les bénéfices de sa frugalité. Devenu orphelin alors qu'il était tout enfant, il avait été élevé par une tante qui, ayant deux gosses à elle, n'avait jamais accordé de bon cœur la moindre affection à l'indésirable troisième.

Donc, bien que Madelyn ne fût pas inconsciente des avantages de sa position, elle n'en était pas moins une jeune femme au sang chaud. Pas si éloignée que ça elle-même de redescendre la pente, on peut difficilement lui reprocher une certaine nostalgie quand elle comprit que, aux yeux de l'unique homme de sa vie, elle ne pourrait jamais être plus que, pour ainsi dire, la bénéficiaire de son assurance-vie. Si les pique-niques aux pavillons d'été des Elks, au bord de Crystal Lake, étaient plutôt agréables, la fadeur de ce genre de distractions lui donnait l'impression d'être vieille avant l'âge.

Puis vint Ralph Storrey. Nouveau au bureau, ce gars jeune et souple, aux yeux bleus malicieux, trouva les remarques corrosives de Madelyn suffisamment amusantes pour l'inviter à sortir. Elle réfléchit, et décida d'accepter. Ralph, très vite, fit clairement comprendre qu'il n'était pas plus que Bert Palm un tenant du conjungo. S'il n'était pas à proprement parler dans le vent, comme le veut la société actuelle, il n'était pas non plus un croulant comme Bert.

Quand Ralph découvrit que Madelyn, malgré la liberté de ses propos, n'était pas une Marie-couche-toi-là, il commença à la regarder comme un défi et ne perdit pas une occasion de ridiculiser l'adversaire.

— J'ai vu votre papa-gâteau fumer un cigare à deux sous en face du building Baldwin, hier. Vous devriez lui dire que des chaussures marron avec un complet bleu ne conviennent pas à un homme dans sa position. Mauvais pour l'image de marque.

— Il est individualiste, chose que nous n'avons pas tous les moyens de nous permettre, répliqua-t-elle d'un ton sarcastique.

Ralph broncha, mais se rendit compte que Madelyn était contrariée. Depuis lors, il appela toujours Bert Costume-Bleu-Chaussures-Beiges, ce qu'il abrégeait parfois en « le vieux C.B.C.B. »

Bien qu'il fût souvent blessant, Ralph était également drôle, et depuis des années Madelyn avait secrètement aspiré à quelque gaieté. De plus, il y avait quelque chose de contagieux dans l'humour un peu paillard de Ralph, si bien qu'avant même de s'en rendre compte Madelyn elle-même se mit, quand elle mentionnait le plus respectable de ses admirateurs, à l'appeler C.B.C.B. Pas méchamment, juste parce que l'épithète était singulièrement appropriée et, à sa façon, affectueuse.

Au lieu de se laisser dériver à travers la vie, Madelyn commença alors à apprécier les brasses vigoureuses et libres d'une nageuse. Son travail n'était pas d'une routine trop ennuyeuse et, maintenant, elle n'avait plus seulement le confort monotone de la compagnie de Bert, mais les délices plus épicées de celle de Ralph.

Juillet arriva et commencèrent les ennuis. Un soir qu'il utilisait le téléphone dans l'appartement de Madelyn, Bert regarda sans le vouloir un papier qui traînait sur le bureau.

Le billet avait été passé à Madelyn alors que, cet après-midi-là, elle quittait le bureau, et il disait :

« Mad chérie, laisse tomber le vieux C.B.C.B. demain et nous irons faire une virée au Parc de Crystal Dam. Baisers. Ralph. »

Bert fit irruption dans la salle de séjour, où, avec Madelyn, il avait regardé la télé, lui dans un fauteuil, elle sur le canapé. Avec raideur, il agita la note devant ses yeux.

— Je suppose que tu peux expliquer ceci ?

— Bert Palm ! Tu ne manques pas d'audace de fouiller dans mon bureau !

Bert jeta le papier et, morose, se cala dans son fauteuil.

— C'était sur le bureau et non dedans. Mais ne te fatigue pas. Pour ton ami, je suis au courant depuis des semaines. Nous avons le même coiffeur, et Louis est bavard.

Il fixa l'écran, cherchant manifestement la plus blessante des conclusions. Finalement, il dit :

— Je l'ai même vu une fois. Il a des jambes affreusement maigres.

Madelyn gloussa. C'était un « bertisme » tellement typique ! Elle le taquina :

— Incroyable ! Toi, jaloux ?

— Je ne veux pas que l'on rie de moi, Madelyn. Ni qu'on me trompe. Réfléchis bien. Si tu es ici demain quand je passerai, je comprendrai que tu as rompu les rapports, quels qu'ils soient, que tu as eus avec ce type. Sinon...

Sinon... Le sens était évident, et une nuit de froide réflexion ne laissa à Madelyn aucun doute quant à son meilleur intérêt. Le matin suivant, elle attendait quand l'Essex bleue arriva.

Plus tard, dans la journée alors qu'ils étaient sur un banc au pavillon d'été des Elks à regarder des courses de voiliers, Bert éprouva cette humeur magnanime que provoque souvent au cœur des mâles le repentir des femelles.

— Maintenant, tu dois comprendre, ma chère, que pour moi tu es tout aussi importante que pourrait l'être une épouse.

— Je t'ai dit que je regrettais, Bert.

— Je suis heureux de notre arrangement, Madelyn. Il me convient. Je déplore qu'il ne te convienne pas.

— Oh ! mais je n'ai jamais dit qu'il ne me convenait pas, Bert. Je n'ai jamais dit ça !

— Ta façon d'agir en ce qui concerne ce... cet individu le laisse clairement entendre.

Il regarda une paire de dériveurs qui, proue à proue, franchissaient la ligne d'arrivée sous la pointe Stockholm.

— Je me demande s'il ne serait pas bon que tu abandonnes ton travail au bureau.

Elle retint une réponse piquante.

— Tu veux dire que tu n'as plus confiance en moi ?

L'espace d'un instant, elle pensa qu'il allait céder à un élan non-bertien et lui passer son bras autour des épaules. Au lieu de quoi, il soupira :

— Je te fais confiance, mais toi, peux-tu te faire confiance ?

Ce dialogue, semblable à celui du confesseur et de sa pénitente, s'éternisa jusqu'à ennuyer profondément Madelyn. Soudain, les remarques de Bert prirent une direction inattendue et plus intéressante.

— Tu sais, Madelyn, que j'ai des goûts très modestes. Je ne suis ni un gâcheur ni un dépensier. Je pense pouvoir dire, sans exagération — et, tu t'en doutes, tout à fait entre nous — que j'ai quelque 150 000 dollars d'économies.

Madelyn fut incapable d'avaler l'information sans un léger étranglement. Si radin qu'un homme puisse être, quand on le voit tous les jours que Dieu fait fumer des cigares bon marché, porter de vieilles chaussures marron racornies et un complet de serge bleue fatigué, sans parler de la cravate qui a eu deux fois le temps d'être à la mode et de se démoder, on a peine à croire que cet homme puisse disposer de telles ressources.

— Vraiment, Bert, je n'en avais pas idée. Je savais que tu étais économe, bien sûr, mais je ne me doutais pas que...

— Ce qui me plaît, dit-il, c'est que toi-même tu as toujours eu le sens de l'économie.

Il aurait été imprudent de faire remarquer que son sens de l'économie lui avait été imposé par la minceur de son salaire.

— J'ai été élevée ainsi, déclara-t-elle avec modestie. Alors, la conversation devint encore plus intéressante.

— Tu sais, ma chère, que tout ce que je possède sera un jour à toi. A condition que tu tiennes deux promesses. L'une, c'est que tu ne vendras jamais mon Essex et que tu prendras d'elle autant de soin que je le fais moi-même. Je sais que tu ne te passionnes pas spécialement pour les automobiles anciennes, mais pour toi, un jour celle-ci vaudra une fortune.

— Oh! Bert, ne parlons pas de choses pareilles!

— La mortalité chuchote, dit-il gravement, et nous devons écouter.

Il serra la main de Madelyn mollement mais avec ferveur.

— Et l'argent qui te viendra avec, promets-moi de ne jamais le gaspiller, mais de le placer avec prudence et sagesse. Promis?

— Bien sûr, mais je préférerais que tu ne parles pas de cela. Ça me bouleverse. Une si belle journée! Viens, marchons au bord de l'eau.

Ce fut pour Madelyn un jour des plus lumineux. Pour la première fois, elle eut l'impression que les années passées à jouer pour Bert la sœur-mère-petite amie trouvaient enfin leurs justifications. Quant à Ralph Storrey, foin de lui et de ses charmes! Que cette idiote de petite blonde de la comptabilité le prenne donc. C'était et ce serait toujours un coureur, donc, n'en parlons plus.

Ce changement d'attitude désorienta le pauvre Ralph et excita également sa curiosité. Il se mit en campagne pour souffler Madelyn au vieux C.B.C.B. Au début,

74

sans le moindre succès ; puis, graduellement, à mesure que passaient les semaines et que Madelyn se sentait une fois de plus s'enliser dans le sinistre marécage du manque d'attentions, elle se mit à rechercher ardemment la compagnie vivifiante de Ralph. Sans le vouloir, elle recommença bientôt à sortir avec lui en cachette. Et, avant longtemps, à le recevoir dans son appartement après avoir commencé par lui rapporter cette intéressante conversation qu'elle avait eue avec Bert dans le pavillon d'été des Elks, afin qu'il comprenne la nécessité de garder sur leurs relations une discrétion totale.

Malgré toutes les précautions, elle en vint bientôt à se demander si Bert avait, d'une façon ou d'une autre, découvert ce qui se passait. Son attitude devint morose, presque boudeuse. Deux fois, il lui téléphona pour annuler un dîner avec elle, sous prétexte de maladie. Bien qu'il ne portât aucune accusation, elle crut de temps à autre discerner dans son regard sombre les ombres grises de la méfiance.

Un samedi après-midi, peu de temps après, elle accrochait des rideaux neufs dans sa cuisine quand le téléphone sonna. C'était sa mère, qui lui demanda si elle avait entendu les informations à midi. Madelyn répondit que non.

— Alors, prépare-toi à un choc. Bert est mort.

C'était vrai. Bert avait eu une crise cardiaque dans sa voiture alors qu'il roulait vers Forestview pour faire visiter une propriété. L'Essex avait quitté la route et heurté un rail de protection, endommageant le pare-chocs et le phare droit. Bert était mort sur le coup.

Madelyn se sentit plus veuve qu'une veuve, tout en sachant que, dans son cœur, le chagrin était pollué par un mélange de convoitise et de culpabilité. Elle ne put supporter d'avoir en quoi que ce soit affaire avec Ralph. Elle devait à Bert une décente période de deuil avant de reprendre ce genre de relations. Ralph y consentit volontiers. Il prévoyait un avenir brillant, susceptible de l'amener à vaincre son aversion pour le mariage.

Toutefois, après la lecture du testament, il y eut une période de dépression qui n'était pas uniquement due au chagrin. Bien que l'Essex bien-aimée fût en effet léguée à « sa loyale amie de longue date, Madelyn Hume », le reste des biens de Bert allait aux enfants de la tante qui l'avait élevé.

Stupéfaite et furieuse, Madelyn se rendit compte que Bert avait dû découvrir qu'elle avait trahi sa confiance. Ce n'était pas la maladie, mais la jalousie qui avait provoqué son étrange morosité. Elle était si déprimée qu'elle garda le lit, ne fit plus son ménage, ne se lava plus les cheveux, ne répondit plus au téléphone. Quand Ralph vint la voir, elle était trop abattue pour lui cacher la vérité. Il ne revint pas.

Elle s'en voulut, mais elle en voulut également à Bert. Après tout, elle lui avait quand même donné les quinze plus belles années de sa vie, sans autre compensation que cette voiture, objet des plaisanteries dans le salon de coiffure. L'Essex symbolisait la perte de sa chance et la terrible injustice de la vie. Une fois, elle prit un marteau avec l'intention de mettre la voiture en pièces, mais quelque ombre de bon sens arrêta son bras à mi-chemin. Elle réfléchit qu'elle aurait plus de satisfaction à la regarder ronger lentement par la rouille dans l'allée, bien que ce fût peu pratique du fait qu'elle devait utiliser tous les jours le garage pour sa propre voiture.

Finalement, elle fit passer une annonce et, dès le lendemain, vendit l'Essex à un marchand d'occasions pour un prix bien inférieur à sa valeur.

Ce fut sa mère qui la première, lui rapporta les étranges rumeurs qui couraient aux alentours — elle appartenait au même club de jardinage que la tante de Bert Palm — mais Madelyn ne leur accorda aucun crédit jusqu'au jour où elle rencontra par hasard la femme d'un des cousins qui avaient hérité l'argent de Bert. Cette jeune femme, qui, avait toujours méprisé Madelyn, était d'humeur acide.

— Oh ! les bruits sont tout à fait fondés, reconnut-elle en réponse à la question que Madelyn lui posa sans détour. Il semble que nous nous soyons tous fait avoir. Vous, comme la famille. Bien sûr, *nous,* nous n'espérions rien. Bert n'ayant jamais fait mystère des sentiments qu'il nous portait. Mais, quand tout a été réglé, il nous est revenu moins de cinq mille dollars. Je suppose que ce devait être un vieux dégoûtant avec des vices aussi répugnants que coûteux. Bien sûr, *vous* le connaissiez mieux que toute autre personne. Vous devez être parfaitement renseignée, j'en suis persuadée. Bon après-midi, ma chère.

Pendant plusieurs jours, Madelyn ne fit que de réfléchir à cette ahurissante énigme. Elle savait que Bert ne lui aurait jamais dit posséder 150 000 dollars si ça n'avait pas été vrai. Elle passa au crible chaque souvenir de ses entretiens avec Bert et, à peser chaque bribe de ses propros, la terrible vérité apparut clairement. Fantastique, extravagante, mais d'une clarté aveuglante ! Et elle eût découvert la vérité plus tôt si elle avait pris les remarques de Bert à la lettre.

Quand il avait parlé de « l'argent qui lui viendrait avec la voiture », c'était exactement cela qu'il voulait dire. Lorsqu'il l'avait adjurée de prendre bien soin de l'Essex parce qu'un jour elle « vaudrait une fortune » pour elle, c'était exactement ce qu'il avait en tête. Elle aurait dû comprendre quand il avait parlé de « sages investissements », que l'argent ne pouvait pas être déjà placé. Seulement thésaurisé.

Oui, la réponse était aussi claire que l'eau du Crystal Lake : l'argent de Bert, son magot, était encore en espèces — et les espèces dans la vieille Essex bleue.

Madelyn ne fut pas loin de la crise de nerfs quand le poids complet de sa découverte s'abattit sur elle. Bert avait la mentalité d'un avare, elle aurait pu savoir qu'il en aurait également les manies et les excentricités. Il avait été aussi près qu'un homme peut l'être d'emporter son magot avec lui en mourant.

Naturellement, elle n'eut rien de plus pressé que de courir au parking des voitures d'occasions. Son cœur se mit à cogner quand le marchand l'informa que l'Essex était déjà vendue.

— Mais ne vous agitez pas tant, ma petite dame, vous avez de la chance. Vous aimez les vieilles bagnoles, j'ai de vieilles bagnoles. Laissez-moi vous montrer...

Elle l'interrompit pour le supplier de lui révéler le nom de l'acquéreur, dans l'espoir de la lui racheter.

L'acquéreur s'appelait Ralph Storrey.

Ils ne se parlaient pratiquement plus depuis qu'elle avait confié à Ralph sa déception à la lecture du testament. L'ayant jugé alors à sa juste valeur, elle nourrissait pour lui une sincère antipathie et le fait qu'elle l'eût vu plusieurs fois en compagnie de la blonde de la comptabilité n'était pas pour arranger les choses.

Les commérages de bureau, toujours aussi efficaces, le renouvellement de sa garde-robe, plus une permanente contribuèrent à accréditer le bruit qu'elle fit courir. Aussi, Madelyn ne fut-elle pas surprise quand, un matin, Ralph l'arrêta dans la cafétéria en la gratifiant d'un compliment banal.

Oui, lui confirma-t-elle, les rumeurs disaient vrai. Bert lui avait bien laissé son argent, mais en recourant à certaines manœuvres légales pour éviter que le fisc ne se montre trop gourmand.

— Bien entendu, je vais quitter mon travail, dit-elle. Je continue juste un an, pour ne pas perdre mes droits à la retraite. Ce serait stupide, même si je ne dois jamais en avoir besoin.

Ralph fut impressionné.

Elle regarda au loin, l'œil triste.

— Je n'ai qu'un regret, celui d'avoir vendu l'Essex. Je n'avais pas le droit de le faire. Je donnerais n'importe quoi pour la retrouver.

— N'importe quoi ?

— Oui.

— Tu sais qui l'a achetée ? C'est moi.

Il lui raconta avoir pensé que ça l'amuserait de

bricoler dessus, peut-être de la remettre en état et de la vendre avec bénéfice. Elle le supplia de lui permettre de la racheter.

Ses yeux bleus étincelèrent :

— Eh bien, pourquoi ne viendrais-tu pas me voir ce soir ? Nous en parlerons en prenant un verre.

Ce fut pour elle un soulagement de voir l'Essex et de constater qu'elle était en sûreté, mais comment faire pour rentrer en sa possession ? Malgré ses prières, Ralph ne voulut pas accepter de la lui revendre sans « réfléchir ». Elle était désespérée. Elle était certaine que Bert n'avait pas simplement caché autant d'argent sous un siège ou dans la malle. Il allait falloir laborieusement démonter la voiture, pièce par pièce, et si complexe, si difficile, si sale que fût le travail il faudrait qu'elle l'exécute personnellement.

Pendant ce temps, Ralph poursuivait sa propre course vers la fortune, bombardant Madelyn de fleurs, l'emmenant dîner dans des restaurants élégants.

Le moment vint où Madelyn aurait épousé le Diable pour récupérer l'Essex. Et, comme il ne semblait pas y avoir d'autre moyen, ce fut exactement ce qu'elle eut le sentiment de faire quand, finalement, elle dit oui à Ralph.

Un mariage très simple fut suivi d'un court voyage de noces, parce que Ralph insista théâtralement pour qu'ils ne dépensent que son argent à lui. Cette comédie amusa Madelyn et elle se demanda au bout de combien de temps Ralph allait manifester de l'intérêt pour son inexistante fortune.

Après le voyage de noces, elle ne reprit pas son emploi. Elle passa ses premiers jours de liberté à examiner l'Essex, soulevant les sièges, explorant la malle, tâtonnant sous le capot, et se glissant même dessous pour étudier le châssis. En vain. Une des difficultés venant du fait qu'elle n'avait aucune notion de ce qui faisait partie intégrante d'une automobile et de ce qui pouvait y avoir été ajouté pour cacher des milliers de dollars.

Pour compliquer les choses, voilà que Ralph se mit le

soir à bricoler lui-même sur la voiture, aussi absorbé que le serait un enfant avec un nouveau jouet. Madelyn endurait mille morts à l'idée qu'il risquait ainsi de mettre la main sur le magot.

— C'est ma voiture, lui lança-t-il avec colère, un soir qu'elle insistait pour l'éloigner de l'Essex. Et je lui consacrerai tout le temps qu'il me plaira !

Ils se mirent à avoir quotidiennement de violentes disputes à ce sujet. Ralph ricanait.

— Mais, tu es jalouse de cette vieille guimbarde, ma parole ! Préférerais-tu me voir tourner autour d'une autre femme ?

Madelyn aurait volontiers répondu franchement à cette question si elle avait pensé que ça pût l'inciter à partir draguer.

Cette situation éprouvante continua jusqu'à un certain dîner, alors que Madelyn avait déjà les nerfs à vif. Durant l'après-midi, elle avait tenté de démonter le carter et passé ensuite des heures à faire disparaître les traces graisseuses de son activité.

— Madelyn, lui dit gentiment Ralph, ça ne peut pas durer comme ça.

— Qu'entends-tu par là, mon chéri ?

— Tu le sais très bien. Toutes ces scènes à propos de cette maudite guimbarde. J'en ai par-dessus la tête !

— Cela signifie-t-il que tu vas cesser de me négliger ?

Il eut un regard dur.

— Cela signifie que je vais vendre la voiture.

Elle dut s'appuyer très fort contre le dossier de sa chaise pour ne pas s'effondrer.

— C'est stupide, Ralph.

— C'est la seule solution. Et j'ai même trouvé un acheteur.

— Si tu tiens vraiment à la vendre, tu peux me la vendre à moi. C'est moi qui voulais l'acheter, souviens-toi.

— Et en quoi cela apporterait-il une solution ? Non, je la veux hors de notre vue.

Madelyn en eut des sueurs froides.

80

— Je la garderai dans un garage. Tu n'auras même pas à la voir.

— Madelyn, c'est insensé ! Et cela me confirme que tu fais une espèce de fixation maladive sur cette voiture. Ce n'est pas sain, et aussi anormal que ton comportement avec le vieux C.B.C.B.

Ils discutèrent, chacun s'échauffant. Finalement, Ralph abattit son poing sur la table :

— Tu perds ton temps, Madelyn. J'ai dit au type qu'il l'aurait. Il va passer, en rentrant de son bureau, pour y jeter un coup d'œil et faire un essai. Il sera là d'une minute à l'autre.

Elle devint comme folle et hurla :

— Moi vivante, jamais !

Il lui montra le poing :

— Ça, ça peut s'arranger. Ne me pousse pas !

Voyant que les mots n'avaient pas de prise sur lui, elle essaya de se calmer et lui demanda combien l'homme en avait offert.

— Dix mille dollars.

La pensée que Ralph allait toucher dix mille dollars pour *sa* voiture, avec ou sans fortune cachée dedans, fut suffisante pour qu'elle vît rouge de nouveau. Elle quitta la pièce en courant avant d'avoir perdu tout contrôle d'elle-même. Il lui fallait contrecarrer la décision imprévue de Ralph. Elle pénétra dans le garage et regarda fixement l'Essex, envisageant, d'abord de crever les pneus. Mais ce n'était pas assez radical : le véhicule devait être endommagé de manière telle qu'il ne présentât plus d'intérêt pour un acheteur.

Elle ramassa un marteau à pied-de-biche et lentement fit le tour de la voiture, sachant que c'était inévitable mais renâclant cependant devant ce qui lui apparaissait comme une manière de sacrilège. Elle pensait à toutes les heures que le pauvre Bert avait consacrées à la machine, au soin amoureux qu'il avait pris d'elle. Elle regarda sa montre, le client allait arriver d'un instant à l'autre. Elle entoura d'un chiffon la tête du marteau et, les dents serrées, frappa la vitre arrière. Celle-ci, en se cassant, fit plus de bruit que Madelyn ne s'y attendait, mais elle n'en était plus à prendre des précautions et se dirigea vers l'autre vitre.

— Mais qu'est-ce que tu fabriques?

Se retournant, elle vit Ralph, les yeux étincelant de rage, debout sur le seuil du garage.

— Espèce d'idiote! As-tu perdu l'esprit? Eloigne-toi de cette voiture...

Il contourna la voiture par l'arrière, et vit le verre brisé. Marmonnant des grossièretés, il s'agenouilla pour ramasser les morceaux.

Voyant sa tête baissée, Madelyn découvrit dans un éclair d'inspiration la solution de ses problèmes. Ce ne serait qu'en écartant définitivement Ralph qu'elle réussirait à entrer en possession de cet argent. Pourtant, si elle ne s'était pas trouvée à cet instant précis, avec un marteau dans la main, les choses auraient pu ne pas arriver. En fait, le marteau parut tomber de lui-même, faisant éclater comme une noix le crâne de Ralph.

Prise d'un dégoût mêlé d'horreur, elle lâcha le marteau et chancela à reculons dans sa hâte d'éviter tout contact avec le sang. Elle fut à deux doigts de s'évanouir. Ce qui lui permit de rester consciente fut, peut-être, la sensation que maintenant chaque seconde était cruciale. Elle traîna le corps de Ralph dans un coin et jeta dessus une bâche tachée de peinture. Il y avait une longue traînée sanglante sur le sol de ciment. Elle ouvrit la porte du garage, prit le volant de l'Essex et la fit reculer dans l'allée. Puis elle descendit de la voiture et ferma la porte du garage.

Pas plus d'une seconde plus tard, une petite voiture jaune s'arrêta le long du trottoir. Un homme chauve, vêtu d'un imperméable, en sortit. Madelyn essaya de sourire tandis qu'il s'approchait d'elle.

— Madame Storrey?

Elle hocha bêtement la tête, n'osant se fier à sa voix.

— Je suis Gabriel Ives. Votre mari m'attend.

Madelyn n'avait pas à se soucier de l'aspect qu'elle pouvait présenter, il n'avait d'yeux que pour l'Essex, la regardant de la même façon que la plupart des hommes auraient regardé une belle fille.

— C'est vraiment une merveille, gloussa-t-il. Ralph me l'avait dit, mais je ne m'attendais pas à quelque chose d'aussi beau. Il est là-dedans ?

Ives avait fait un pas vers le garage. Madelyn tendit la main.

— Non, je suis navrée, Ralph a dû sortir.

Il fallait qu'elle parvienne à mettre de l'ordre dans ses pensées, qu'elle se débarrasse de ce gêneur.

Le gêneur parut contrarié.

— Oh ! la barbe ! Il m'avait dit qu'il serait ici. Puis-je entrer dans la maison et l'attendre ?

— Eh bien...

— Il a dit qu'il m'emmènerait faire un tour. Je suis déjà emballé rien qu'à la voir. Si elle est en aussi bon état côté mécanique, je conclus le marché sur-le-champ.

— Il est possible que Ralph ne rentre pas. Demain. Revenez demain.

— Je prends l'avion pour Boston ce soir, et je ne veux pas que cette affaire m'échappe.

Il regarda sa montre.

— Et si en attendant, je lui faisais faire le tour du pâté de maisons ?

Oh ! non, pensa-t-elle, *ça, jamais de la vie !*

Non, jamais maintenant elle ne laisserait cette voiture hors de sa vue. En un sens, elle se sentait plus détendue à présent. Il n'y avait vraiment plus à s'inquiéter. Ralph était mort, et elle pouvait donc faire ce qui lui plaisait. Seulement, il ne fallait pas qu'elle laisse cet homme devenir soupçonneux.

— Je vais vous emmener faire un tour, décida-t-elle en se forçant à sourire. Si elle vous plaît, nous la considérerons comme vendue, et nous ratifierons la transaction quand vous reviendrez.

D'ici là, elle aurait trouvé ce qu'elle cherchait, et peut-être sans endommager sérieusement la voiture.

Dix mille dollars de supplément n'étaient pas à négliger.

Elle dit à Ives d'attendre pendant qu'elle fermait la porte à clé et prenait son sac. Quand elle sortit, il était déjà dans la voiture, ses doigts caressant le capitonnage gris perle. Maintenant, Madelyn était redevenue elle-même et se contrôlait pleinement.

Elle recula jusqu'à la rue et tourna autour du pâté de maisons.

— Elle marche comme un rêve, dit-il. Je peux la conduire ?

Ils changèrent de place. Ives, après un grincement des vitesses qui fit sourciller Madelyn eut bientôt le véhicule en main. Conduisant lentement, il sortit de Lancaster Road.

— Ça va si je la pousse un peu ? Je voudrais entendre le moteur.

— Ce n'est pas une voiture de course, monsieur Ives, ralentissez, je vous prie.

Il faisait maintenant presque nuit et, bien qu'elle sût que la maison et le garage soigneusement fermés à clé, elle n'arrivait pas à se sentir tranquille quand elle pensait au corps de Ralph sous cette bâche.

— Monsieur Ives, je crois qu'il vaudrait mieux à présent que vous me laissiez conduire.

Il s'arrêta et ils changèrent à nouveau de place. Au premier carrefour, Madelyn amorça un virage.

— Continuez ! lui intima Ives.

— Nous ne pouvons rentrer par là, c'est sans issue.

— Continuez, madame Storrey !

— Ça aboutit dans une ancienne carrière...

— Ne discute pas avec moi, poupée !

Son ton la choqua. Elle le regarda et le vit sortir quelque chose de sa poche.

— Qu'est-ce que c'est ?

— Un pistolet, ma belle. Ça ne se voit pas ? Et maintenant, continue jusqu'à ce que je te dise d'arrêter.

— Je ne comprends pas ? Qui êtes-vous ? Que voulez-vous ?

L'homme grimaça un sourire :

— Je veux les cinq gros billets que ton petit mari me paie pour faire de lui un veuf.

Les occupants d'une ferme délabrée située non loin de la carrière aperçurent la voiture en flammes. Ils donnèrent l'alarme, mais le temps qu'arrivent les pompiers il ne restait plus que des débris calcinés de métal et d'os.

Le lendemain, les enfants qui vivaient dans la pauvre ferme allèrent joyeusement explorer les restes noircis à la recherche de « trésors ». Ben trouva un bouchon de radiateur qui brillait encore comme de l'argent. Sid trouva un morceau de verre rouge. La pauvre Polly, elle, ne trouva que quelques jolies petite pierres collées à l'intérieur d'une poche de cuir déchirée.

Quand ils rentrèrent à la maison, leur mère les gronda de s'être salis. C'était une femme épuisée par le travail, avec une toux de tuberculeuse, et qui avait eu plus que sa part de malchance. Son mari était sans travail, par suite de la fermeture de l'usine à papier. Son père était grabataire et sa mère devait subir une opération qu'ils n'avaient pas les moyens de payer.

Le père des gosses admira le bouchon de radiateur, sourit au plaisir de Sid d'avoir trouvé ce morceau de verre coloré, mais quand Polly lui montra les petites pierres qu'elle avait rapportées, son visage prit une drôle d'expression et ses mains se mirent à trembler.

Quelques minutes plus tard, dans la lumière ambrée du couchant, tous les membres de la famille, sauf le grand-père grabataire, passaient au peigne fin la scène du désastre. Polly adorait ce nouveau jeu et c'était la première fois depuis des mois que Papa avait l'air heureux. Chaque fois qu'ils trouvaient une de ces jolies petites pierres, il poussait un drôle de cri, empreint de joie sauvage.

The Man who took it with him.
D'après la traduction de Lucienne Lemoine.

Ah, mes aïeux !

par

Donald E. Westlake

Franchement, je n'ai jamais été aussi bouleversée de toute ma vie ; pourtant, j'ai soixante-treize ans, je suis onze fois grand-mère et deux fois arrière-grand-mère. Mais jamais de ma vie je n'ai subi un tel choc, je vous le garantis.

En fait, c'est ma passion pour la généalogie qui est à l'origine de tout — passion que m'a communiquée Mme Ernestine Simpson, une dame rencontrée à Bay Arbor, en Floride, lors de mon séjour là-bas, voilà trois étés. La Floride ne m'a pas plu du tout — beaucoup trop chère, si vous voulez mon opinion, beaucoup trop ensoleillée, et positivement infestée de moustiques et autres insectes —, mais le voyage n'a pas été complètement perdu pour autant, puisqu'il m'a fait découvrir l'intérêt des recherches généalogiques. C'est là un merveilleux passe-temps, très précieux de surcroît, qui joint l'utile à l'agréable.

En fait, mes recherches généalogiques se sont révélées précieuses à plus d'un titre, puisqu'elles m'ont permis d'entrer en relation — seulement épistolaire, dans certains cas — avec des messieurs et des dames fort sympathiques. Et, bien entendu, c'est grâce à ce passe-temps que j'ai fait la connaissance de M. Gerald Fowlkes.

Mais j'anticipe beaucoup sur mon histoire, et je ferais mieux de commencer par le début — encore faudrait-il que je sache où situer précisément le début. D'un certain point de vue, il remonte à l'époque où Mᵐᵉ Ernestine Simpson — qui est décédée depuis — m'a initiée à la généalogie ; mais, considéré sous un autre angle, il remonte en réalité à presque deux cents ans ; et si l'on envisage un troisième aspect, l'histoire a vraiment débuté la première fois que je suis tombée sur le nom d'Euphemia Barber.

Bref. En fait, je crois que je ferais mieux de commencer par expliquer tout bonnement en quoi consiste la recherche généalogique. C'est l'étude d'un arbre généalogique. On vérifie les mariages, les naissances et les décès, on épluche les bibles familiales, on interroge les divers membres de la famille, et l'on constitue petit à petit un arbre généalogique : cela permet de voir qui a engendré qui et en quelle année, à quelle date Untel est mort, etc. C'est vraiment un travail passionnant, et il existe une quantité de clubs d'amateurs dans tout le pays. Quand on a fait remonter son arbre généalogique aussi loin qu'on le désire — à sept générations, neuf générations ou davantage, comme on veut —, il est possible de constituer un dossier et de le léguer à la bibliothèque locale. On dispose alors des *archives* de cette famille pour les années à venir, chose à mon avis importante et précieuse, même si mon plus jeune fils, Tom, se moque de ce passe-temps qu'il juge ridicule. Eh bien *non,* ce n'est pas un passe-temps ridicule ! Après tout, n'est-ce pas ainsi que j'ai eu la preuve de plusieurs meurtres ?

Donc, en fait, je pense que toute l'histoire a commencé le jour où, pour la première fois, je suis tombée sur le nom d'Euphemia Barber. Euphemia Barber était la seconde épouse de John Anderson, lequel était né dans le comté de Goochland, en Virginie, en 1754. Vers l'époque de la Révolution, en 1777, il avait épousé Ethel Rita Mary Rayborn, dont il avait eu sept enfants, ce qui n'avait rien d'étonnant pour l'époque même si, de nos jours, les grandes familles sont passées de mode, ce que je trouve personnellement regrettable.

Toujours est-il que le troisième enfant de John et Ethel Anderson, une fille prénommée Prudence, est mon ascendante directe du côté de mon grand-père maternel ; par conséquent, ils figuraient dans mon arbre généalogique. Là-dessus, en épluchant les archives du comté d'Appomattox — le comté de Goochland fait aujourd'hui partie d'Appomattox et n'est plus un comté séparé — je suis tombée sur le nom d'Euphemia Barber. Apparemment, Ethel Anderson était morte en 1793, en mettant au monde son huitième enfant — qui mourut lui aussi — et, trois ans plus tard, en 1796, John Anderson se remariait, cette fois avec une veuve nommée Euphemia Barber. Il avait à l'époque quarante-deux ans et elle trente-neuf.

Euphemia Barber, en tant que seconde épouse de John Anderson, ne faisait évidemment pas partie de mes ancêtres ; ses origines m'intéressaient néanmoins dans une certaine mesure, car je voulais ajouter le nom de ses parents et son lieu de naissance sur mon arbre généalogique. En outre, certains Barber étant apparentés d'assez loin à la famille de ma grand-mère paternelle, je me demandais si, par hasard, cette Euphemia n'appartenait pas à la même branche. Mais les archives étaient fort incomplètes : tout ce que je pus apprendre, c'est qu'Euphemia Barber n'était pas née en Virginie et n'habitait la région que depuis un an ou deux lors de son mariage avec John Anderson. Peu après la mort de John, en 1798, deux ans après leur union, elle avait vendu la ferme des Anderson — une exploitation apparemment assez prospère — pour s'installer encore ailleurs. Je n'avais donc aucun renseignement sur ses dates de naissance et de décès, aucun renseignement non plus sur son premier mari, à part qu'il s'appelait sans doute Barber. Je possédais en tout et pour tout la date de son mariage avec mon arrière-arrière-arrière-arrière-arrière-grand-père du côté de mon grand-père maternel.

En fait, je n'avais aucune raison d'approfondir la question, puisque Euphemia Barber n'était pas pour moi une ascendante directe. Mais j'avais travaillé consciencieusement — et, je le crois, plutôt bien — à mon arbre généalogique; il était presque complet jusqu'à la neuvième génération et il restait vraiment bien peu de chose à y ajouter. Je me fis donc un plaisir de poursuivre mes investigations.

Voilà pourquoi, dans le numéro suivant du *Bulletin généalogique,* j'insérai une annonce concernant Euphemia Barber. Sans doute faut-il que j'explique ce qu'est le *Bulletin généalogique.* Nombreux sont les généalogistes amateurs, dans tout le pays, qui s'intéressent avant tout à l'arbre généalogique de leur propre famille; mais les arbres généalogiques se recoupent souvent, et l'une de ces personnes peut posséder le renseignement précis qu'un autre recherche en vain depuis des mois. Il existe donc des revues — fort peu coûteuses — consacrées à l'échange des renseignements. Au cours des dernières années, je m'étais procuré par ce biais toute sorte de précieuses indications. Mon annonce dans le numéro d'été du *Bulletin généalogique* était ainsi conçue :

BUCKLEY, Mrs. Henrietta Rhodes, 119A Newbury St., Boston, Mass. Ech. rens. sur *Rhodes, Anderson, Richards, Pryor, Marshall, Lord.* Rech. inf. sur Euphemia Barber, ép. John Anderson, Vir., 1796.

Bref. Le *Bulletin généalogique* m'avait été utile par le passé, mais je n'avais encore jamais reçu autant de réponses que pour Euphemia Barber. Et la première d'entre elles me vint de M. Gerald Fowlkes.

Cela se passait deux jours à peine après que j'eus reçu mon numéro d'été du *Bulletin.* J'étais encore absorbée dans sa lecture, à la recherche de personnes susceptibles de se rattacher aux différentes branches de mon arbre généalogique, lorsque le téléphone sonna.

En fait, cette interruption m'irrita quelque peu, et je pense que mon ton de voix, quand je décrochai l'appareil, dut trahir mon impatience.

Si tel fut le cas, mon interlocuteur n'en laissa rien paraître. Il avait une voix des plus agréables, profonde et virile.

— Pourrais-je parler à Mme Henrietta Buckley, je vous prie ? dit-il.

— C'est elle-même.

— Ah ! Excusez-moi de vous téléphoner, madame Buckley. Nous ne nous connaissons pas, mais j'ai lu votre annonce dans le dernier numéro du *Bulletin généalogique*...

— Ah ?

Je me sentis aussitôt tout excitée ; mon impatience s'était envolée. C'était sans aucun doute la réponse la plus rapide que j'eusse jamais reçue !

— Oui, reprit-il, la référence à Euphemia Barber a attiré mon attention. Je crois qu'il pourrait s'agir de l'Euphemia Stover qui a épousé Jason Barber à Savannah, en Georgie, en 1791. Jason Barber est mon ancêtre direct du côté de ma mère. Jason et Euphemia n'ont eu qu'un enfant, Abner, duquel je descends.

— Vous semblez en effet disposer de renseignements fort complets.

— Oh, oui ! dit-il. L'arbre généalogique de ma famille est presque terminé. Du moins, jusqu'à la douzième génération. Je ne sais pas encore si j'essaierai de remonter plus loin. Les archives anglaises antérieures à 1600 sont tellement fragmentaires...

— Oui, évidemment.

Je dois avouer que je fus interloquée. Douze générations ! C'était là, sans contredit, l'arbre généalogique le plus ambitieux dont j'eusse jamais entendu parler, même si j'avais lu que des personnes avaient remonté certaines branches jusqu'à la quinzième génération. Dire que je parlais en cet instant avec un homme qui avait retrouvé la trace de ses ancêtres jusqu'à la douzième génération !

— S'il était possible de nous rencontrer, dit-il, je vous fournirais les renseignements que je possède sur Euphemia Barber. Je compte également des Marshall dans l'une des branches de ma famille ; peut-être pourrai-je vous être utile de ce côté aussi.

Il eut un rire grave, agréable, qui me rappela mon défunt mari, Edward, lorsqu'il était particulièrement satisfait.

— Et, bien entendu, reprit-il, il est toujours possible que vous ayez sur les Marshall des renseignements susceptibles de m'aider.

— Voilà une excellente idée, dis-je.

Je l'invitai donc à venir chez moi dès le lendemain après-midi.

Le lendemain, une demi-heure peut-être avant l'heure du rendez-vous, je cessai de m'agiter pour faire le point. Je me rendis compte que, s'il existait des signes annonciateurs d'un regain de jeunesse, mes pensées et mes actes alors que j'attendais l'arrivée de M. Fowlkes en faisaient certainement partie. Incapable de tenir en place, j'époussetais, je déplaçais des bibelots, j'astiquais un meuble, m'interrompant sans cesse pour me regarder dans la glace et remettre de l'ordre dans ma coiffure, comme une frivole adolescente avant son premier rendez-vous.

— Henrietta, m'admonestai-je, tu as soixante-treize ans ; toutes ces bêtises ne sont plus de ton âge. Onze fois grand-mère, et regarde comment tu te conduis !

Mais ce pauvre Edward était mort et enterré depuis plus de neuf ans, tous mes frères et sœurs reposaient dans leur tombe ; quant à mes enfants, à part Tom, le dernier, ils vivaient leur vie à des milliers de kilomètres — chose tout à fait normale — et ne pensaient qu'épisodiquement à écrire une lettre de politesse à leur mère. Et je suis trop consciente des dangers de la possessivité pour imposer trop souvent ma présence à Tom et à sa famille. Je n'ai donc personne pour me tenir compagnie — à part, bien sûr, mes amies des diverses activités paroissiales et les relations amicales que j'ai nouées, ne fût-ce que par correspondance, grâce à mes recherches généalogiques.

Dans ces conditions, c'était vraiment agréable de recevoir la visite d'un monsieur charmant, surtout d'un monsieur qui s'intéressait aux mêmes choses que moi.

M. Gerald Fowlkes, à son arrivée, ne déçut certes pas mon attente. Il ne paraissait pas plus de cinquante-cinq ans, quoi qu'il jurât en avoir soixante-deux, et une belle masse de cheveux gris surmontait son visage doux et énergique. Il s'habillait fort bien, avec ce mélange de luxe et de distinction que l'on rencontre si rarement de nos jours, où les gens de bonne famille ont invariablement l'air pauvre alors que les riches ont invariablement l'air atrocement commun. Il avait des manières raffinées et affables — courtoises, comme nous disions autrefois — et il eut des compliments fort aimables pour l'ordonnance de mon living-room.

A la vérité, je ne prétends pas être une maîtresse de maison extraordinaire. Vivant seule, et ayant hérité d'Edward une rente extrêmement confortable, je n'ai aucun mal à choisir des meubles de bon goût et à les entretenir. (D'ailleurs, j'avais briqué l'appartement de fond en comble en prévision de la visite de M. Fowlkes.)

Il avait apporté son arbre généalogique. C'était vraiment du beau travail ! Tableaux généalogiques, photocopies de toute sorte de documents, un historique détaillé, tapé avec beaucoup de soin sur du papier perforé et inséré dans un classeur... Au total, le genre de travail soigné, bien conçu, que tous les généalogistes amateurs s'efforcent en vain de réaliser.

Grâce à M. Fowlkes, j'obtins les données qui me manquaient sur Euphemia Barber. Elle était née en 1765, à Salem, Massachusetts, quatrième des sept enfants de John et d'Alicia Stover. Elle avait épousé Jason Barber à Savannah en 1791. Jason, un négociant prospère, mourut en 1794, peu après la naissance de leur premier enfant, Abner. Celui-ci fut élevé par ses grands-parents paternels, et Euphemia quitta Savannah. Ainsi que je le savais déjà, elle était ensuite allée en Virginie, où elle avait épousé John Anderson. Après cela, M. Fowlkes n'avait plus rien sur elle, jusqu'à sa mort à Cincinnati, Ohio, en 1852. Elle était enterrée sous le nom d'Euphemia Stover Barber, n'ayant apparemment pas gardé le nom d'Anderson après la mort de John Anderson.

Cette question réglée, nous entreprîmes de comparer les histoires de nos familles et nous découvrîmes, vers 1680, un Alan Marshall, de Liverpool, Angleterre, commun aux deux arbres. Je fus en mesure de fournir à M. Fowlkes la date de naissance d'Alan Marshall ; le but précis de notre rencontre se trouva ainsi atteint. Comme il était alors quatre heures et demie, je proposai à M. Fowlkes du thé et des petits gâteaux, qu'il accepta avec courtoisie.

Ainsi commencèrent les trois mois les plus étranges de toute mon existence. Avant de prendre congé, M. Fowlkes me suggéra de l'accompagner à un concert, le vendredi soir, et j'acceptai avec empressement. En cette circonstance, comme par la suite, il se montra un parfait gentleman.

Il ne me fallut pas longtemps pour comprendre qu'il me faisait la cour. En fait, au début, je ne pus y croire. Tout de même, à *mon* âge ! Pourtant, je connaissais des couples absolument charmants qui s'étaient mariés sur le tard — un veuf et une veuve, tous deux esseulés, partageant les mêmes goûts, qui avaient décidé d'adoucir leurs dernières années en les passant ensemble — et, vu sous cet angle, ce n'était pas aussi ridicule qu'il y paraissait au premier abord.

Je m'attendais que mon fils Tom se moquât de moi et se prît d'une antipathie immédiate pour M. Fowlkes. Sans doute cette appréhension me venait-elle de certains romans que j'avais lus. Je fus donc fort agréablement surprise de les voir s'entendre comme larrons en foire dès leur première rencontre, et plus surprise encore lorsque Tom vint me dire que M. Fowlkes s'était enquis s'il verrait une quelconque objection à ce que lui, M. Fowlkes, me demandât ma main. Tom avait répondu que non seulement il n'y voyait aucune objection, mais qu'il trouvait cette idée merveilleuse, car il nous savait, M. Fowlkes et moi, tous les deux un peu esseulés, sans autre occupation que notre passe-temps généalogique.

Pratiquement dès le début M. Fowlkes m'avait raconté son passé en détail. Il était issu d'une famille assez riche, originaire de l'Etat de New York ; autrefois agent de change à Albany, il avait maintenant pris sa retraite. Il était veuf depuis six ans et, n'ayant pas connu le bonheur d'avoir des enfants de son premier mariage, il était absolument seul au monde.

Les trois mois suivants furent des plus remplis. M. Fowlkes — Gerald — m'escortait partout : aux concerts, dans les musées — et même au théâtre, lorsque nous en vînmes à nous connaître assez bien. Il se montra en toute circonstance fort poli et attentionné, et il ne se passa guère de jour que nous ne nous retrouvions.

Durant toute cette période, naturellement, mes recherches généalogiques restèrent au point mort. J'étais beaucoup trop occupée, beaucoup trop obnubilée par Gerald pour m'intéresser aux membres de la famille depuis longtemps partis pour un monde meilleur. Des pistes prometteuses, annoncées dans le *Bulletin généalogique*, demeurèrent sans suite car je n'écrivis pas une seule fois. Et les nombreuses lettres que je reçus par l'intermédiaire du *Bulletin* s'entassèrent, non décachetées, dans un casier de mon secrétaire. Mon passe-temps connut ainsi une interruption, tandis que mon idylle progressait.

Au bout de trois mois, Gerald se déclara enfin.

— Je ne suis pas jeune, Henrietta, ni particulièrement beau... (à la vérité, c'était un fort bel homme) ... ni même très riche, bien que j'aie de quoi vivre pour le restant de mes jours. Je n'ai pas grand-chose à vous offrir, Henrietta, à part moi-même, aussi piètre compagnon que je sois, et la promesse de rester à jamais auprès de vous.

Quelle magnifique demande en mariage! Pour moi qui, en neuf ans de veuvage, n'avais jamais imaginé, même dans mes rêves les plus fous, convoler un jour, quelle magnifique demande en mariage c'était là, surtout de la part d'un monsieur aussi charmant!

J'acceptai aussitôt, bien entendu, et je téléphonai sur-le-champ à Tom pour lui annoncer la bonne nouvelle. Tom et sa femme, Estelle, organisèrent un dîner en notre honneur, après quoi nous fîmes nos projets. Nous décidâmes de nous marier trois semaines plus tard. Oui, d'accord, c'était un délai bien court, mais nous n'avions aucune raison d'attendre. Et nous passerions notre lune de miel à Washington, où mon fils aîné, Roger, occupait un poste important au Département d'Etat. Ensuite, nous reviendrions à Boston nous installer à Beacon Hill, dans une vieille maison ravissante qui était à vendre et que nous allions acheter conjointement.

Ah, les projets! Les préparatifs! Qu'elles étaient donc remplies, mes journées jusqu'alors si vides!

Je passai la majeure partie de la dernière semaine à fermer mon appartement de Newbury Street. Tom expédierait les meubles à notre nouveau domicile, pendant que Gerald et moi serions à Washington. Mais, naturellement, il y avait beaucoup de cartons à faire, et je m'y mis avec ardeur.

Je finis ainsi par en arriver à mon secrétaire, dans lequel se trouvaient mes travaux généalogiques tels que je les avais laissés. Je m'assis à mon bureau, un peu lasse car je trimais dur depuis le lever du soleil et c'était déjà la fin de l'après-midi. Je décidai de consacrer un petit moment à mettre de l'ordre dans mes papiers avant de les emballer; j'ouvris donc le courrier qui s'était accumulé au cours des trois derniers mois.

Il y avait vingt-trois lettres. Douze d'entre elles demandaient des renseignements sur divers noms de famille mentionnés dans mon annonce du *Bulletin*, cinq me proposaient des renseignements et six concernaient Euphemia Barber. Après tout, c'était Euphemia Barber qui nous avait réunis, Gerald et moi ; je pris donc le temps de lire ces dernières lettres.

Et ce fut à ce moment-là que j'éprouvai le grand choc. Je lus les six lettres, puis je restai assise à mon bureau, les bras ballants, les yeux dans le vague, à observer le monstrueux tableau qui s'ébauchait dans mon esprit. Car la vérité ne faisait aucun doute, absolument aucun.

Réfléchissez... Avant de commencer à lire ces lettres, voici ce que je savais d'Euphemia Barber : elle était née Euphemia Stover, à Salem, Massachusetts, en 1765. En 1791, elle épousait Jason Barber, un veuf de Savannah, Georgie. Jason mourait deux ans plus tard, en 1793, de troubles gastriques. Trois ans plus tard, Euphemia réapparaissait en Virginie et épousait John Anderson, veuf lui aussi. John mourait deux ans après, en 1798, de troubles gastriques. Dans les deux cas, Euphemia avait vendu les biens de son défunt mari et quitté la région.

Et voici les renseignements complémentaires que fournissaient les lettres, par ordre chronologique :

De la part de Mme Winnie Mae Cuthbert, Dallas, Texas : Euphemia Barber, en 1800, deux ans après la mort de John Anderson, s'installa à Harrisburg, Pennsylvanie, où elle épousa un certain Andrew Cuthbert, commerçant veuf et prospère. Andrew mourut en 1801, de troubles gastriques. La veuve vendit son magasin d'alimentation et quitta la région.

De la part de Miss Ethel Sutton, Louisville, Kentucky : Euphemia Barber épousa en 1804 Samuel Nicholson, de Louisville, planteur veuf et aisé. Samuel Nicholson succomba en 1805 à des troubles gastriques. La veuve vendit sa ferme et quitta la région.

De la part de Mme Isabelle Padgett, Concord, Californie : en 1808, Euphemia Barber épousa Thomas Norton, à l'époque maire de Dover, New Jersey, et veuf. Thomas Norton mourut en 1809 de troubles gastriques.

De la part de Mme Luella Miller, Bicknell, Utah : Euphemia Barber épousa Jonas Miller, veuf, riche armateur de Portsmouth, New Hampshire, en 1811. La même année, Jonas Miller mourut de troubles gastriques. La veuve vendit ses biens et quitta la région.

De la part de Mme Lola Hopkins, Vancouver, Washington : en 1813, dans le sud de l'Indiana, Euphemia Barber épousa Edward Hopkins, un agriculteur veuf. Edward Hopkins mourut en 1816, de troubles gastrique. La veuve vendit la ferme et quitta la région.

De la part de M. Roy Cumbie, Kansas City, Missouri : Euphemia Barber épousa en 1819 Stanley Thatcher, de Kansas City, Missouri, propriétaire de péniches et veuf. Stanley Thatcher mourut, de troubles gastriques, en 1821. La veuve vendit ses biens et quitta la région.

Les preuves étaient éclatantes. Les intervalles de temps entre les dates signifiaient peut-être que d'autres veufs avaient succombé aux charmes empoisonnés d'Euphemia Barber, des victimes qui ne comptaient pas de généalogistes amateurs parmi leurs descendants. Comment savoir au juste combien de maris avait assassinés Euphemia ? Car il s'agissait à l'évidence de meurtres, de meurtres prémédités, motivés par l'appât du gain. J'avais la preuve de huit meurtres, mais il pouvait aussi bien y en avoir eu huit de plus, dix-huit de plus ! Comment savoir, si longtemps après, combien de fois Euphemia Barber avait tué pour de l'argent, sans jamais se faire prendre ?

Une telle femme dépassait l'imagination. Ses maris, tous veufs, étaient obligatoirement des hommes esseulés, victimes idéales pour une femme rusée. Elle s'attaquait aux veufs et ne les quittait qu'une fois veuve.

Gerald !

Une pensée me traversa l'esprit, mais je la repoussai

fermement. C'était impossible ; il ne pouvait y avoir la moindre vérité là-dedans.

Pourtant, que savais-je de Gerald Fowlkes, en dehors de ce qu'il m'avait dit ? Et n'étais-je pas une veuve, esseulée et influençable ? Et n'étais-je pas financièrement à l'aise ?

Tel père, tel fils, dit le proverbe. Pourquoi pas : telle arrière-arrière-arrière-arrière-arrière-grand-mère, tel arrière-arrière-arrière-arrière-arrière-petit-fils ?

Quelle perspective ! Je me fis la réflexion qu'il devait y avoir dans le pays un grand nombre de veuves qui, comme moi, trouvaient intéressant d'établir leur arbre généalogique. Des femmes qui avaient beaucoup d'argent et de loisirs, dont les enfants avaient grandi et s'étaient mis à voler de leurs propres ailes, des femmes qui, pour passer le temps, s'adonnaient à la généalogie. Un homme sans scrupules, décidé à s'attaquer à de riches veuves, ne pouvait trouver meilleur biais pour les aborder qu'un intérêt commun pour la généalogie.

Quelle horreur d'avoir une telle pensée à propos de Gerald ! Et pourtant, je n'arrivais pas à l'écarter de mon esprit. Finalement, je me dis que la seule solution était de vérifier, dans la mesure du possible, les éléments biographiques qu'il m'avait confiés. S'il m'avait dit la vérité sur son compte, il ne pouvait certainement pas être le monstre que j'imaginais.

Il prétendait avoir été agent de change à Albany, New York. Je téléphonai aussitôt à un vieil ami de mon premier mari, lui-même agent de change à Boston, pour lui demander de bien vouloir vérifier s'il y avait eu à Albany, au cours des quinze ou vingt dernières années, un agent de change nommé Gerald Fowlkes. Il me répondit que cela ne lui poserait aucun problème, grâce à une sorte d'annuaire qu'il avait en sa possession, et qu'il me rappellerait. Ce qu'il fit. J'appris alors la bouleversante nouvelle : aucun individu de ce nom ne figurait sur la liste !

Je refusai néanmoins d'y croire. Vêtue de mon manteau et d'un chapeau, je sortis sur-le-champ pour me rendre directement à la compagnie du téléphone, où, après un nombre incroyable de pieux mensonges se rapportant à la recherche généalogique, je finis par persuader une employée de rechercher un vieil annuaire d'Albany, New York. Je savais que le bureau principal de la compagnie mettait à la disposition du public les annuaires des autres grandes villes, mais j'ignorais si on conservait ceux des années passées. L'employée à qui je m'adressai n'en savait rien non plus, mais elle se décida finalement à aller se renseigner ; elle revint au bout d'un moment avec l'annuaire d'Albany de 1946, poussiéreux et quelque peu déchiré, mais complet.

Aucun Gerald Fowlkes n'était mentionné dans les pages blanches, ni dans les pages jaunes à la rubrique *Agents de change*.

Voilà. C'était donc vrai. Et je me figurais très bien la méthode qu'employait Gerald. Dès qu'il se mettait en quête d'une nouvelle victime, il consultait les revues de généalogie, à la recherche d'une correspondance ayant avec lui un ancêtre commun. Il s'arrangeait ensuite pour rencontrer cette personne, s'assurait que l'éventuelle victime était une veuve d'âge adéquat, possédant un compte en banque suffisamment important, et il commençait alors à lui faire la cour.

C'était sans doute la première fois qu'il commettait l'erreur de prendre Euphemia Barber comme intermédiaire. Il ne se rendait probablement même pas compte qu'il suivait les traces d'Euphemia. En tout cas, aucune des six personnes qui m'avaient écrit au sujet d'Euphemia ne pouvait se douter, avec pour seul point de départ un mariage suivi d'un décès, des véritables activités qu'avait eues Euphemia de son vivant.

Que devais-je faire, à présent ? Blottie dans un coin du taxi qui me ramenait chez moi, je m'efforçai de réfléchir.

Car c'était là un choc sévère, une cruelle déception. Comment sauver la face devant Tom et mes autres enfants, devant tous mes amis à qui j'avais déjà écrit pour leur annoncer la bonne nouvelle de mon mariage imminent ? Comment reprendre la terne existence que je menais avant que Gerald ne m'apportât sa gaieté, sa présence, sa distinction courtoise ?

Pouvais-je seulement prévenir la police ? J'avais beau être sûre de mon fait, arriverais-je à en convaincre quelqu'un d'autre ?

Brusquement, je pris une décision. Du même coup, je me sentis rajeunie de dix ans, allégée de cinq kilos et sensiblement moins ridicule. Car, autant l'avouer : en plus de tout le reste, cette histoire avait porté un coup terrible à ma fierté.

Mais ma décision était prise. Je rentrai chez moi, heureuse et pleine d'entrain.

Nous voici donc mariés.

Mariés ? Mais oui ! Pourquoi pas ?

Parce qu'il va tenter de m'assassiner ? Evidemment, qu'il *va* tenter de m'assassiner ! Pour tout vous dire, il a déjà essayé une demi-douzaine de fois.

Mais Gerald a un énorme handicap. Car il doit m'assassiner d'une manière discrète, sans que ça ait l'air d'un meurtre. Il faut que ma mort paraisse naturelle — ou, au pire, accidentelle. Il lui faut donc se montrer rusé, préméditer son crime, renoncer à m'attaquer de front pour me liquider.

Et c'est là son handicap. Car je suis avertie, et une femme avertie en vaut deux.

Au fond, qu'est-ce que j'ai à perdre ? A soixante-treize ans, combien de jours me reste-t-il à vivre sur cette terre ? Et ma vie est si *riche,* à présent ! Si riche, comparée à ce qu'elle était avant l'arrivée de Gerald ! Le frisson du danger, le jeu excitant du chat et de la souris, les attaques et les contre-attaques subtiles de ce duel, passionnant entre tous, lui donnent une saveur à nulle autre pareille.

En outre, j'ai un mari agréable et charmant. Gerald est *obligé* de se montrer agréable et charmant. Il ne me contrarie jamais — du moins, pas trop —, car il ne peut prendre le risque de me voir quitter le foyer conjugal. Il ne peut pas non plus se permettre de croire que je le soupçonne. Je n'ai jamais abordé le sujet avec lui et, pour ce qu'il en sait, je ne me doute de rien. Nous allons ensemble au concert, dans les musées et au théâtre. Attentif et bien élevé, Gerald se révèle le meilleur des compagnons en toute circonstance.

Naturellement, je lui interdis de m'apporter mon petit déjeuner au lit, comme il aimerait tant le faire. Non, je lui ai expliqué que j'appartenais à la vieille école et que, pour moi, la cuisine est un travail de femme. Bref, je ne le laisse pas s'approcher des fourneaux. Pauvre Gerald !

Malgré ses suggestions répétées, nous ne faisons pas de voyages.

Et nous avons condamné le premier étage de la maison. Je lui ai fait observer que le rez-de-chaussée était largement assez vaste pour nous deux et que je commençais à me sentir un peu âgée pour monter des escaliers. Bien entendu, il n'a pu que m'approuver.

Depuis notre mariage, je me suis découvert un autre passe-temps ; mais Gerald n'est pas au courant, évidemment. Grâce à de discrètes investigations et à des recherches méticuleuses dans de vieux numéros de diverses revues généalogiques, en me basant sur les noms de famille de l'arbre généalogique de Gerald, j'élabore petit à petit un autre genre d'arbre. Pas un arbre généalogique, non. Un « arbre aux pendus », pourrait-on l'appeler facétieusement. C'est une liste des épouses de Gerald. Elle se trouve dans mes dossiers généalogiques, que j'ai légués à la bibliothèque de Boston. Si jamais Gerald réussit à m'avoir, une drôle de surprise attend le bibliothécaire qui classera mes dossiers ! Mais pas une surprise aussi grande que celle qu'aura Gerald, naturellement.

Ah ! Voilà Gerald, au volant de l'automobile qu'il a achetée la semaine dernière. Il va encore me demander de l'accompagner faire un tour.

Mais je n'irai pas.

Never Shake a Family Tree.
Traduction de Gérard de Chergé.

Calcul de probabilités

par

STEPHEN WASYLYK

Le grand escogriffe brun, au costume fatigué, qui portait une serviette à la main et n'arrêtait pas de monter et de descendre dans les ascenseurs automatiques me semblait d'autant moins catholique que c'était Nipsy Turko, un jeune malfrat sans envergure, qui jouissait d'un casier judiciaire pittoresque.

Moi seul, Mark Stedd, l'ex-détective manchot qui tenait le kiosque au rez-de-chaussée du bâtiment, devant la batterie d'ascenseurs, étais en mesure de remarquer ses allées et venues, ou de m'y intéresser. Et à dire vrai, je me demande pourquoi j'y prêtais attention.

Si j'avais établi mes quartiers dans ce réduit exigu, c'était bien pour faire une fleur à ce vieux Manny, un de mes amis à qui ça permettait pendant ce temps-là de s'en payer une tranche en Floride. Les médecins, qui avaient amputé les lambeaux de mon bras gauche après qu'un dingue armé d'un fusil de chasse l'eût réduit en chair à pâté trois mois plus tôt, avaient vivement appuyé la requête de Manny, car ils y voyaient l'occasion rêvée de me réinsérer dans la vie.

Je m'extirpai du trou de rat ménagé derrière le kiosque pour aller surveiller le manège de Nipsy, qui montait et descendait toujours comme un yo-yo. Le trou en question était au format de Manny, qui mesurait vingt bons centimètres de moins que moi, et auquel je rendais bien cinquante livres, même soulagé du bras gauche ; c'est vous dire si j'étais content de sortir de là.

Arrivé aux portes du hall, je jetai un coup d'œil à ma montre. Dans cinq minutes, tout le monde irait déjeuner et le bâtiment vomirait une foule dans laquelle Nipsy disparaîtrait aisément. Par les portes vitrées, à l'extrémité opposée du hall encore vide, on voyait les guichets de la banque située au rez-de-chaussée du bâtiment voisin. L'ami Nipsy jaillit de l'un des ascenseurs comme un diable de sa boîte, traversa la banque, s'arrêta devant un guichet et laissa tomber sa serviette à ses pieds. C'est alors que les gens qui allaient déjeuner firent irruption dans le hall.

Je m'efforçai de fendre la foule et j'étais presque arrivé à la porte vitrée lorsqu'un individu plus âgé, court sur pattes et au visage en lame de couteau, traversa la banque rapidement, s'arrêta juste à côté du morveux et s'affaira un moment avant de ramasser la serviette de ce dernier, qui récupérait en échange celle apportée par Lame-de-Couteau. Lame-de-Couteau — en réalité un dénommé Slow Harry Fisher, autre paumé du calibre de Nipsy — sortit précipitamment par la porte de la banque qui donnait de l'autre côté du bâtiment, tandis que le foutriquet rentrait par la porte vitrée et venait se planter devant les ascenseurs pour attendre le prochain. Nos yeux se croisèrent par-dessus la foule, et c'est un Nipsy au visage de marbre qui se figea un instant avant de s'engouffrer dans l'ascenseur et d'appuyer sur un bouton, de sorte que les portes se refermèrent juste devant mon nez.

Les voitures de police s'immobilisèrent devant la banque et le hululement des sirènes se tut sur une dernière plainte. Je saisis le premier bras qui passait à ma portée. Une séduisante jeune femme brune, qui s'apprêtait à aller déjeuner, se retourna et darda sur moi le regard de ses yeux étrécis.

— Tout doux ! (Je lui dédiai un grand sourire.) Allez

chercher un agent de police, n'importe lequel, et ramenez-le moi. Vous voulez bien ?

J'ai toujours eu du succès avec les femmes, et celle-ci ne devait pas faire exception à la règle. Son visage s'adoucit, elle me rendit mon sourire, hocha la tête et sortit par la banque ; je m'en étonnai un peu, car d'ordinaire les gens du coin ne manifestaient pas un vif empressement à se mêler des affaires de la police.

Elle revint avec un certain Tompkins ; ce n'était pas un novice, et il avait du bon sens.

— Mark ! dit-il. Content de vous voir rétabli.

Du menton, j'indiquai la foule qui se pressait devant la banque.

— Que se passe-t-il ?

— Quelqu'un a cambriolé la bijouterie du coin.

— Je crois bien avoir vu votre homme échanger sa serviette avec un complice. Même si vous le cueillez maintenant, je doute fort que vous le retrouviez en possession des bijoux. Ils sont déjà quelque part dans les étages, entre les mains d'un dénommé Nipsy Turko.

— Vous êtes sûr ?

— Je ne suis sûr de rien. Je vous dis ce que j'ai vu et ce que j'en déduis. Qui est sur l'affaire ?

— Sans doute Barnes (Tompkins haussa les épaules). Votre amie m'a mis le grappin dessus avant que j'aie eu le temps de m'informer.

— Eh bien, faites venir Barnes. C'est à lui de s'occuper de ça.

— Je vais le chercher, dit Tompkins qui repartait déjà.

— Non, non, minute ! protestai-je. S'il redescend en votre absence, Nipsy est assez grand pour régler son compte au manchot qu'on a fait de moi. Je ne suis plus en état de me bagarrer. Je préférerais que vous montiez la garde à l'autre bout du hall, du côté de la banque, pendant que je reste ici. Nous allons demander à notre belle amie de nous ramener Barnes.

Je me tournai vers la jeune femme.

— Comment vous appelez-vous, la belle ?

— Diane Waverly.

— Eh bien, Miss Waverly, vous voulez bien aller à la bijouterie dire à l'inspecteur chargé de l'affaire que nous avons des informations sur le cambriolage, et le ramener ici ?

Elle me dévisagea plutôt froidement.

— Dois-je le prendre par la main ou le mener par le bout du nez ?

Je la regardai s'éloigner, et c'est en souriant que je m'adressai à Tompkins.

— Si j'étais Barnes, je la suivrais rien que pour le plaisir...

— Pourquoi crois-tu que je suis venu ? me répondit-il en me rendant mon sourire.

Nous gagnâmes chacun un bout du vestibule et attendîmes un instant. Il y avait encore beaucoup de monde dans le hall, et je me pris à espérer que Nipsy ne se montrerait pas tout de suite. S'il revenait, il ne lui serait pas difficile de s'échapper avant que Tompkins ou moi-même ayons seulement pu l'approcher dans cette foule.

La jeune femme fut de retour avec Barnes plus vite que je ne le pensais. Avec son regard glacial et son costume impeccable, Barnes avait plus l'air d'un directeur d'agence de publicité que d'un lieutenant de police, mais il n'était pas bête. Plus jeune que moi, c'était un loup solitaire, froid et impitoyable, et il avait rapidement gravi les échelons, se faisant une réputation à mon avis quelque peu surfaite. Je n'avais jamais eu beaucoup de sympathie pour lui.

— Vous avez l'air en forme, Mark.

Fortiche, pensai-je admirativement. Je savais très bien quelle tête je devais avoir après ces trois mois d'hôpital, et lui, planté devant moi, me racontait que j'avais bonne mine, et on aurait cru qu'il le pensait vraiment.

— Joe, dis-je, je tiens peut-être quelque chose. Vous avez le signalement du gars qui a fait le coup chez le bijoutier ?

Il secoua la tête :

— Un petit bonhomme entre deux âges, au visage émacié, c'est tout ce que je sais.

— Ce ne serait pas Slow Harry Fisher, par hasard ?

— Slow Harry, braquer une bijouterie ? Tout seul ?

Barnes me regardait avec stupéfaction.

— Le signalement correspond, non ?

— D'accord, mais il correspond à tellement d'autres types...

— Et vous en avez vu beaucoup entrer en courant dans une banque, échanger leur valise avec des paumés comme Nipsy Turko pas plus d'une minute ou deux après le casse et disparaître dans la foule de midi comme s'ils avaient un bookmaker aux trousses ?

— Vous avez vu tout ça ?

— Joe, dis-je d'un ton patient, ce n'est pas parce qu'on perd un bras qu'on devient miro. Bien sûr que j'ai tout vu. J'ai même vu Nipsy décamper avec la serviette, bondir dans l'un des ascenseurs et disparaître vers les étages, après avoir passé une demi-heure à monter et descendre dans tous les ascenseurs de l'immeuble juste avant de rencontrer Slow Harry. Pour autant que je sache, il est toujours dans l'immeuble, à moins qu'il ne connaisse un moyen d'en sortir sans repasser par le hall.

— Slow Harry et Nipsy, drôle d'équipe ! Ils ne seraient pas foutus de dévaliser la confiserie du coin !

— Quel est le montant du butin ?

— Près de deux cent mille dollars, rien qu'en pierres brutes et taillées, mais non montées.

— Bon. Inutile de rester plantés là à discuter le bout de gras. Vous allez vous mettre à la recherche de Nipsy ?

— Je ne vois pas comment je pourrais faire autrement. Je vais également faire diffuser le signalement de Slow Harry. Puisque vous me dites que vous l'avez vu, je suis bien obligé de vous croire, bien que ça me semble difficile à avaler.

En moins de deux, il avait posté un homme en

uniforme à chaque entrée et dans chacun des ascenseurs, tandis que le gardien de l'immeuble lui faisait une description des lieux.

En un rien de temps, on eut déniché Nipsy. Le seul ennui, c'est qu'il avait les mains vides. Barnes me jeta un coup d'œil et je hochai la tête en riant sous cape. Si Nipsy n'était pas cramponné à la serviette, c'est qu'il l'avait passée à quelqu'un, ou planquée quelque part. Maintenant, Barnes pouvait toujours la chercher.

— Que se passe-t-il ? demanda ma belle amie, toujours plantée à côté du kiosque. En tant que messagère officielle, ne pensez-vous pas que j'aie le droit d'être au courant ?

Je lui exposai la situation.

— On dirait qu'en additionnant deux et deux — je fis un signe de tête en direction de Barnes — on a obtenu un résultat nul.

Nipsy s'éloignait entre deux agents de police lorsque Barnes nous rejoignit.

— En tout cas, il connaît ses droits. Il n'a pas dit un mot. Je le fais appréhender sur la foi de votre témoignage, mais si nous ne trouvons pas la serviette, nous ne pourrons rien retenir contre lui.

— Alors, retrouvez-la.

Il haussa les sourcils.

— Dans votre genre, vous êtes un petit rigolo. Dieu sait combien de placards, de pièces, de lavabos, de bureaux — et de gens il peut y avoir dans ces quatorze étages... Ça va nous prendre tout l'après-midi.

— Je vous propose un marché, lui dis-je avec un grand sourire. Pour dix pour cent du magot, je passe tout le bâtiment au peigne fin. Bien sûr, vous ne me devrez rien si je ne retrouve pas le butin. Je vous ai dit que le morveux avait emporté la serviette dans les étages. Elle n'en est pas redescendue.

— Je ne pige toujours pas, fit Barnes en secouant la tête. Nipsy Turko et Slow Harry Fisher, deux minables qui ne seraient pas fichus de sortir du métro en suivant les pancartes, monter un casse comme celui-là ? A supposer que l'un de vos zèbres fasse seulement main basse sur deux cent mille dollars de quoi que ce soit vous le verriez filer si vite que vous n'aurez même pas le temps de distinguer ses rayures ! Or ce coup-là, ils l'ont fait en douceur, et en prenant leur temps. De vrais professionnels : l'un des deux cambriole le magasin au moment du déjeuner, parce que c'est l'heure d'affluence, et il passe la camelote à l'autre qui la fait disparaître, si bien que, même s'ils se font pincer tous les deux, ils ont les mains propres. On a dû leur monter l'affaire. Toute la question est de savoir qui ça peut être. Quelqu'un de l'immeuble ?

— Ça, j'en doute, répondis-je. Il n'y a que des bureaux, ici : des sièges de sociétés, cabinets d'avocats, agences de publicité ou compagnies d'assurances, et autres entreprises de ce genre. Je pencherais plutôt pour quelqu'un de l'extérieur. L'immeuble est ouvert au public ; n'importe qui peut y entrer. Il n'y a qu'une chose à faire : retrouver la serviette avant lui.

Barnes se gratta l'oreille et haussa les épaules.

— Ma foi, comme je n'ai pas mieux à proposer, autant suivre votre suggestion.

Il fit mettre en rang le gardien de l'immeuble et une demi-douzaine d'hommes auxquels il donna ses instructions. Avec un homme à chaque extrémité du hall, aucune valise ne quitterait le bâtiment sans être examinée.

Je songeai à Diane.

— Vous alliez déjeuner, sans doute ? Je suis désolé de vous avoir retenue. Que va dire votre patron ? Je peux faire quelque chose pour vous ?

Elle esquissa un sourire.

— Aucun problème. Mon patron n'est pas là, et je suis assez libre de mes mouvements. Et vous ? Comment comptiez-vous déjeuner ?

— Je n'y ai même pas pensé.

— Et si je vous rapportais quelque chose ?

— Ça ne vous ennuie pas ? Juste un café, ça sera parfait.

— A une condition. C'est que vous alliez vous reposer un peu derrière votre éventaire. Vous avez l'air fatigué.

— Topons-là, mon petit !

Je me laissai tomber avec reconnaissance sur le tabouret que Manny avait installé derrière son comptoir. Le calme était maintenant revenu dans le hall, la plupart des employés du bâtiment ayant repris leur travail. J'imaginais les hommes de Barnes en train de chercher la serviette systématiquement dans tous les bureaux, un étage après l'autre, en commençant par les plus élevés...

J'avais consacré douze années de ma vie à ce genre de tâches, et tout ce qui m'en restait, c'était une petite pension. Un rictus tordit ma bouche. J'aurais pu y laisser la peau, mais je leur avais seulement fait cadeau d'un bras. Et pour moi, ce n'était pas la fin du monde. Douze ans d'ancienneté dans la police, manchot ou pas, ça devait permettre de s'en sortir. Et de mille façons différentes, encore. A condition d'avoir un peu de jugeote et de ne pas ménager sa peine. On pouvait être sûr d'une chose, en tout cas, c'est que je n'allais pas laisser tomber ce brave Mark Stedd.

Lorsque je levai les yeux, j'aperçus pour la seconde fois de la journée un homme plus grand que moi. L'individu en question offrait un contraste saisissant avec Nipsy : il portait des vêtements coûteux, mais son allure distinguée ne dissimulait pas le viveur qui était en lui, et il tenait une serviette à la main. D'un geste impérieux, il attira l'attention de Barnes auquel il parla pendant quelques minutes, avant d'attendre l'ascenseur en piaffant d'impatience.

— Votre café, fit une voix douce.

Je levai les yeux vers Diane.

— La belle, vous êtes plus jolie que jamais.

— Vous ne m'avez pas dit comment vous le vouliez, alors je me suis dit que vous deviez l'aimer noir, avec un sucre.

— Quelqu'un a dû vous renseigner !

112

Pur mensonge ; en réalité, je mettais toujours plein de crème et de sucre dedans...

— Non, non, répondit-elle, souriante. Vous avez le genre à ça, voilà tout.

Avec le pouce, je soulevai le couvercle en faisant lentement tourner le gobelet de plastique pour le libérer. Je remarquai qu'elle ne me proposait pas son aide, ce que j'appréciai. Le couvercle finit par sauter avec un petit bruit sec.

— Vous avez du neuf, tous les deux ? demanda Barnes en s'appuyant sur le comptoir.

— Rien du tout, Joe. Qui était ce gros type avec une serviette ?

— La malheureuse victime, répondit sèchement Barnes. Le propriétaire de la bijouterie. Il monte voir son assureur pour la déclaration de vol. Il ne perd pas de temps, hein ?

— Ce serait plutôt le genre à décrocher le téléphone et à aboyer dedans jusqu'à ce que l'assureur vienne chez lui, non ? Surtout pour deux ou trois cent mille dollars.

— De toute façon, il ne touchera pas un centime tant que nous n'aurons pas confirmé la disparition des pierres, fit remarquer Barnes. Alors, y a pas le feu.

— Les cailloux n'ont pas disparu, répondis-je. Ils sont là, quelque part dans l'immeuble.

Je réprimai un sourire. Pourquoi ne pas fournir à Barnes un sujet de méditation, après tout ?

— Et si je vous disais : le voilà, votre individu venu du dehors. Il embauche nos gaillards pour simuler un cambriolage, fait cacher le magot dans le bâtiment voisin par l'un des deux, arrive sous prétexte de porter plainte auprès de sa compagnie d'assurances, et fait d'une pierre deux coups — c'est le cas de le dire : il récupère son bien tout en encaissant le montant de l'assurance. Du tout cuit. Jamais vous n'aurez l'idée de fouiller sa serviette. Et même si vous le faites, comment savoir si les pierres qui s'y trouvent sont celles qu'on lui a volées ou d'autres ? Un bon système pour régler ses problèmes d'argent s'il a vécu un peu au-dessus de ses moyens ces temps-ci, et je ne serais pas surpris que ce soit le cas.

Barnes regarda le fond de mon gobelet.

— Vous avez peut-être raison, mais qu'est-ce que vous mettez donc dans votre café, pour avoir des idées comme ça ?

— O.K., répondis-je avec un grand sourire. Faites-le suivre ou pas, comme vous voudrez. En tout cas, à partir de maintenant, à vous d'avoir des idées.

Je vidai mon gobelet et l'expédiai d'une chiquenaude dans la corbeille à papiers placée derrière le comptoir... que je ratai.

J'allai le ramasser en ronchonnant et me mis à jouer avec machinalement. C'est alors qu'une idée me passa par la tête, disparut aussi vite, puis revint, m'arrachant un sourire. Pourquoi pas ? Passant devant la jeune femme, je fis signe à Barnes de venir me rejoindre devant les ascenseurs et appuyai sur le bouton d'appel. Une porte s'ouvrit comme l'une des cabines arrivait au niveau du hall. J'y pénétrai, levai les yeux et trouvai ce que je cherchais : la trappe de visite ménagée dans le plafond, conformément aux règlements. Je levai la main pour la pousser ; elle se souleva sans effort. Si j'avais eu mes deux bras, j'aurais pu ouvrir la trappe en grand et, en prenant appui sur les bords, jeter un coup d'œil sur le dessus de la cabine.

Barnes me décocha un drôle de regard et émit un petit sifflement. Il faut lui rendre justice : il pigeait vite.

— Maintenant, vous comprenez ce que Nipsy fabriquait dans les ascenseurs ? lui dis-je. Pour ouvrir la trappe, il faut faire tourner le verrou d'un demi-tour, à l'aide d'un tournevis ou d'une pièce de monnaie. Nipsy n'a pas voulu courir de risques : ne sachant pas quel ascenseur il prendrait après l'échange des serviettes, il a déverrouillé la trappe de chacune des cabines. A la seconde même où il s'est retrouvé seul dans l'ascenseur, il a dû glisser la serviette par la trappe. Vous voulez parier qu'elle est sur le dessus d'une des cabines ?

— Je ne parie jamais, Mark.

Barnes se dirigea vers l'un des hommes en faction dans le hall.

— Regardez s'il n'y a rien là-haut, lui ordonna-t-il.

D'un bond, l'inspecteur passa la tête par l'ouverture et se laissa retomber.

— Il n'y a rien que de la graisse et de la crasse, déclara-t-il.

La serviette fut découverte sur le dessus de la cinquième cabine.

— Descendez-la, commanda Barnes.

— Non, Joe, attendez, dis-je lentement. Rien ne presse. Si Nipsy l'a laissée là, c'est sûrement pour quelque raison. Comme vous le disiez si bien, s'il était censé veiller sur les cailloux, il n'aurait pas cessé d'arpenter le hall. Il a dû laisser la serviette ici à l'attention de quelqu'un. Pourquoi s'énerver ? Attendons plutôt la suite des événements.

— Pourquoi pas ? fit Barnes en se caressant le menton. Avec un homme sur le toit de la cabine et quelques inspecteurs en civil aux issues du hall, je peux attendre qu'on vienne récupérer le magot.

— Bonne chance, lui dis-je avec un grand sourire. Je crois que je vais aller vendre quelques journaux pendant ce temps-là. C'est pour ça que Manny me paye, après tout.

Diane attendait toujours, fidèle au poste.

— Vous avez vendu quelque chose ?

— Pas même une revue.

— Mieux vaudrait que Manny ne s'éternise pas en Floride. A ce rythme-là, quand il rentrera, ce sera pour découvrir que j'ai mangé son fonds !

— C'est tout pour moi ? demanda-t-elle en riant.

— Ça va être le bouquet final. Mais maintenant, à Barnes de prendre la direction des opérations.

— Dans ce cas, je ferais mieux de retourner au travail. J'ai passé un très bon moment.

— Je vous dois un café. Voulez-vous dîner avec moi, demain soir ?

— Ma foi, voilà ce qui s'appelle une proposition honnête. D'accord !

— Formidable. Je vous attendrai ici.

Non sans regret, je la regardai s'éloigner d'un pas dansant. Demain soir, je ne serais plus dans le coin. A ce moment-là, j'aurai déjà quitté le pays.

Le hall était maintenant presque vide. Je dis à Barnes que j'allais aux lavabos du second étage. Sitôt refermée la porte marquée « Messieurs », je retirai les pierres du distributeur de serviettes en papier où Nipsy les avait cachées sur mon ordre, puis je m'isolai dans l'une des cabines et me mis en devoir de les ranger soigneusement dans la ceinture garnie de poches dissimulée sous ma chemise.

Deux cent mille dollars... Ça ne me rendait pas mon bras gauche, mais ça compensait avantageusement les trois semaines que j'avais passées à préparer l'opération, convaincre Manny de prendre des vacances puis persuader Nipsy et Slow Harry de tirer les marrons du feu pour moi, moyennant un petit pourcentage. Il faut dire que je leur avais un peu forcé la main : il y avait quelques grossiums de la pègre qui auraient été fous de joie d'apprendre ce que je savais sur eux... Du reste, ils ne risquaient pas grand-chose. Contre Nipsy, la police ne pouvait retenir que ma déclaration, et je ne serais plus là pour signer une déposition. Quant à Slow Harry, pour le mettre dedans, ils n'avaient qu'un témoin oculaire, sans aucune preuve à l'appui.

Deux cent mille dollars ! J'éclatai de rire. Ce coup-là, je le devais bien aux chers collègues qui m'avaient par deux fois oublié dans les promotions et n'avaient rien trouvé de mieux à faire que de m'expédier dans cette baraque avec un coéquipier débutant lequel était resté pétrifié au lieu de tirer, au moment où le dingue avait braqué son fusil sur moi. Si j'avais été seulement un peu moins rapide, ce n'est pas le bras qu'il m'aurait fait sauter, mais le caisson.

Dommage que Barnes n'ait pas mordu dans mon histoire au sujet du bijoutier. La seule partie délicate de l'affaire, c'est quand il avait voulu descendre la serviette du dessus de la cabine. L'espace d'un instant — le temps de l'en dissuader, j'ai regretté de la lui avoir montrée. Je m'attendais à ce qu'il y pense tout seul, d'autant plus que je lui avais expliqué comment Nipsy s'était amusé dans les ascenseurs après l'échange des serviettes, mais il n'avait pas pigé. C'était bien ce que je pensais : il était loin d'être aussi malin qu'on le prétendait, et j'avais dû lui donner un petit coup de main.

Je rêvais depuis longtemps de la minute où je m'en irais, les pierres dissimulées autour de la taille, tandis que des sbires monteraient la garde sur le toit de l'ascenseur, à côté d'une serviette vide, et je ne voulais pas me priver de ça.

Evidemment, j'aurais pu monter le coup d'une demi-douzaine de façons beaucoup moins risquées, mais je tenais à ce que ça se passe comme ça — à leur nez et à leur barbe — et le fait que Barnes-le-Futé eût hérité de l'affaire, c'était la cerise sur le gâteau !

Je m'assurai que la ceinture ne dépassait pas, reboutonnai ma chemise, mon veston, et sortis de la cabine.

Les bras croisés, Barnes était appuyé contre un des lavabos et braquait sur moi son regard glacial.

— Restez tranquille, Mark. Nous n'avons pas l'intention de vous faire de mal. Nous savons que votre bras n'est pas encore guéri.

Je l'aurais tué ! Non pas tant parce que j'étais fait, mais parce qu'il n'avait aucune raison d'être là. Si j'avais eu mes deux bras... Mais je ne les avais plus.

— Je ne ferai pas d'histoires, Joe.

Nous sortîmes des lavabos et regagnâmes le hall en ascenseur.

— Fouillez-le, ordonna Barnes à l'un de ses hommes.

Il ne lui fallut pas longtemps pour trouver la ceinture.

— Vous voudriez bien comprendre, hein, Mark ? me demanda-t-il gentiment.

Je hochai la tête, bien qu'en réalité rien ne me fût

plus indifférent. Je ne pensais qu'aux deux cent mille dollars cachés dans la ceinture que tenait l'inspecteur, les deux cent mille dollars qui me revenaient en toute justice.

— Le calcul des probabilités, entreprit de m'expliquer Barnes. Je me suis demandé combien il y avait de chances pour que vous vous trouviez dans le hall, y repériez cette vermine de Nipsy, assistiez à l'échange des serviettes et ayez l'idée qu'on avait pu utiliser le dessus d'un ascenseur comme planque. Ça faisait tout un tas de coïncidences, vous aviez été vraiment servi par la chance, Mark. Vous étiez un brave flic qu'on était bien content d'avoir dans son équipe, mais certainement pas un cerveau. Or, aujourd'hui, vous aviez eu toujours un temps d'avance sur moi, ce qui me paraissait invraisemblable. D'après les statistiques, c'est le contraire qui aurait dû se produire. En ce qui me concerne, avant toute cette histoire, vous m'aviez toujours fait l'effet d'un fruit sec. Alors, quelque chose ne collait pas, et je me suis dit qu'il me fallait y regarder de plus près.

Je lui avais apporté sur un plateau une histoire bien ficelée, et n'importe quel homme raisonnable n'aurait pas été chercher plus loin, comprenant qu'il lui suffisait de surveiller l'endroit où était planquée la serviette... Mais lui venait me parler de coïncidences, de statistiques, de calcul de probabilités...

Je me mis à rire.

Alors, c'était *ça* qu'on appelait un détective ? Et c'était *ça* que, par deux fois, on m'avait préféré pour l'avancement !

The Loose End.
Traduction de Dominique Haas.

Une mémoire infaillible

par

WILLIAM LINK ET RICHARD LEVINSON

— Allez, monsieur Perkins, on essaye encore une fois pour voir. Quelle est l'altitude du Mont Everest ?

M. Leroy Perkins posa doucement son verre puis contempla le petit cercle parfait laissé par le liquide sur le bar.

— Vingt-neuf mille cent quarante et un pieds, répondit-il.

— Vérifie, Sam, dit l'un de ses voisins.

Le tenancier du bar feuilleta un exemplaire du *World Almanach*.

— C'est ça, dit-il. Il a raison.

— On reprend un verre, Leroy ? demanda Jake Underwood.

Jake était un petit homme tout ratatiné qui habitait à côté de chez Perkins. Ils venaient tous les deux boire là chaque soir.

— Non merci, Jake. On a déjà bu nos trois verres.

M. Perkins observa son reflet dans la glace. Ce qu'il vit avait quelque chose d'agréablement flou. Cela voulait dire qu'il valait mieux arrêter.

Sam passa à une autre page.

— Quelle a été la moyenne des points marqués par Lou Gehris en 1925 ?

M. Perkins bâilla. Il jeta un coup d'œil à sa montre et vit qu'il était onze heures. Alice était probablement déjà derrière les carreaux, à guetter son retour. Eh bien, qu'elle attende, se dit-il, soudain furieux. Je suis un homme, je peux rentrer quand j'en ai envie, bon Dieu !

— Ça doit être deux cent quatre-vingt quinze, dit-il à Sam.

— Juste, approuva quelqu'un. Mais il a joué combien de matches de suite ?

— Deux mille cent trente.

— C'est ce qu'ils disent dans le livre, confirma Sam.

— Quelle mémoire !

M. Perkins eut un sourire qui retroussa ses lèvres minces. Quelle mémoire, en effet. Il en arrivait parfois à s'étonner lui-même. Depuis qu'il était enfant, il utilisait ainsi cette extraordinaire faculté pour amuser ou épater les gens. C'était comme si la nature avait voulu compenser sa fragilité, sa mauvaise santé et sa myopie. Il était bien dommage, se disait-il parfois, qu'il n'eût pas utilisé sa mémoire professionnellement, au lieu de n'en faire qu'un passe-temps. De toute façon, Alice le lui aurait interdit. Il imaginait les remarques cinglantes qu'elle lui aurait faites :

— Tu es fou ? Tu veux que les gens te regardent comme un phénomène de foire ?

— Allez, on en boit encore un, lui murmura Jake. Alice ne s'en rendra pas compte.

— J'aime autant pas, Jake. Trois, ça va, mais pas plus.

— Tu n'as pas toujours dit ça.

— Ça m'est arrivé deux fois, l'année dernière. Et je me suis arrêté à quatre.

Jake émit un grognement et descendit de son tabouret.

— Bon, si tu ne veux pas boire avec moi, j'aime autant rentrer. Clara va me sonner les cloches si je ne suis pas là à onze heures et demie.

M. Perkins ne tourna pas les yeux vers son ami. Le soir, ils quittaient d'ordinaire le bar ensemble. Mais aujourd'hui, sentant monter en lui comme une vague révolte, M. Perkins n'avait pas envie de partir. Alice pouvait bien se faire du souci, pour une fois. Elle pouvait bien...

— A demain, Jake.

— D'accord, Leroy, bonne nuit.

Jake franchit la porte et d'autres clients, comme suivant son exemple, finirent leurs verres puis commencèrent à partir.

Le regard de M. Perkins rencontra celui de l'ivrogne appuyé tout seul à l'extrémité du comptoir. L'homme avait posé son menton mal rasé sur le rebord de son verre. M. Perkins avait remarqué que cet homme venait assez régulièrement dans ce bar depuis un mois. Il restait assis à la même place, buvant du bourbon ordinaire en écoutant les autres tester la mémoire de M. Perkins. Sam commença à essuyer son comptoir.

— Vous feriez peut-être bien de rentrer, monsieur Perkins, dit-il avec un petit sourire. Alice va vous secouer les puces.

— Certainement pas, répondit Perkins d'une voix forte.

Il remarqua que l'alcool lui avait donné du ton et stimulé puissamment son courage.

— Si elle ouvre seulement la bouche, elle prend une raclée.

Sam se retourna, mais dans la glace M. Perkins vit qu'il souriait. Il se moque de moi, pensa-t-il. Il se dit que je suis un pauvre type, à venir là tous les soirs avec Jake faire le chien savant et puis, après, parler d'Alice ou de Clara. Deux pauvres maris brimés qui se croient braves quand ils ont bu.

En rougissant, M. Perkins se leva de son tabouret et posa un pourboire sur le comptoir.

— Bon, je m'en vais. Bonne nuit, Sam.

— Bonne nuit, monsieur Perkins. Ce n'est pas la peine de courir, ajouta Sam en riant avec un clin d'œil à l'adresse de l'ivrogne.

M. Perkins se dirigea vers la porte. Il aurait dû rentrer avec Jake, cela lui aurait épargné cette scène gênante. Au moment de sortir, il entendit une voix douce qui l'appelait :

— Monsieur Perkins ?

Surpris, il se retourna et vit l'ivrogne qui s'approchait de lui.

— Qu'est-ce que vous voulez ?

L'ivrogne lui indiqua une table à l'écart :

— Asseyez-vous. Je veux vous parler.

Il veut sans doute me taper ou m'emprunter de l'argent, pensa M. Perkins.

— Il faut que je m'en aille, dit-il. Ma femme m'attend.

— Ça ne sera pas long.

M. Perkins le regarda avec étonnement. L'homme était jeune. Il pouvait avoir vingt-huit ou vingt-neuf ans. Son visage semblait imbibé par la boisson mais, assez curieusement, il n'avait pas l'air ivre du tout et son regard était parfaitement clair.

— Asseyez-vous.

L'homme se glissa sur le siège. M. Perkins obéit craintivement.

— Que... que voulez-vous ?

— Je viens ici assez souvent depuis quelque temps. Vous m'avez remarqué ?

M. Perkins fit signe que oui. Derrière lui, il entendit Sam fermer le bar pour la nuit.

— Je vous ai vu jouer avec le patron. Vous êtes très fort. Comment faites-vous pour vous rappeler tous ces trucs ?

— Je... je ne sais pas. Je n'oublie jamais ce que j'entends ou ce que je lis, c'est tout.

Plusieurs lumières s'éteignirent au plafond, isolant le recoin dans une zone d'ombre.

— Vous n'avez pas Alice sur le dos pendant ce temps-là, hein ? Ça vous évite de penser à elle.

M. Perkins ne répondit pas.

— Ecoutez. Vous n'arrêtez pas de vous plaindre de votre femme à votre copain. Elle a l'air de vous mener la vie dure. Vous voulez vous en débarrasser ?

M. Perkins fut comme abasourdi par ces paroles prononcées si calmement, presque négligemment. Il se redressa ; il eut la sensation que le sang lui montait au visage.

— Qu'est-ce que vous avez dit ? balbutia-t-il.

— J'ai dit : « Vous voulez vous en débarrasser ? Définitivement ? »

M. Perkins se leva fébrilement :

— Il faut que je parte.

— Vous n'avez pas répondu à ma question.

— Je... je n'ai pas entendu ce que vous avez dit.

— Vous m'avez très bien entendu.

— On ferme, monsieur Perkins, lança Sam. Vous ne voulez pas qu'Alice vienne vous chercher, hein ?

M. Perkins quitta la table et se dirigea rapidement vers la porte.

— Hé ! cria l'homme, revenez une minute !

M. Perkins claqua la porte et s'éloigna à la hâte dans la rue déserte. « J'aurais dû rentrer avec Jake », se disait-il. « Tout cela ne serait pas arrivé. » Il essaya de chasser l'idée de son esprit, mais la question de l'homme lui revenait sans cesse. « Vous voulez vous débarrasser d'elle ? Définitivement ? » Il essaya encore de l'oublier, mais en vain. Elle trottait encore dans sa tête lorsqu'il arriva chez lui et trouva Alice qui l'attendait.

Le lendemain soir après dîner, M. Perkins, épuisé, était assis dans le salon. C'était samedi, et Alice lui avait fait repeindre le sous-sol. Ses os lui faisaient mal à force d'avoir monté et descendu l'escabeau et d'avoir pris des positions inconfortables pour peindre les murs. Il redoutait le dimanche car, au retour de l'église, il lui faudrait redescendre finir son travail. Il se dirigea silencieusement vers la penderie, où il prit sa veste et son chapeau. Il se voyait déjà dans la chaude ambiance du bar, regardant le monde du haut de son tabouret.

— Leroy ? (Alice venait de rentrer dans le vestibule.) Où vas-tu ?

— Faire un petit tour chez Sam.

— Pas ce soir. Tu as la cave à finir.

Il tenta de protester :

— Voyons, Alice, j'ai toute la journée de demain pour...

— Demain, tu as des plantations à faire dans le jardin. Alors, retire ta veste et va au sous-sol.

Perkins poussa un soupir. Il était inutile de discuter. Il ne s'y était risqué qu'une fois depuis son mariage, et il s'en était toujours amèrement repenti. Il remit sa veste et son chapeau dans la penderie et claqua la porte.

— Arrête de claquer les portes ! lui cria Alice de la cuisine.

M. Perkins descendit l'escalier du sous-sol. Une lampe éclairait faiblement les murs à moitié peints et les pots tout gluants de peinture fraîche. Ses bleus de travail gisaient sur le ciment comme une tente écroulée. Ils sentaient la térébenthine et la transpiration. L'odeur de moisi et de peinture encore humide lui causa une légère sensation de vertige. Non, ce n'était pas possible. Il ne pouvait pas peindre le mur ce soir. Sur la pointe des pieds il gagna la porte menant à l'arrière-cour et tendit l'oreille quelques instants. Alice était au-dessus, faisant couler de l'eau dans l'évier. Avec précaution, il ouvrit la porte et se glissa le long du mur de la maison. Sans sa veste, il sentit le vent du soir glacer ses bras nus. Il se baissa pour passer sous la fenêtre de la cuisine et entendit Alice qui fredonnait une chanson. Puis il fit le tour du garage et sortit dans la rue.

— Hé, Leroy !

M. Perkins se retourna brusquement, le cœur battant. Puis il se détendit ; la voix venait de chez Jake Underwood. Il vit l'extrémité du cigare de Jake brillant au-dessus d'une rangée de géraniums sur la grille de la véranda.

— Je te rejoins, Jake, répondit-il.

124

— Quelle distance y a-t-il du Rio de la Plata à Buenos Aires ?

— Environ cent soixante-quinze miles, dit M. Perkins.

Il chercha l'ivrogne du regard et vit que l'homme l'observait. Ce regard fixe et attentif lui fit perdre contenance.

Sam souriait :

— Tout juste. En plein dans le mille. Alors, vous ne vous trompez jamais ?

— Je ne crois pas.

Il jeta un regard à Jake qui ronflait doucement, la tête appuyée sur le comptoir. Il a forcé sur le scotch, se dit Perkins, le pauvre vieux ! Il boit de plus en plus.

Quand il releva les yeux, il vit que l'ivrogne s'était assis à côté de lui. Sam était à l'autre bout du comptoir, occupé à servir un client.

— Vous avez réfléchi à ce que je vous ai dit ?

M. Perkins resta un moment silencieux. Puis il fit un signe affirmatif.

— Alors ?

— Alors quoi ?

M. Perkins regarda Jake, mais le vieil homme dormait toujours.

— Ça vous coûtera cher, dit l'ivrogne.

— Combien ?

— Mille dollars. Cash.

M. Perkins finit son verre.

— C'est... c'est hors de question. Je ne pourrais jamais réunir autant d'argent.

— Huit cents.

— C'est encore trop.

Jake commença à s'agiter légèrement. L'ivrogne semblait s'impatienter.

— Ecoutez. On ne peut pas parler ici. Rejoignez-moi dehors dans dix minutes. Sans votre ami.

Il se dirigea vers la porte, l'ouvrit et sortit dans la rue.

— On en reprend un, Leroy ? questionna Jake d'une voix pâteuse.

— J'ai bu mes trois verres, Jake. Excuse-moi. De toute façon, je m'en vais dans cinq minutes. Il faut que je rentre finir ma peinture.

— A cette heure-ci ? demanda Jake.

— Oui.

M. Perkins attendit une bonne dizaine de minutes puis dit bonsoir à Jake et à Sam.

L'ivrogne l'attendait appuyé contre le mur de l'immeuble.

— On va prendre le bus, Perkins. Je ne veux pas qu'on nous voie marcher ensemble dans la rue.

Ils montèrent dans un bus en direction des faubourgs sud, et l'ivrogne laissa à Perkins le soin de payer les tickets. Il n'y avait pas beaucoup de monde et les deux hommes allèrent s'asseoir à l'arrière.

— Bon. Parlons affaires, dit l'ivrogne. Jusqu'à combien pouvez-vous aller ?

— Cinq cents dollars, dit Perkins.

— Vous êtes fou ! Vous croyez que je vais risquer la chaise électrique pour si peu ?

— C'est tout ce que je peux me procurer.

L'ivrogne regardait fixement par la fenêtre. Le bus entrait dans les faubourgs, une vaste zone de nouveaux lotissements. Soudain, l'homme se retourna vers M. Perkins.

— Qu'est-ce que votre femme a comme bijoux ?

— Elle en a trois. Des bijoux de famille. Pourquoi ?

L'ivrogne cala ses pieds sur le siège en face de lui.

— Ils valent combien ?

— Eh bien... On les a fait évaluer il y a quelques mois.

— Vous ne vous rappelez pas par hasard combien...

— Quatre cent quatre-vingts dollars, dit M. Perkins.

L'ivrogne se mit à rire :

— J'avais oublié que vous n'oubliez jamais rien. D'accord, je prendrai les bijoux. Plus les cinq cents dollars. Comme ça, les flics croieront que c'est un cambriolage.

— Ah, je vois, fit M. Perkins.

126

— Quand voulez-vous qu'on fasse ça ?

— Qu'on fasse ça ?

M. Perkins resta un instant perplexe. Tout cela n'avait plus l'air vrai. Mais ce besoin de fixer une date rendait soudain les choses bien réelles.

— Bon, eh bien, disons lundi soir. Jake et moi irons chez Sam pendant que vous... enfin, vous...

— C'est ça. Pour la police, vous aurez un alibi parfait. Dites donc, ça fait combien de temps que vous allez tous les soirs dans ce bar ?

— Trois ans, deux mois et quinze jours, répondit M. Perkins.

— Ouais... C'est bien ce que je disais : un alibi parfait. Quand aurez-vous les cinq cents dollars ?

— Je les prendrai à la banque lundi matin.

— Bon. Et où est-ce que vous les déposerez ?

— Je les laisserai dans une poche de mes bleus de travail au sous-sol. Alice ne va jamais fureter par là.

L'ivrogne se leva et tituba un instant devant son siège.

— Je descends là. Je vais vous donner mon numéro de téléphone au cas où il y aurait un problème.

M. Perkins entendit l'ivrogne lui donner le numéro tout en s'étonnant de l'audace dont il venait de faire preuve. L'affaire était conclue. Tout était clair et net. Il avait suffi d'un entretien dans cet autobus, comme dans un rêve, et bientôt, lundi soir pour être précis, Alice cesserait d'encombrer son existence.

— Des questions ?

— Non. (M. Perkins plongea la main dans sa poche.) Tenez, prenez la clef de la maison.

— Je n'en veux pas. Il faut que ça ait l'air vraisemblable. Je forcerai une fenêtre.

— Excusez-moi, dit M. Perkins. Je n'ai pas tellement l'habitude...

L'ivrogne eut un sourire.

— Vous n'avez qu'à sortir de chez vous à neuf heures lundi soir et aller directement chez Sam. Je partirai de chez moi à neuf heures et demie, et je serai chez vous vers dix heures. D'accord ?

M. Perkins approuva. Il fut sur le point de lui tendre la main ; mais il se rendit soudain compte que ce n'était vraiment pas indiqué. Il regarda l'ivrogne remonter l'allée centrale puis descendre de l'autobus.

*
**

Le lendemain soir, après le dîner, le téléphone sonna chez M. Perkins. Il était étendu sur son lit, se remettant de la fatigue causée par ses travaux de peinture durant la matinée. Tandis que les hauts talons d'Alice résonnaient au rez-de-chaussée dans le salon, il vint à l'esprit de M. Perkins que c'était peut-être l'ivrogne qui appelait. Pris de panique, il cria :

— Je le prends, Alice ! — Et il se saisit du téléphone : Allô ?

— Perkins ?

C'était la voix de l'ivrogne, il n'y avait pas de doute.

— Vous n'auriez pas dû m'appeler ici, chuchota M. Perkins.

— Comment ?

— Je dis que vous n'auriez pas dû m'appeler ici. Il y a un téléphone en bas et ma femme pourrait nous entendre.

Il y eut un silence.

— Alors, à votre avis, elle nous écoute ou non ?

— Non, je ne crois pas.

— Bon. Je vais faire vite. L'argent. Ce n'est pas assez.

M. Perkins épongea son front en sueur :

— Mais je vous ai dit...

— J'en veux deux cents de plus. Vous pouvez les trouver.

— Mais non ! Je croyais tout ça réglé...

— Sept cents cash, Perkins. D'accord ? Finalement, je ne peux pas tirer grand-chose de vos bijoux. Et puis je cours des risques.

128

M. Perkins se précipita vers la porte de la chambre et la ferma doucement. Puis il reprit le téléphone et lança d'une voix dure :

— C'est bon. Mais tout cela n'est pas régulier.

— Vous laissez l'argent dans les bleus, hein ?

— D'accord.

— Alors, à demain. Au revoir.

La communication fut coupée. M. Perkins raccrocha le combiné et se laissa tomber sur le lit. Son cœur battait la chamade, ses mains étaient glacées. Et si quelque chose clochait ? Si Alice décidait d'aller rendre visite à une amie et n'était pas à la maison quand l'homme entrerait... Non. Ce n'était pas possible. De toute façon, il était couvert : son alibi était parfait. Lundi soir serait un soir comme les autres : il dînerait, irait tranquillement chez Sam, boirait quelques verres et répondrait aux colles habituelles... Il se retourna et essaya de s'endormir.

— Tenez, monsieur Perkins, en voilà une belle... dit Sam. Combien de voix a obtenu Buchanan contre Fremont et Fillmore en 1856 ?

M. Perkins but lentement une gorgée et jeta un regard autour de lui. Les autres suivaient son numéro tous les soirs depuis des années, mais il les fascinait toujours.

— Un million huit cent trente-huit mille cent soixante-neuf, répondit-il.

Sam referma l'encyclopédie d'un geste vif :

— Exact, dit-il en redressant la tête.

Les autres approuvèrent bruyamment, certains donnant des claques amicales dans le dos de M. Perkins. Il leur sourit et jeta un coup d'œil à sa montre. Il était presque neuf heures un quart. A la demie, l'ivrogne partirait de chez lui pour aller faire son travail. M. Perkins reprit un verre et fit tinter la glace avec le petit bâtonnet. Ce soir il ne s'arrêterait pas à trois. Il se

129

sentait tout léger. Sam avait ouvert la porte et les fenêtres, si bien qu'un vent léger apportait l'odeur de l'herbe et des arbres dans la pièce étouffante.

« Ce sera merveilleux d'être libre », pensait M. Perkins. « Libre comme l'oiseau à qui on vient d'ouvrir la cage. »

Il vendrait la maison et louerait une garçonnière près du parc. Peut-être qu'il s'achèterait une voiture, une petite voiture de sport pas trop chère. L'ivrogne n'y avait vu que du feu : il avait encore deux mille dollars d'économies à la banque, qu'il retirerait le lendemain de l'enterrement d'Alice. Peut-être qu'il abandonnerait son emploi à la compagnie d'assurances et monterait un numéro du music-hall : *L'homme à la mémoire diabolique*... Oui, tout cela était enfin possible...

Il but une longue gorgée et leva les yeux. Son ami Jake venait d'entrer.

— Leroy ! cria-t-il. Leroy !

— Qu'est-ce qu'il y a, Jake ?

Jake se glissa près de lui, son petit visage tout plissé par l'excitation :

— Ecoute un peu...

— Calme-toi. Alors ?

— Je suis passé chez toi en venant. Il est arrivé quelque chose.

— Que veux-tu dire ?

— Il y avait des flics ! Alice leur a ouvert la porte et les a fait entrer. Et puis l'un d'eux a été cacher leur voiture. Ils guettent quelqu'un, Leroy. Ça ne fait aucun doute.

M. Perkins enfonça ses ongles dans le bois dur du comptoir. Alice avait dû tout entendre sur l'autre téléphone ! La garce ! Elle avait fait venir la police pour attendre l'ivrogne. C'était fini, fichu. L'ivrogne le dénoncerait et on le mettrait en prison. Alice aurait le plaisir diabolique de le voir coffrer.

Mais non, tout n'était pas perdu ! M. Perkins regarda sa montre. Il n'était que neuf heures vingt. L'ivrogne ne

130

se mettrait pas en route avant dix minutes. Il était encore temps de le prévenir.

M. Perkins sauta de son tabouret, le renversant dans sa hâte.

— Hé ! hurla Sam.

La cabine du téléphone se trouvait près de l'entrée. Elle était vide. M. Perkins sourit, ouvrit la porte et se glissa à l'intérieur. Il plongea la main dans la poche de son pantalon et sortit de la monnaie. J'ai de la chance ! se dit-il. Il avait trois pièces de dix cents dans la main. Il en glissa une dans la fente et attendit la tonalité. Puis il leva la main et tendit l'index vers le cadran. Soudain il s'arrêta, un grand vide dans la poitrine, incapable de penser.

Il avait oublié le numéro de téléphone.

Memory Game.
Traduction de Jean-Claude Dieuleveux.

La disparition de Linda

par

PAULINE C. SMITH

La jeune femme se souvenait d'une petite ville sous la neige, en hiver, dans un passé lointain. Du moins, elle s'en souvenait en cet instant ; demain, elle aurait oublié. Elle se souvenait d'une famille, d'un jeune homme dans une maison, d'une rue bordée d'arbres ; un souvenir d'hier, presque effacé aujourd'hui. Elle se souvenait d'un pique-nique estival : bruit, jeux, rires, voitures passant au loin sur la route...

— Comment tu t'appelles, poulette ? avait demandé le type au volant d'une décapotable 1963 flambant neuve.

— Linnette, avait-elle répondu.

Elle savait que ce n'était pas exactement cela, mais la consonance de ce prénom lui plaisant, elle le répéta : « Linnette ».

— Linnette... Oui, ça te va bien.

Elle sentit le nom envelopper ses maigres épaules, exercer une pression réconfortante sur sa taille fine. Elle se cramponna à sa réalité, au milieu de l'irréalité du monde qui l'entourait.

Presque tout le monde affirma avoir vu Linda dans le parc, ce jour-là, à un moment ou à un autre, mais nul ne put se rappeler l'heure précise. Compte-t-on les heures d'une journée d'été, lors d'un pique-nique réussi ?

On fouilla minutieusement le parc touffu, ainsi que le campement de clochards qui se trouvait à la lisière, non loin de la rivière boueuse.

— On a tout passé au peigne fin, déclara le chef de la police. Nous n'avons pas trouvé la moindre trace de son passage.

Il avoua ne plus savoir que faire.

Comment peut-on se perdre dans une ville comme celle-ci, cernée de champs et de prairies ? *Ça ne pouvait arriver qu'à Linda, cette fille prétentieuse, qui se croit tellement supérieure aux autres. Dire qu'elle venait de se marier...*

A propos, et son mari ? Peut-être qu'il l'a tuée et enterrée quelque part.

Kenneth ? Kenneth Borchard ? Il ne tuerait pas la poule aux œufs d'or. D'ailleurs, il était fou d'elle. Et où aurait-il enterré le corps ?

Oh ! les endroits ne manquent pas pour un jeunot qui possède une voiture.

Peut-être, surtout pour quelqu'un comme lui, issu du ruisseau. Après tout, son père, alcoolique, avait tué sa mère dans une crise de rage, avant de retourner son fusil contre lui. On n'échappe pas à l'hérédité.

Kenneth a l'air d'un brave gars.

D'accord, tant qu'il n'a pas de problèmes. Mais peut-être que ça a marché de travers et qu'il a fait à sa femme la même chose que son vieux avec sa mère.

Oh ! c'est bien possible...

Les policiers soumirent Kenneth à un interrogatoire serré ; mais ils allèrent d'abord trouver le père de Linda, Leland Krebs, conseiller municipal et propriétaire du magasin d'alimentation.

A ce stade de l'affaire, le père était secrètement convaincu que Linda, fâchée ou contrariée pour un motif quelconque, s'était enfuie en auto-stop. Et il avait peur. Sa fille, jolie petite poupée timide et sensible, généralement accommodante, avait déjà fait deux fugues (dont il était seul au courant, bien entendu) : la première, à l'âge de douze ans, parce qu'elle avait obtenu un D infamant sur son carnet de notes ; la seconde, à seize ans, parce que ses amies ne l'avaient pas invitée à une soirée. La première fois, il l'avait retrouvée à la gare, attendant un train de marchandises ; la seconde fois, sur une route de campagne, le pouce levé. Les deux fois, elle était docilement rentrée à la maison dès que son père lui avait promis d'obliger son professeur à remonter sa note et d'organiser pour elle une soirée deux fois plus importante que celle à laquelle elle n'avait pas été invitée.

Lorsque le chef de la police interrogea Leland Krebs, il le fit avec doigté, un œil sur la position importante de Krebs, l'autre sur sa propre carrière.

— Nous avons fait tout notre possible, monsieur Krebs, dit-il, les mains écartées en signe d'impuissance. Nous avons ratissé le comté et alerté les agences. Nous nous demandons... (Le « nous » de majesté visait à répartir le blâme)... nous nous demandons ce qu'il faut penser de votre gendre, Kenneth Borchard ?

— Ce qu'il faut penser de lui ? répéta Krebs, l'air songeur.

C'est vrai, se dit-il, que penser de Kenneth Borchard ?

*
**

Sitôt ses études terminées, Linda proclama :

— Maintenant, tout ce que je veux, c'est épouser Kenneth Borchard !

— *Quoi ?* explosa son père.

La mère de Linda, Minnie Krebs, petite chose frissonnante et inadaptée, croisa les mains sur sa poitrine et se mit à suffoquer.

— Kenneth Borchard ? tonna le père de Linda. Ce n'est qu'un gamin, et un vaurien par-dessus le marché ! D'ailleurs, tu es trop jeune pour te marier.

Leland Krebs avait tort sur deux points et raison sur

le troisième. Kenneth était peut-être un gamin par l'âge, mais l'acharnement qu'il avait mis à se forger une réputation à partir de rien en faisait un homme moins minable et plus mûr que la plupart des matamores de la ville. Par contre, Linda, elle, était effectivement trop jeune pour se marier. Linda était trop jeune pour faire quoi que ce fût.

Elle se rembrunit. Dès l'instant où son père osait élever une objection, elle pinçait les lèvres, le regard vide, et arborait son expression fugueuse.

— Bon, discutons le problème, suggéra son père.

Sa mère laissa tomber ses mains sur ses genoux.

Kenneth était — pour de vrai — amoureux fou de Linda. Elle avait toutes les qualités qu'il désespérait d'acquérir un jour : une dignité empreinte de réserve, une extrême modestie et une adorable pureté. Il faillit tomber à la renverse le soir où, d'un petit air guindé, elle lui fit sa demande.

— Nous allons nous marier, annonça-t-elle comme si elle prenait rendez-vous pour un thé. Immédiatement.

— C'est impossible, voyons ! Je n'ai même pas de travail, à part cet emploi d'emballeur au supermarché. Je pensais profiter de la bourse qu'on m'a accordée pour aller étudier...

— Ce n'est pas la peine, l'interrompit Linda. Papa te donnera du travail au magasin. Un *bon* emploi. Et nous pourrons vivre chez mes parents jusqu'à ce que tu aies les reins solides. C'est papa qui l'a dit.

Kenneth fut transporté de joie non seulement d'avoir son avenir assuré mais de le devoir à Linda. Eperdu de reconnaissance, il embrassa la jeune fille un peu moins chastement que de coutume.

Ils n'étaient pas mariés depuis deux mois lorsque Linda disparut, le samedi 17 août 1963, au cours d'un pique-nique dans le parc.

— Je ne l'ai pas revue après être parti travailler au magasin, le matin même, expliqua Kenneth.

Il se souvenait de la nuit précédente, qui l'avait mis dans tous ses états. Que faisaient donc un mari et sa femme au lit, dans l'esprit de Linda ? Ils chantaient des duos ? Jouaient au lexicon ? Se tenaient par la main ? Cette fois-là encore, elle l'avait traité de brute et s'était retirée à l'autre bout du lit comme s'il était un voyou (d'ailleurs, elle lui avait également lancé cette injure-là).

— Je suis parti à huit heures, déclara-t-il. Elle est allée au parc très tôt avec ses parents, mais moi je n'ai pas pu me libérer avant cinq heures.

Il se remémora le visage sur l'oreiller, glacial, hostile ; les yeux fermés, les mains crispées sur le drap.

— Vous ne l'avez pas vue, en arrivant au parc ? s'enquit le chef de la police.

— Non, répondit Kenneth.

A vrai dire, il ne l'avait pas cherchée, mais il s'abstint de le préciser. S'il avait péché par omission en ne s'occupant pas d'elle lorsqu'il était arrivé au pique-nique, c'était parce qu'il ressentait encore comme des gifles les mots « brute » et « voyou » qu'elle lui avait jetés au visage. Lui qui aimait Linda à genoux, lui vouait une passion servile ! C'était cela qui l'avait transformé en voyou brutal et poussé, en arrivant au parc, à se mettre en quête du tonnelet de bière au lieu de sa femme.

— Vous ne l'avez pas cherchée ? demanda le chef de la police d'un ton accusateur.

— Oh ! si... bien sûr ! répondit Kenneth mais sa voix, trop forte, trahissait le mensonge. Seulement je ne l'ai pas vue. Elle pouvait être n'importe où, vous comprenez : tous ces jeux, ces attractions, ces gens qui allaient et venaient...

Le chef de la police interrogea alors les pique-niqueurs pour savoir s'ils avaient vu le mari de Linda. La plupart croyaient l'avoir aperçu à un moment ou l'autre en fin de journée ; mais nul ne put se rappeler la chose avec précision, disant seulement que c'était entre cinq et huit heures, lorsque la nuit commençait à tomber.

— Il était huit heures quand je me suis mis à la

chercher, déclara Kenneth. Et tout le monde en a fait autant.

Le chef de la police se mit à réfléchir : entre cinq et huit heures, durant cet intervalle de temps où les gens n'étaient même pas très sûrs d'avoir vu Kenneth, celui-ci avait pu récupérer sa femme dans la foule, l'emmener dans sa voiture, la tuer et l'enterrer. Ou alors, s'il l'avait trouvée seule, il l'avait peut-être tuée sur place, traînée à l'écart et enterrée.

Pas d'autre solution. Puisqu'on ne la retrouvait pas, elle devait être morte et enterrée.

Officiellement inculpé de meurtre, Kenneth prit pension dans l'une des quatre cellules de la prison.

La jeune femme avait l'habitude de voir les idées et les souvenirs lui échapper ; dans ces conditions, l'arrivée de l'hiver sans changement de climat ne la surprit pas vraiment. Elle se souvenait, de temps à autre, d'une petite ville sous la neige, mais s'agissait-il d'une réminiscence de son passé ou d'un quelconque souvenir de lecture ?

Il y avait un nouveau venu dans la maison où elle habitait. Du moins, elle pensait que c'était un nouveau ; elle se rappela une autre maison, une famille, un autre homme, et elle pleura car elle ne savait pas ce qu'ils représentaient.

« L'ennui avec toi, Linese, c'est que tu pleures tout le temps », dit une voix dans sa tête. Seul le nom avait une certaine réalité ; pas celui qui parlait.

Etait-ce son nom à elle, ou *presque* son nom ? Elle leva les mains pour le saisir, s'y cramponner fermement. Elle *devait* se retenir à quelque chose, mais elle ne voulait pas qu'on la retînt, elle.

L'espace d'un éclair, elle se souvint d'un pique-nique bruyant, de jeux ; le souvenir s'estompa aussitôt, et elle se remit à pleurer.

La neige tourbillonnait en flocons serrés autour du tribunal pendant le procès de Kenneth Borchard. Selon

138

la direction dans laquelle soufflait le vent, les citoyens le jugeaient coupable ou innocent, le considéraient avec une joyeuse excitation pour la publicité qu'il leur apportait ou avec une réserve soupçonneuse pour le cas où il serait vraiment un meurtrier.

Le chef de la police fit une déposition neutre, dénuée de tout commentaire, en s'arrangeant néanmoins pour faire savoir à tout le monde qu'il était convaincu de la culpabilité de Kenneth Borchard : après tout, on n'avait pas retrouvé la jeune fille vivante, pas vrai, alors qu'il avait lui-même — avec toute son expérience — conduit les recherches ? Par conséquent, la fille devait être morte, et c'était Kenneth Borchard qui l'avait tuée.

Dès l'instant où on lui mit cette idée dans la tête, Leland Krebs n'en démordit plus. *J'aurais dû la surveiller de plus près. Ce matin-là, elle avait son expression traquée, fugueuse.*

— C'est sûrement lui le coupable, déclara-t-il devant un auditoire compatissant. Je l'ai accueilli sous mon toit, je lui ai donné un emploi, je lui ai accordé la main de ma fille, et il l'a tuée.

Minnie Krebs, elle, ne dit rien. Minnie Krebs ne disait jamais rien.

Le procès fut une farce, mais une farce jouée avec sérieux et solennité, puisqu'il donna l'occasion à l'avocat de la défense de s'entraîner au droit criminel, et permit à l'accusation de traiter d'affaires plus importantes que des vols ou des actes de vandalisme. Grâce à leurs efforts conjugués, Kenneth fut reconnu coupable de meurtre au second degré et condamné à vingt ans de réclusion.

Dans la pièce à l'unique fenêtre occultée par des branches de palmier, l'homme demanda à la jeune femme où elle était allée ce jour-là.

— Quel jour ? répondit-elle vivement.

— Bon sang, Linese, s'écria-t-il, exaspéré. Hier, mercredi 17 août ! Au cas où tu l'aurais oublié —

comme c'est probable — nous sommes en 1966. Alors, où étais-tu ? Je rentre de mon travail et toi, tu te balades dans la nature. Où diable étais-tu ?

Elle le regarda, les yeux dans le vague.

— Je cherchais un parc avec plein d'arbres, dit-elle, et un pique-nique.

— Oh ! Seigneur, gémit-il, c'est toujours pareil. Tu n'arrêtes pas de chercher quelque chose. Un foutu parc... une putain de rue... de la neige en hiver... et en Californie, qui plus est ! Quand tes lubies te prennent, tu oublies tout le reste. J'en ai assez, tu m'entends ? La prochaine fois que je ne te retrouve pas ici quand tu es censée y être...

— Où est-ce, « ici » ? demanda-t-elle.

Le 17 août 1966, au pénitencier d'Etat, Kenneth Borchard avait terminé sa licence de lettres et attendait avec impatience de décrocher sa maîtrise. Il pensait rarement à Linda : après tout, ils avaient été mariés moins de deux mois, trois ans auparavant ; c'était un laps de temps trop court pour les souvenirs et trop long pour permettre des hypothèses.

Leland Krebs fit ériger dans le parc une stèle en granit à la mémoire de sa fille, tout en se demandant ce qu'elle était vraiment devenue.

Minnie Krebs ne vit jamais la stèle, car elle sortait rarement. Selon son mari, elle vivait en recluse à cause de son « grand deuil » ; mais, de l'opinion générale, il l'enfermait dans la maison parce qu'elle était complètement folle... « *Elle a toujours été un peu toquée, vous savez.* »

La jeune femme avait l'impression que le tapis d'herbe, sous ses pieds, tanguait plus que d'habitude, beaucoup plus que d'habitude. Elle s'avança en titubant sur ce tapis instable, les bras écartés pour ne pas perdre l'équilibre ; une fois le banc atteint, elle s'y laissa tomber en riant, ravie d'avoir triomphé de ce monde glissant.

Dodelinant de la tête, le sourire aux lèvres, elle demeura des heures ainsi à saisir au vol les pensées qui se succédaient dans son esprit, pour les perdre aussitôt et les regarder passer en gloussant, amusée par le kaléidoscope de couleurs et le papillonnement de ces fugitives images mentales.

Les gens qui passaient près d'elle la remarquaient et lançaient des commentaires :

— Elle est peut-être droguée.

— Une poivrote, sans aucun doute.

— Hé ! Qu'est-ce qu'elle a ?

— C'est une cinglée. Le parc en est plein.

Seuls deux vieux messieurs qui jouaient aux échecs la repérèrent dès le début et l'observèrent au fil des heures.

— Regardez cette femme, elle est saoule comme une barrique, dit l'un en la voyant s'approcher du banc d'un pas mal assuré. Je n'aime pas voir des femmes boire.

— Nous sommes en 1968, déclara l'autre. Les femmes n'arrêtent pas de boire.

Profitant de ce que son ami ne regardait pas l'échiquier, il déplaça son cavalier de trois cases en avant et de deux cases sur le côté.

Ils épièrent la jeune femme entre les coups, en échangeant des réflexions sur son état ; après avoir distraitement joué aux échecs pendant plusieurs heures, ils en arrivèrent à la conclusion qu'elle n'était pas du tout ivre mais détraquée.

— Que faisons-nous ? s'enquit l'un.

— Il faudrait prévenir quelqu'un, répondit l'autre.

— Oui, mais qui ?

— La police, peut-être.

Ils plièrent leur échiquier, rangèrent les pièces et traversèrent le parc bordé de palmiers pour guetter, sur le trottoir, la voiture de patrouille qui effectuait des rondes régulières dans cette rue du centre ville. Durant leur attente, ils discutèrent de l'importance de leur découverte, échafaudèrent des hypothèses plus extravagantes les unes que les autres, ce qui fit briller de délectation leurs yeux fatigués.

— Elle a peut-être assassiné quelqu'un et perdu la tête.

Après cette suprême suggestion, ils proposèrent, horrifiés, que l'un d'eux restât auprès de la meurtrière pour la surveiller pendant que l'autre irait chercher du renfort.

Lorsque la voiture de patrouille apparut au coin de la rue, aucun des deux ne s'était encore porté volontaire pour retourner faire le guet dans le parc. Ils bondirent vers la voiture, les bras levés, en vieillards imbus de leur importance.

Les deux policiers traversèrent le parc, suivis des deux amis terrorisés à l'idée d'être taxés de vieux imbéciles trop imaginatifs — au cas où la femme aurait disparu. Mais non, elle était toujours là, continuant de sourire, de dodeliner de la tête et de parler à ses pensées en émettant de petits gloussements.

L'un des policiers resta debout, l'autre s'agenouilla devant elle et lui posa des questions, sans obtenir de réponse. Pourtant, quand il lui demanda son nom, elle le regarda. Elle saisit une pensée. Son expression se fit contemplative.

— Linn... — Elle secoua la tête, insatisfaite, puis répéta : — Linn.

D'un haussement d'épaules résigné, elle accepta ce nouvel aperçu d'un horizon qui, pour autant qu'elle pût se rappeler, ne cessait de fluctuer. Mais ses souvenirs ne remontaient pas à longtemps, et ils manquaient de précision.

— Où habitez-vous ? lui demanda-t-on.

Elle répondit qu'elle n'habitait nulle part, et parla d'un parc. Son regard inquisiteur scrutait un point précis, au-delà du policier à genoux.

Celui-ci se releva et se tourna vers son collègue, qui esquissa un bref signe de tête. Alors il se pencha pour poser doucement une main sur l'épaule de la femme.

— Venez avec moi. Vous voulez bien m'accompagner ?

Linn acquiesça. Elle se leva, chancelante, et se cramponna au bras du policier, heureuse de ce soutien.

— Oh ! oui, dit-elle, il est très glissant, le monde dans lequel je vis.

Lorsqu'on lui refusa sa mise en liberté conditionnelle, en 1968, Kenneth Borchard se replongea dans ses études. Après sa maîtrise, il se mit à étudier le droit. Il ne pensait jamais plus à Linda maintenant qu'il avait suffisamment réfléchi pour comprendre qu'avec elle, il n'avait rien perdu à part sa liberté.

Cette année-là, Leland Krebs cessa toute participation active à la gestion du magasin d'alimentation et envisagea un moment de lancer un détective privé sur les traces de sa fille. Puis, après mûre réflexion, il préféra y renoncer, de crainte que Linda fût retrouvée et Kenneth relâché.

On n'avait pas vu Minnie Krebs depuis si longtemps que tout le monde avait oublié son existence.

Postée devant la fenêtre, la surveillante de jour observait deux malades dans leurs efforts quotidiens pour transporter une poubelle, posée près de la barrière, jusqu'au carrefour de ramassage, cinquante mètres plus loin. Les deux hommes voulaient à tout prix tenir la poubelle de la main droite, ce qui les contraignait à tourner en rond.

Sachant qu'il allait s'ensuivre une furieuse discussion, sachant aussi que le problème était insoluble, la surveillante se détourna de la fenêtre et s'approcha de son bureau. Celui-ci était situé de façon à offrir une vue d'ensemble de toutes les patientes présentes dans la salle : les quatre qui, assises à une table de bridge, jouaient avec animation à un jeu dépourvu de règles ; la catatonique, absorbée dans son imperturbable contemplation du plafond ; la tricoteuse enragée qui emmêlait son ouvrage, et la jeune femme qui écrivait des lettres.

Elle passait son temps à écrire ; sa lettre terminée, elle la pliait, la glissait dans une enveloppe et la cachetait, sans l'adresser à personne.

La surveillante de jour s'intéressait beaucoup à ces lettres, probablement parce qu'elle aurait aimé en écrire, elle aussi, mais n'avait personne à qui les envoyer.

— On voit que vous êtes nouvelle, lui dit une infirmière. Tous les nouveaux employés finissent par s'intéresser à elle. Dès qu'un nouveau médecin arrive, il étudie à fond les lettres. Il les compile, les compare, pour tâcher de déterminer si elle souffre de schizophrénie évolutive ou réactive ; il essaie de parler avec elle, sans résultat. Les lettres s'entassent, toutes semblables, axées sur un pique-nique dans le parc et de la neige en hiver, et il finit par les jeter. Un autre médecin prend alors la relève, et tout recommence. C'est intéressant au début, d'accord, mais...

L'infirmière haussa les épaules. Elle observait la femme depuis trois ans, depuis le jour même de son admission à l'Hôpital Psychiatrique de Californie, en 1968. Elle l'avait vue évoluer progressivement du mutisme indifférent — avec, de loin en loin, de vains éclairs de mémoire — à un isolement maussade, consacré à écrire des lettres signées du prénom « Linn », finalement abrégé en « Lin ».

— Qui est cette femme, en définitive ? demanda la surveillante

— Nul n'en sait rien, répondit l'infirmière. Elle-même l'ignore.

Dès 1971, Kenneth Borchard s'y connaissait suffisamment en droit pour répondre aux nombreuses sollicitations de ses compagnons de cellule, qui lui demandaient de rédiger et de soumettre des demandes d'habeas corpus. Il considérait avoir fait bon usage de ses huit années de prison, et jamais il ne pensait à celle dont l'absence prolongée le maintenait entre ces quatre murs.

Leland Krebs avait, depuis longtemps, trouvé une bonne excuse pour soulager sa conscience légèrement élastique : puisque Kenneth Borchard était à l'origine de l'expression renfermée et fugueuse qu'avait arborée sa fille en cette matinée d'août 1963, il méritait amplement de moisir en prison.

Immobile, le regard vide, Minnie Krebs restait assise dans sa chambre.

En ce jour d'été 1971, aucun membre du personnel de l'hôpital psychiatrique n'aurait pu dire avec certitude ce qui avait arraché Linda aux ténèbres de l'oubli. Les médecins mirent cette guérison sur le compte de la psychothérapie ; les spécialistes, sur celui du traitement de choc ; les infirmières, naturellement, pensèrent que leurs médicaments avaient opéré ce miracle ; mais la surveillante de jour, elle, savait que c'était à cause des lettres. Ces lettres qui avaient retenu son attention, à défaut de celle des infirmières et des médecins ; ces enveloppes sans adresse qu'elle récoltait chaque jour et à propos desquelles elle posait des questions — « A qui est-ce que vous écrivez ? », « Où habite la personne à qui vous écrivez ainsi quotidiennement ? » — questions restées sans réponse jusqu'à ce jour, le 17 août 1971, où « Lin » lui avait tendu l'enveloppe adressée à Kenneth Borchard, dans une petite ville du Middle West, avec son nom — Linda Borchard — inscrit dans le coin supérieur gauche.

Le chef de la police répondit au téléphone, mais ce qu'il crut entendre le plongea dans un silence stupéfait. Détachant sa langue collée à son palais, il finit par bredouiller que oui, en effet, un certain Kenneth Borchard habitait la ville — du moins, autrefois — et que, oui, il était marié à une femme prénommée Linda, qui... Pétrifiée par la signification des paroles de son interlocuteur, le chef de la police extirpa de sa poche un mouchoir pour éponger son front ruisselant de sueur.

Cinq minutes plus tard, il expliquait à Leland Krebs

pourquoi, à son avis, ce ne pouvait pas être Linda qui était dans cet asile, au fin fond de la Californie : c'était impossible, puisque le petit Borchard l'avait tuée et enterrée à un endroit encore indéterminé, et qu'il purgeait une peine de prison pour ce crime.

Leland Krebs, lui, *sut* que c'était Linda ; dans sa joie de l'avoir retrouvée, il en oublia Kenneth Borchard, en prison pour le meurtre de sa femme. Il prit aussitôt l'avion pour la Californie, fermement résolu à prévoir désormais les humeurs de sa fille et prévenir ses moindres désirs, à l'entourer de toutes les attentions possibles, afin de ne jamais plus voir sur son charmant visage cette expression fugueuse et ne plus connaître pareil tourment.

Minnie Krebs, indifférente aux nouvelles de sa fille, continua d'observer avec passivité le mur de sa chambre, comme elle le faisait depuis presque huit ans. De son côté, le chef de la police déclara ne pouvoir évidemment pas trouver de cadavre là où il n'y en avait pas et que, par conséquent, personne ne pouvait le blâmer, pas vrai ? Enfin, il était bien content que M. Krebs eût récupéré sa fille... *n'empêche-que-maintenant-il-allait-devoir-informer-la-hiérarchie-et-on-s'apercevrait-qu'il-avait-bien-recommandé-de-garder-le-gosse-sous-les-verrous-parce-que-c'était-un-assassin-comme-son-père-avant-lui...*

Avisé que, en définitive, il n'était pas un meurtrier, Kenneth déposa sur-le-champ une demande d'habeas corpus et de révision de procès, ainsi qu'une plainte contre l'Etat pour détention arbitraire et mauvais traitements. Très absorbé par les démarches légales en vue de reconquérir sa liberté, de recouvrer tous ses droits civiques en obtenant de substantiels dommages et intérêts pour ses années d'incarcération, il oublia de penser à Linda. Jusqu'au jour où, après que la paperasserie administrative du pénitencier fut débroussaillée et que la bureaucratie de l'hôpital psychiatrique, dépassée par les événements, dut se résoudre à la simplicité, il revit sa femme et comprit tout de suite qu'elle ne valait pas une seule minute de ces huit années passées en prison.

— Voici Kenneth, ma chérie, dit Leland Krebs à sa fille.

Il détacha les syllabes avec soin de manière à rendre sa déclaration claire et compréhensible.

— Kenneth Borchard, ma chérie, ajouta-t-il. Ton mari.

Il prononça le dernier mot avec une nuance de remords.

Linda reconnut immédiatement Kenneth. La mémoire lui revint totalement, effaçant du même coup les huit dernières années de sa vie. C'était l'été, il y avait un pique-nique dans le parc...

— Un pique-nique très sympathique, dit-elle d'une petite voix enfantine.

Kenneth, se remémorant son propre pique-nique long de huit ans, se prit à la haïr.

Minnie Krebs, le regard fixe, contemplait le mur de sa chambre, inconsciente de l'absence de sa fille comme de son retour. Un sentiment de culpabilité s'empara de la ville, et chaque citoyen, tracassé par sa conscience, voulut réparer le tort causé à Kenneth ; aussi, lorsque celui-ci ouvrit son cabinet juridique ils se précipitèrent en masse pour lui soumettre leurs ennuis, réels ou imaginaires. Kenneth prit leurs affaires en main et prospéra.

Avec l'argent qu'il toucha à l'issue de son procès contre l'Etat (la plus grosse somme jamais versée pour détention arbitraire), il construisit une maison surplombant le parc : une magnifique propriété, un modèle du genre.

Les gens se la montraient du doigt avec fierté, en échangeant des commentaires.

Il la mérite. Si quelqu'un a mérité son succès, c'est bien lui.

Qui aurait pensé, il y a dix ans...

Et même voici seulement deux ans ! Alors qu'il était encore en prison et elle là-bas, en Californie. Je ne comprendrai jamais comment il a pu se montrer aussi indulgent... Il nous a dissuadés de chasser Krebs du conseil municipal, de renvoyer le chef de la police, et il a repris sa femme, qui a été la cause de tout, en la traitant comme une reine...

Ouais, ça me dépasse. Remarquez, on n'en fait pas beaucoup comme M. Borchard.

Pour sûr ! C'est un prince.

Kenneth Borchard traversait chaque jour le parc, son cabinet étant situé à une extrémité et sa maison à l'autre bout. Parfois, il coupait à travers les pelouses bien taillées et les allées en ciment pour aborder sa demeure par-devant. D'autres fois, il contournait le parc et gravissait la colline boisée pour entrer chez lui par l'arrière. Il apprit beaucoup de choses sur le parc et les plantes après une période de sécheresse, sa spongiosité après la pluie. Il put constater qu'une grosse pluie transformait l'humus en une gadoue visqueuse qui adhérait au bâton qu'on y plongeait, alors qu'une pluie moins importante le rendait si friable que le bâton s'enfonçait facilement, fissurant sans bavure le sol. En septembre 1973, après les pluies, la terre avait la consistance idéale. Le moment était idéal, lui aussi, après deux années de liberté, de succès et d'estime générale. A cinq heures et demie du soir, les ombres envahirent le bois. A six heures, la colline serait plongée dans une semi-obscurité ; à six heures et demie, elle serait carrément dans les ténèbres.

Il entra en sifflotant dans la cuisine éclairée. Linda se détourna de l'évier, la joue tendue, et s'écarta dès qu'il y eut déposé un baiser. Elle parla des côtelettes — qu'elle faisait cuire au point de les rendre immangeables — et se plaignit du boucher. Elle parla de son papa, qui lui avait rendu visite dans la journée, comme tous les jours, mais pas de sa mère, qu'elle avait oubliée — comme tout le monde en ville. Elle parla du jardinier qui s'était montré grossier, de la maison qui représentait une trop lourde charge...

Son univers, maintenant si restreint et tangible, avec

de la neige en hiver et un parc visible de ses fenêtres, avait rendu solide son petit cerveau qui, durant huit année perdues, s'était appesanti sur des parcs et sur de la neige.

Kenneth promit de dire deux mots au boucher et au jardinier. Il promit avec ferveur de prendre une femme de ménage, promesse qu'il comptait bien n'avoir pas à tenir.

Il regarda sa montre — à peine six heures — et jeta un coup d'œil par les fenêtres de la cuisine, presque obscures au-delà de la lumière. Il s'efforça de hâter les préparatifs du dîner mais Linda, avec son obstination caractéristique, lui mit des bâtons dans les roues.

Pour commencer, elle lui demanda — elle qui ne buvait pratiquement jamais — de préparer des martinis.

— Tu n'as pas besoin d'arriver à cette réunion de la Chambre de Commerce avant huit heures, fit-elle très justement observer de sa voix de petite fille.

Elle décida ensuite de servir le repas dans la salle à manger au lieu de la cuisine. Nouveau contretemps.

Elle mit le couvert, but son martini et laissa brûler les côtelettes jusqu'à 18 h 30. Kenneth sentit ses poings se crisper ; il l'aurait volontiers tuée. D'ailleurs, selon son minutage, cela aurait dû se faire en ce moment même.

Pendant qu'il consultait sa montre pour modifier son horaire, Linda, perverse, décida de prendre un autre martini avant de se mettre à table. Un quart d'heure pour l'apéritif, une demi-heure pour le dîner, un quart d'heure pour desservir et faire la vaisselle... cela signifiait qu'il n'aurait pas la possibilité de la tuer avant 19 h 30. Or il lui serait absolument impossible de la tuer, traîner son cadavre dans les bois, l'enterrer, regagner la maison, téléphoner à Krebs et être prêt à partir pour la réunion à 19 h 45.

Il tendit alors les bras par-dessus le shaker de martini, noua ses mains autour du long cou mince de Linda et serra fort.

A 18 h 37, certain qu'elle était bien morte, Kenneth

Borchard la laissa glisser sur le carrelage de la cuisine. Il demeura un moment immobile, le temps d'ajouter mentalement les tâches que Linda aurait dû accomplir à celles qu'il avait méticuleusement prévues pour lui-même ; il modifia l'ordre de son plan et monta l'escalier en courant pour aller chercher le manteau neuf de Linda. Il referma avec soin la porte du placard et redescendit posément en reprenant son souffle.

Dans la cuisine, il s'agenouilla pour passer les bras inertes de Linda dans les manches du manteau. Il grava dans sa mémoire sa tenue vestimentaire : pantalon marron et chandail jaune. A 18 h 50, il sentit que les côtelettes commençaient à brûler. Se relevant d'un bond, il éteignit le gaz, jeta les côtelettes dans l'incinérateur et mit la poêle à tremper. Il profita que l'incinérateur fonctionnait, pour se débarrasser de la salade avachie et fouilla frénétiquement la pièce du regard, en quête d'autres aliments qu'ils auraient normalement dû manger au cours du repas. Il râcla une casserole de petits pois et revint à Linda.

Ses yeux bleus, grands ouverts, n'avaient pas moins d'expression dans la mort que de son vivant ; ses lèvres minces étaient retroussées et entrouvertes. Kenneth éprouva une joie intense à la voir enfin morte.

Il était à présent 19 h, et cette partie de l'opération ne demandait plus que la mise en pratique d'un plan longuement mûri : prendre dans la cabane à outils les bottes et les gants du jardinier, la brouette et la pelle, charger le cadavre dans la brouette pour le transporter, sous le couvert de la nuit, jusqu'à la lisière du bois qui bordait le parc, au pied de la colline herbeuse. Une brise fraîche soufflait dans les arbres et, dans le ciel, un amoncellement de nuages annonçait de la pluie — ce qui était parfait, pourvu qu'elle attendît encore au moins deux heures pour tomber.

La terre était exactement comme il l'escomptait : facile à morceler, juste assez compacte pour lui permettre de soulever des mottes d'herbe intactes, assez friable pour qu'il pût travailler rapidement. Malgré la fraîcheur, il se mit à transpirer ; il ôta sa veste et la posa sur le cadavre. Puis il s'inquiéta : aurait-il le temps de changer de chemise... ? Quelle heure était-il ? L'obscurité des arbres et le ciel bas l'empêchèrent de distinguer les aiguilles de sa montre.

Il creusa une tombe étroite mais profonde, en mesurant à intervalles réguliers sa hauteur, à l'aide du manche de la pelle, jusqu'au moment où il s'estima satisfait.

Il posa la pelle et battit des bras pour sécher sa chemise humide de sueur. Il ramassa sa veste, l'endossa, puis il inclina la brouette pour faire tomber le cadavre dans la fosse qu'il avait creusée. Il s'accroupit, attentif à ne pas s'agenouiller dans la terre molle, et arrangea le corps à sa convenance ; puis il entreprit de remplir le trou, en tassant la terre avec ses pieds chaussés de bottes. Une fois la tombe comblée presque à ras, il disposa les mottes d'herbe par-dessus, en les piétinant, et, à l'aide de la pelle, il éparpilla l'excès de terre sous les arbres et dans l'herbe en petits tas discrets.

Il mit la pelle dans la brouette et remonta le versant de la colline. Les fenêtres de la cuisine lui éclairèrent le chemin jusqu'à la cabane à outils. Il regarda sa montre : 19 h 30. Il avait fait du beau travail ! Il plaça la brouette debout, accrocha la pelle, posa les gants sur l'établi, remit les bottes à l'endroit exact où il les avait prises. Il secoua les jambes de son pantalon pour leur redonner un pli impeccable, ferma la porte de la remise et se dirigea vers la cuisine.

Et les poêles qui n'étaient pas lavées ! A 19 h 32 !

Il alla dans l'entrée, décrocha le téléphone et composa le numéro de Krebs.

— Que diriez-vous si je passais vous prendre un peu avant huit heures pour aller à la réunion de la Chambre de Commerce ? s'enquit-il avec cordialité. Inutile de prendre deux voitures, non ?

Il raccrocha et fonça à la cuisine. Maugréant, il ôta de

nouveau sa veste, qu'il jeta sur une chaise, puis retroussa ses manches et s'attaqua aux poêles.

Il finit par trouver une boîte étiquetée « Tampons à récurer » et, à 19 h 45, il avait terminé : toutes les casseroles étaient rangées, la cuisine en ordre. Il empila les assiettes dans la salle à manger, fourra l'argenterie dans un tiroir, plia vivement la nappe et la mit à sa place, sans oublier de replacer le napperon au centre de la table. 19 h 48. Il regarda ses mains, rabattit ses manches. Il n'aurait pas le temps de changer de chemise.

Il se précipita dans le salon, alluma la télévision, entassa les coussins à un bout du divan, les déformant à coups de poing pour donner l'impression qu'une tête s'était appuyée dessus. Il ne laissa qu'une lampe allumée.

Il éteignit dans la salle à manger, saisit sa veste posée sur la chaise de la cuisine, l'enfila, en boutonnant un seul bouton ; après un rapide regard circulaire dans la pièce bien rangée, il consulta sa montre : 19 h 52. Il éteignit, claqua la porte d'entrée, s'assura qu'elle était bien fermée et courut au garage.

Il passa prendre Krebs à 19 h 59 et arriva à la réunion à 20 h 10. Là, il adopta une expression attentive sans entendre un traître mot des débats, tellement il guettait avec espoir le bruit de la pluie contre les fenêtres. Avec de la pluie — même une simple bruine — l'herbe piétinée de la tombe se redresserait et la terre éparpillée s'enfoncerait dans le sol...

Si la réunion avait duré longtemps, Kenneth aurait demandé à Krebs, avec un petit rire complice, de venir jusque chez lui expliquer à Linda la raison de cette rentrée tardive. Mais la conférence étant terminée à neuf heures, il ouvrit la portière et soumit à son beau-père sa suggestion de rechange.

— Il est encore tôt, dit-il. Je vous ramène à la maison pour prendre un verre ; ensuite, nous vous raccompagnerons Linda et moi. Un peu d'air frais ne lui fera pas de mal après une soirée passée à regarder la télévision. Elle était installée devant le poste quand je suis parti et je parie qu'elle y est encore...

La pluie se mit à tomber à l'instant où il ouvrait la porte de derrière, accueilli par un indicatif publicitaire familier. Il rit de soulagement et cria : « Bonsoir, chérie ! » tout en invitant Krebs à aller directement au salon pendant qu'il préparait des boissons.

Alors il attendit, pétrifié d'excitation. Au milieu du crépitement de la pluie contre les vitres, il perçut enfin le cri — « Linda ! » — étouffé par le bruit du spot publicitaire. Impatient d'agir, Kenneth détendit ses muscles et bondit dans le salon pour contempler, hébété, les coussins aplatis, puis les images qui défilaient sur l'écran de télévision.

— Linda ! hurla-t-il en grimpant l'escalier quatre à quatre.

Il fit du bruit à dessein, courant de pièce en pièce, allumant les lumières et claquant les portes. Il dévala l'escalier, éteignit le récepteur d'un geste sec et écarta Krebs pour fouiller les pièces du rez-de-chaussée, les armoires, les placards — et même la chaufferie, au sous-sol.

Il sortit de la cuisine en courant, claqua la porte de la remise, alluma dans le garage et regagna la maison, trempé jusqu'aux os. Les épaules voûtées, il se dirigea vers le téléphone, composa un numéro et demanda la police d'une voix brisée.

— Le chef de la police, précisa-t-il avec un sanglot.

Puis il se tourna vers son beau-père.

— Elle est partie, dit-il. Ça recommence, exactement comme la dernière fois.

Il observa Leland Krebs, il lut sur son visage rond la certitude qui, peu à peu, s'imposait à lui, celle que Linda était partie et que tout recommençait, en effet mais pas comme la fois précédente. Cette fois, il ne pourrait pas accuser Kenneth Borchard du crime dont il était capable, pour l'avoir naguère accusé d'un crime dont il était innocent.

Le chef de la police arriva quelques minutes plus

tard. Soucieux de rectifier ses jugements hâtifs et de réparer son erreur passée, il dressa solennellement la liste des vêtements que portait la disparue : pantalon marron, chandail jaune, un manteau beige tout neuf, pas de sac à main — et, donc, pas de pièces d'identité. Secouant alors la tête, il déclara, comme Kenneth Borchard s'y attendait :

— Ma foi, tout ce qu'on peut faire, c'est lancer un avis de recherche, en concentrant nos efforts sur les asiles situés entre ici et la Californie.

Désormais, les gens de la ville avaient non seulement un héros et un prince, mais aussi un martyr romantique. Minnie Krebs continuait à regarder fixement le mur de sa chambre, inconsciente du fait que sa fille était partie puis revenue, pour s'en aller de nouveau. Leland Krebs restait assis près d'elle la majeure partie du temps.

Kenneth Borchard savait enfin que Linda avait valu chaque minute de ces huit années passées en prison, maintenant qu'il l'avait payée de retour...

Linda Is Gone.
Traduction de Gérard de Chergé.

Modus operandi

par

C. B. GILFORD

Noel Tasker apprit le meurtre en rentrant de son bureau ce mardi-là, donc vers 17 h 45. En pénétrant dans Camelot Court où il habitait, il prit l'allée de gauche. Celle de droite était la sienne, mais il faisait souvent le détour par celle de gauche afin de passer devant chez Gaby. Non qu'il eût jamais osé s'y arrêter durant la journée, mais uniquement pour voir si sa voiture était là ou peut-être, comme cela s'était produit une fois, la voir sortir de chez elle en compagnie d'un homme. Bien qu'il n'eût aucun droit sur elle — comme Gaby ne manquait pas une occasion de le lui rappeler — il avait alors enduré toutes les affres de la jalousie. En dépit de quoi, avec une sorte de plaisir masochiste, il continuait à la surveiller ainsi de loin en loin.

Mais ce qu'il vit ce mardi, ne fut pas Gaby escortée jusqu'à une luxueuse voiture de sport étrangère. Quatre véhicules se trouvaient garés devant chez elle, dont trois étaient des voitures de police et la quatrième une ambulance. En sus de quoi, il y avait foule sur la pelouse.

Noel Tasker freina aussitôt à fond, réflexe pas très sage peut-être mais instinctif. La porte de Gaby était grande ouverte et, sur le seuil, un agent en tenue repoussait les curieux. Noel bondit hors de sa voiture, avant de s'aviser qu'il ne lui appartenait pas de manifes-

155

ter une aussi vive émotion, et il se contenta donc de rejoindre les gens sur la pelouse.

— Qu'est-ce qui se passe ? demanda-t-il à un des curieux.

— Il y a eu un meurtre.

Noel fut pris d'un tremblement nerveux et souhaita que cela ne se remarquât point. La question suivante lui fut plus difficile à formuler.

— Qui a-t-on tué ?

— Une femme. Je crois qu'elle s'appelait Marchant.

Gabrielle Marchant ! Sa Gaby !

Au bord de la nausée, il aurait voulu aller à l'écart mais, dans le même temps, il désirait rester pour avoir réponse à toutes les questions qui se bousculaient dans sa tête. Que s'était-il passé au juste ? Qui était l'assassin ? Une idée insensée lui vint : aller trouver le policier qui gardait la porte et lui dire : « Laissez-moi entrer. J'étais l'amant de la victime... Un de ses amants plus exactement...

Oui, *un* de ses amants. Ce type qu'il avait vu emmener Gaby dans cette coûteuse voiture étrangère... Son devoir était d'en parler à la police. C'était probablement lui qui avait tué Gaby. Donner le signalement de cet homme, décrire sa voiture...

— J'ai entendu dire que c'était une très belle femme, reprit son voisin en poursuivant la conversation.

— Oui... acquiesça distraitement Noel.

— Vous la connaissiez ?

— Eh bien, je...

Il s'interrompit. Une autre pensée venait de s'insinuer dans la confusion de son cerveau. Si Gabrielle Marchant avait été assassinée, *tous* ses amants seraient suspects... Certes, on ne pouvait l'impliquer lui, Noel, dans sa mort, mais il ne voulait pas non plus qu'on le rattachât à la vie qu'elle avait menée.

— Vous la connaissiez ? répéta l'autre.

— Eh bien, je... je sais qui c'était.

— Vous l'aviez vue ?

— Oui, bien sûr.

156

— Gironde ?

— Ma foi, ça dépend des goûts. Mais, oui, plutôt...

Noel s'éloigna de l'homme qui pouvait aussi bien être un flic en civil ou simplement un type qui s'empresserait d'aller raconter aux enquêteurs avoir parlé avec un homme qui lui avait semblé très nerveux, bizarre... Noel regagna donc sa voiture et partit sans plus attendre car, à présent, ce n'était plus qu'il était bouleversé par la disparition de Gaby ou le drame en soi : il avait peur.

Il contourna les voitures de police et l'ambulance, en s'efforçant de rouler lentement pour ne pas attirer l'attention. Il alla jusqu'au bout de l'allée, puis revint par la sienne jusqu'à sa place de parking. L'emplacement voisin était vide. Leona n'était pas encore de retour, et il s'en félicita.

Une fois chez lui, il se sentit mieux. Mais le tremblement persistait, il se servit une copieuse rasade de bourbon avec très peu de soda. Il but une longue gorgée, puis emporta le verre dans la chambre à coucher, où il se libéra de sa veste et de sa cravate. Ensuite, malgré lui, il s'approcha de la fenêtre.

Là, sur la pelouse de derrière, la présence d'un flic donnait seule à penser qu'il avait pu se passer quelque chose d'anormal chez Gaby. Peut-être gardait-il la porte de service... Mais il n'y avait personne de ce côté, tous les curieux se tenaient devant la maison.

Noel but une nouvelle gorgée de bourbon, dans l'espoir que cela calmerait le tremblement de ses mains. La vue qu'on avait de cette fenêtre ne lui était que trop douloureusement familière, mais il ne pouvait s'en détourner.

Il se tenait à cette même fenêtre lorsqu'il avait vu Gaby pour la première fois. C'était au printemps précédent, par une des premières journées ensoleillées. Quelle distance y avait-il entre les deux maisons, entre cette fenêtre et la porte de service de Gaby ? Une soixantaine de mètres ? Peut-être un peu plus, mais on distinguait très bien l'autre maison.

Ce jour-là, Gaby était sortie pour commencer son bronzage et elle arborait le plus minuscule bikini que Noel eût jamais vu. Gaby avait la silhouette qui convenait à une telle tenue : de longues et très belles jambes, une taille mince faisant ressortir les rondeurs de la poitrine et des hanches ; des seins qui semblaient sur le point de faire éclater le tout petit soutien-gorge. Elle s'était étendue sur une chaise longue et Noel Tasker l'avait contemplée.

Tout au long des mois de mai et de juin, il avait ainsi recommencé à faire le voyeur chaque fois que Gaby se bronzait en l'absence de Leona. Il avait même acheté des jumelles afin de mieux se repaître du spectacle, des jumelles qu'il cachait dans son attaché-case où Leona n'allait jamais fourrer son nez. Durant ces deux mois, la peau de Gaby avait viré de l'ivoire crémeux au doré.

En juillet, Noel devint l'amant de Gaby.

Cela n'avait pas été tout simple, mais il avait observé ses allées et venues, pris note de ses habitudes, si bien qu'il s'était trouvé à point nommé un matin qu'elle avait des ennuis de voiture et il l'avait conduite en ville. Ensuite, ils s'étaient rencontrés « par hasard » au bureau où elle travaillait, si bien qu'ils étaient allés prendre un verre ensemble. Deux invitations à dîner avaient jalonné l'itinéraire jusqu'au lit de la belle.

Le tout s'était fait très discrètement. Le travail de Noel l'avait toujours obligé à sacrifier quelques soirées pour aller voir des clients ou assister à des réunions. Cela s'était produit un peu plus fréquemment, un point c'est tout. De son côté, Leona était aussi amenée à travailler le soir. Excellente secrétaire, elle touchait un salaire qui dépassait les émoluments de Noel lorsque ses ventes venaient à diminuer comme cela arrivait souvent. En sus des soirées où elle demeurait au bureau, Leona en consacrait d'autres au club féminin dont elle faisait partie et à des bridges. Dans ces conditions, Noel n'avait pas eu trop de mal à voir Gaby deux ou trois fois par semaine.

Pauvre Gaby, si belle et pourtant si peu exigeante !

Bien que divorcée, elle n'avait pas cherché un mari ni même une liaison. Parce qu'elle était belle, beaucoup d'hommes la courtisaient, et tout ce qu'elle souhaitait, c'était se donner du bon temps. Qui donc avait pu vouloir la tuer?

Noel finit son verre et s'en prépara un autre. La pendule marquait maintenant six heures un quart et Leona n'était pas encore rentrée. Etait-ce un des soirs où elle devait rester au bureau? Il n'arrivait pas à s'en souvenir.

Noel avait du mal à croire que Gaby était morte, tant la chose lui paraissait inacceptable. Son corps splendide avait été... Quoi donc? Abattu d'un coup de feu? Etranglé? Poignardé? Mais quelle importance, du moment qu'il avait cessé de vivre... Finies les heures volées qu'ils avaient passées ensemble, en proie à l'excitation et l'extase. Ce n'était pas juste! Noel était si heureux ainsi, et voilà que quelqu'un... quelqu'un...

Le bruit d'une clef dans la serrure lui fit faire volte-face. Il ne fallait pas que Leona le surprît à regarder... La force de l'habitude! Comme si la pauvre Gaby était encore dehors à prendre un bain de soleil! Quand Leona entra, Noel avait déjà regagné le living-room.

Il devina tout de suite qu'elle était au courant. Elle était pâle, émue et même tremblait... Une chance, car ainsi elle ne remarquerait peut-être pas qu'il était pareillement ému.

— Une femme a été assassinée dans l'autre allée, annonça-t-elle.

Sans paraître se soucier s'il le savait déjà ou non, elle passa devant lui pour entrer dans la chambre. Elle marchait d'un pas un peu lourd, parce qu'elle s'était laissée aller à grossir et avait maintenant des airs de matrone. Il la rejoignit après un moment et la trouva à *sa* fenêtre, celle d'où il contemplait Gaby...

— Une nommé Gabrielle Jenesaisquoi...

Il ne dit rien, se gardant bien de lui fournir le renseignement.

— Cela a dû être atroce... Ils disent que c'est l'œuvre d'un fou... Il l'a toute tailladée !

Noel mordit fortement sa lèvre inférieure en s'accotant au chambranle de la porte. D'horribles images tournoyèrent dans sa tête, mais il en avait déjà eu l'intuition. Gaby n'était pas une femme ordinaire, alors son assassinat non plus ne pouvait être banal. Tailladée ! Lui qui connaissait si intimement son beau corps était en mesure de se représenter tout ce que signifiait ce mot.

— Il doit s'agir d'un obsédé sexuel, dit Leona.

Se détournant brusquement de la fenêtre, elle regarda son mari :

— Elle avait l'habitude de prendre des bains de soleil là dehors... Tu ne l'avais jamais vue ?

Sentant le danger, il réagit en conséquence. Gaby était morte et il lui fallait se protéger. N'importe quel homme ayant une fenêtre donnant sur cette pelouse avait dû la voir. Prétendre ne l'avoir jamais remarquée semblerait étrange.

— Une fille bien roulée ? Brune ?

Leona acquiesça :

— Oui, je crois qu'elle était brune.

Il déglutit avec difficulté. Difficile de changer de sujet en demandant ce qu'il y a pour le dîner.

— Tailladée, as-tu dit ? Comment...

— Avec quelque chose de très aiguisé... Peut-être un rasoir...

Gagnant le lit d'un pas chancelant, elle s'y laissa tomber.

— Un obsédé sexuel, Noel, balbutia-t-elle. Il y a un obsédé sexuel dans le voisinage.

Ce soir-là ne fut pas comme les autres. La nuit d'août était tout imprégnée de la senteur des fleurs et de terreur, pleine du bruit des cigales et de celui des conversations. Les habitants de Camelot Court restaient dehors par petits groupes, chacun s'y sentant plus en sûreté que seul chez soi, et l'on n'arrêtait pas de parler.

160

Le corps avait été emporté ; il était enveloppé dans un drap, bien sûr, mais tout le monde savait qu'il présentait quantité d'horribles blessures. Le crime avait été découvert par une certaine Maxine Borley, qui habitait de l'autre côté du hall et qui, apparemment, avait été la seule amie de Gabrielle. Comme elle entendait sans arrêt la TV à l'intérieur de l'appartement, elle était allée frapper chez Gabrielle. Ne recevant pas de réponse et s'apercevant que la porte était simplement fermée au loquet, elle était entrée. Du sang partout... le corps, dénudé, gisait en travers de la porte qui faisait communiquer le living-room avec la chambre à coucher... Tellement de sang qu'elle eût été incapable de dénombrer les blessures... La chose dont elle était certaine, en tout cas, c'est qu'un rasoir d'homme, un de ces rasoirs à l'ancienne mode, se trouvait près du corps.

Ces détails avaient été ébruités à mi-voix dans les deux allées de Camelot Court. Les hommes réprimaient un frisson et les femmes, terrifiées, disaient toutes comme Leona :

— Il y a un obsédé sexuel dans le voisinage !

Leona non plus n'avait aucune hâte de rentrer à la maison. Les allées de Camelot Court étaient bien éclairées et, avec tous les gens qui s'y trouvaient ce soir-là, on se sentait plus en sécurité. Elle ne lâchait pas le bras de Noel tout en marchant et la plupart des femmes restaient aussi près de leurs maris. Camelot Court était surtout habitée par des ménages. S'il s'y trouvait d'autres femmes seules comme Gabrielle, elles ne se manifestèrent pas spécialement, alors qu'on se faisait des confidences entre voisins. Gabrielle avait des amis, des amants. Un amoureux déçu avait pu la tuer... Oui, mais pourquoi une telle boucherie ? Il aurait pu se contenter de lui trancher la gorge avec le rasoir... A moins que ce ne fût un dément. Gabrielle Marchant était-elle belle au point d'avoir rendu fou un de ses amants ? Ma foi, elle était extrêmement provocante, et s'exhibait presque nue sur la pelouse ou au bord de la piscine... Donc, le meurtre pouvait aussi bien avoir été

commis par quelqu'un d'étranger à Camelot Court...
Oui, mais pas forcément, et l'autre hypothèse n'était
nullement exclue. Aussi chaque femme tremblait-elle à
l'idée que ce fou pouvait de nouveau se déchaîner.

Mais, à la longue, il fallut bien rentrer chez soi pour
se coucher. De toute façon, le fou ne frapperait pas de
nouveau cette nuit, car Camelot Court grouillait de
policiers. L'appartement du drame était sous scellés et
gardé. Des voitures de police arrivaient et repartaient.
En sus de quoi, il y avait aussi des journalistes, affairés
à poser des questions. Non, trop de gens étaient aux
aguets pour que l'assassin frappât de nouveau cette
nuit-là.

Noel et Leona rentrèrent ensemble. Lui but un verre
tandis qu'elle fermait les fenêtres, baissait les stores,
tirait les doubles rideaux, allant même jusqu'à coincer
le dossier d'une chaise sous le bouton de la porte de
devant et de derrière. Puis ils se retrouvèrent enfin dans
leur chambre, pour se mettre au lit.

Noel observait sa femme à la dérobée. Elle était
comme ballonnée dans un pyjama lavande et Noel se
découvrit incapable de se rappeler l'allure qu'elle avait
lorsqu'ils s'étaient mariés, treize ans auparavant.

Une femme comme Leona pouvait-elle vraiment
risquer d'être agressée par le même « obsédé sexuel »
qui avait assassiné Gaby? Cela semblait improbable.
De tels déments ont des idées bien arrêtées; ils
prenaient sans aucun doute plaisir à tuer des femmes,
mais celui-ci avait visiblement le goût de la beauté.

Quand ils se couchèrent, Noel se demanda pourquoi
ils continuaient à ne pas avoir des lits séparés. Leona se
blottit contre lui.

— Noel, murmura-t-elle, j'ai peur!

Et, de fait, elle était toute tremblante.

— Tu me protégeras, dis, Noel?

— Oui, promit-il sans en avoir autrement l'intention. Je te protègerai. Dors.

Le lendemain matin, le lieutenant Kabrick, de la
Brigade criminelle, sonna chez eux. C'était un homme

162

à la forte carrure, qui se borna à saluer Noel d'un hochement de tête en lui présentant sa plaque.

— Vous êtes monsieur Tasker ?

— Oui.

— Puis-je entrer ?

Noel s'effaça.

— Mme Tasker est là ?

— Elle vient juste de partir à son travail.

— Je reviendrai peut-être la voir plus tard. Puisque je suis ici, j'aimerais vous poser quelques questions.

— Des questions ?

Bien qu'il serrât les dents et crispât les poings, Noel sentait revenir son tremblement. Le policier ne sembla pas s'en apercevoir.

— Au sujet du meurtre de Gabrielle Marchant. Vous la connaissiez ?

Cette question qu'il redoutait, Noel avait bien pensé qu'on la lui poserait tôt ou tard. Il avait imaginé une douzaine de réponses, dont aucune ne lui plaisait particulièrement. Mais il lui fallait absolument dire quelque chose :

— Je ne la connaissais pas vraiment...

— C'est-à-dire ?

— Eh bien, exactement ça : je ne la connaissais pas vraiment mais, comme tout le monde ici, je suppose, je savais qui elle était.

— Comment ça ?

— Eh bien je... Je la voyais... de loin... dehors...

Le lieutenant le regarda d'un air impénétrable, puis hocha la tête.

— Puis-je jeter un coup d'œil ?

— Vous voulez dire... perquisitionner ?

Toujours impassible, le policier répondit :

— Je désire simplement me rendre compte de la vue que vous avez sur l'appartement de Miss Marchant.

— Ah !...

Noel se demandait s'il devait ou non éprouver du soulagement. Il conduisit son visiteur dans la chambre, releva le store.

Le lieutenant demeura un long moment planté devant la fenêtre.

— Vous avez une belle vue d'ici.

— Oui, c'est très dégagé, ce que ma femme et moi apprécions beaucoup.

— On m'a dit que Miss Marchant aimait à prendre des bains de soleil.

— Oui, il me semble, en effet...

— Vous n'en avez pas un souvenir plus précis ? Il paraît pourtant qu'elle était fort bien faite.

— Oh ! vous savez, avec la distance...

— Pas plus de cinquante ou soixante mètres certainement, estima Kabrick en se détournant de la fenêtre. Je suppose que vous avez lu déjà dans votre journal ce qu'on dit de l'affaire ?

— Oui.

— Alors, vous savez que si le corps n'a été découvert que mardi après-midi, nous avons la certitude que le crime a été commis dans la soirée de lundi... Entre neuf et onze, selon le médecin-légiste. Il n'y a pas eu effraction. L'assassin s'est contenté de sonner ; probablement à la porte de devant, mais peut-être à celle de derrière. C'est d'ailleurs la raison qui m'amène chez vous, monsieur Tasker. Je voudrais savoir si votre femme ou vous aviez remarqué, dans la soirée de lundi, quoi que ce soit d'anormal à proximité de chez Miss Marchant ?

— Je n'étais pas ici.

Noel brûlait de faire état de son alibi. Même s'ils découvraient qu'il avait été en relation avec Gaby, on ne pourrait pas lui mettre son meurtre sur le dos.

— Lundi, je ne suis pas rentré chez moi... Je veux dire : je ne l'ai fait que très tard... Vers une heure ou une heure et demie du matin. Nous avions un dîner suivi d'une réunion de travail, et ensuite je suis resté à boire un verre ou deux avec des collègues.

Le lieutenant Kabrick hocha lentement la tête :

— Donc vous n'avez rien pu voir, monsieur Tasker. Et votre femme ?

— Je n'en sais rien.

— Etait-elle ici ?

— Elle ne m'a rien dit. Parfois, quand je ne rentre pas dîner, elle mange dehors elle aussi. Je pense que c'est ce qu'elle a probablement dû faire. Mais j'ignore à quelle heure elle est rentrée.

— Si elle avait remarqué quelque chose d'insolite, je suppose qu'elle vous en aurait parlé. Tout le monde dans le voisinage s'est montré extrêmement coopératif. Ils souhaitent qu'on arrête l'assassin.

Noel s'efforçait de garder son calme, mais ça n'était pas facile.

— Je me demande ce que nous aurions pu voir si nous avions été là. L'autre maison est assez éloignée, et il faisait nuit.

— Certes, opina le policier, mais on ne sait jamais. C'est pour cela que nous interrogeons tout le monde ici. Bien entendu, il se peut que nous soyons intéressés aussi par ce qui se serait passé à d'autres moments que lundi soir. Le fait qu'il n'y ait pas eu effraction ne prouve rien en soi, mais Miss Marchand a très bien pu être tuée par une personne de connaissance. Ce sera sans doute dans les journaux du soir, mais je peux vous dire qu'il n'y a pas eu viol.

Noel sursauta :

— Alors, il ne s'agirait pas d'un meurtre sexuel ?

— Je n'ai pas dit cela. Il y a différentes sortes de meurtres sexuels et la seule chose dont on soit sûr en l'occurrence, c'est qu'il n'y a pas eu viol. Pour ma part, j'ai une petite théorie personnelle : le mobile pourrait être la vengeance.

— La vengeance ?

Noel enfonça ses mains dans ses poches afin de dissimuler leur tremblement.

— Un amant jaloux, par exemple. Ou un amoureux dédaigné. Miss Marchant était extrêmement séduisante. Nous ignorons combien d'hommes elle avait dans sa vie. C'est pourquoi je vous parle d'autres moments que lundi soir. Avez-vous jamais remarqué des gens qui entraient chez Miss Marchant ou en sortaient ? Nous essayons de découvrir les hommes qui fréquentaient chez elle.

Le type à la voiture étrangère ! Serait-ce une bonne chose que d'en parler ? Mais cela l'amènerait à dire qu'il avait délibérément fait le détour par l'autre allée. « Non », pensa Noel, « mieux vaut rester en dehors de tout ça ».

— Avez-vous quelque information à nous donner sur ce point, monsieur Tasker ?

— Non... Je crains bien que non...

Le lieutenant eut un haussement d'épaules et se dirigea vers la sortie.

— Bon... Eh bien, merci, monsieur Tasker. Dites à votre femme que je reviendrai sans doute pour la voir, mais dites-lui surtout qu'elle ne se tourmente pas : nous arrêterons l'assassin. Nous avons relevé pas mal d'empreintes sur les lieux, et il se peut que celles de l'assassin soient du nombre.

Le lieutenant parti, Noel se laissa tomber sur le sofa. Des empreintes ! Il n'avait pas pensé aux empreintes ! Il devait avoir laissé les siennes un peu partout dans l'appartement...

Noel passa la journée à se ronger d'inquiétude au sujet des empreintes, mais le soir, ses soucis se dissipèrent. A l'instigation de la police ou parce qu'un reporter entreprenant avait appris la chose, il était dit dans le journal du soir qu'une empreinte digitale, jugée très importante, avait été découverte dans l'appartement de Miss Marchant. Comme cette empreinte ne correspondait pas à celles de la victime, elle n'avait pu être laissée que par l'assassin, car il s'agissait d'une empreinte sanglante maculant l'arme du crime.

Donc, les enquêteurs ne se donneraient sans doute même pas la peine de chercher à identifier les autres empreintes relevées dans l'appartement. Tant de gens peuvent avoir à faire dans un appartement — même dans la chambre à coucher — pour des raisons très innocentes. Non, maintenant que la police avait une empreinte digitale de l'assassin, on ne s'occuperait que d'elle et l'on rechercherait si elle se trouvait déjà dans les fichiers du F.B.I. ou Dieu sait quoi à Washington.

Le soulagement de Noel fut tel qu'il en éprouva le besoin de parler du drame, et la seule personne à qui il pouvait en parler était Leona. Dès qu'elle revint, il lui montra le journal, en annonçant :

— Maintenant, ils vont sûrement arrêter l'assassin : la police a trouvé une empreinte sanglante sur le rasoir.

Leona se saisit aussitôt du journal et lut l'article sans même s'asseoir. Avait-elle vraiment peur pour elle ou était-ce un air qu'elle se donnait ? Une femme dénuée de charme aime-t-elle se croire désirable, fût-ce aux yeux d'un fou homicide ?

— Oui, finit-elle par opiner, à présent, ils vont sûrement l'arrêter. Quel soulagement ce sera !

Elle s'en fut dans la cuisine, transférer des plats surgelés du congélateur dans le four, puis gagna ensuite la chambre à coucher. Noel ne l'y suivit pas. Après Gaby, voir Leona se changer de vêtements était pour lui un spectacle confinant à l'obscénité.

Juste comme les surgelés allaient être prêts pour la consommation, le lieutenant Kabrick arriva et, cette fois, ce fut un autre Noel Tasker qui l'accueillit. Gaby était morte, les moments d'extase ne seraient plus, mais Noel se sentait bien vivant et en sécurité. Aussi témoigna-t-il aussitôt d'une grande aisance :

— Ah ! bonsoir, Lieutenant... Vous venez pour ma femme, n'est-ce pas ? Chérie, c'est le policier dont je t'ai parlé... Asseyez-vous, Lieutenant, je vous en prie. Effectivement, ce soir, le journal parlait de l'empreinte sanglante relevée sur le rasoir. Avez-vous déjà trouvé l'empreinte correspondante dans vos fichiers ?

Kabrick s'assit au bord d'un fauteuil tout en disant :
— Non, pas encore.

Leona survint en bermuda, tenue qui ne l'avantageait guère. Kabrick se leva et se présenta très courtoisement, avant d'aborder ce qui motivait sa visite.

— Madame Tasker, étiez-vous ici lundi soir ? Nous

interrogeons tous les voisins de la victime pour le cas où ils auraient remarqué ce soir-là quelque chose ou quelqu'un d'insolite chez Miss Marchant.

— Je n'étais pas à la maison, déclara aussitôt Leona qui, en restant debout, obligea le policier à en faire autant.

— A quelle heure êtes-vous rentrée, madame Tasker?

— Ce devait être aux alentours de minuit... (Sa voix se mit à trembler.) Et quand je pense que pendant que je garais ma voiture, que j'ouvrais ma porte, ce fou rôdait dans l'ombre...

— Nous considérons que, à cette heure-là, il était déjà parti.

— Mais asseyez-vous donc, Lieutenant, intervint Noel. Voulez-vous boire un verre de quelque chose? Une tasse de café?

Kabrick refusa l'un et l'autre, mais se rassit, tandis que Leona s'installait sur le sofa.

— Si vous continuez à interroger les gens, dit-elle, cela signifie, je suppose, que vous n'avez pas encore arrêté l'assassin?

— Pas encore, non.

— Alors aucune femme n'est en sécurité.

Le lieutenant accompagna sa réponse d'un haussement d'épaules:

— Nous considérons qu'aucune femme n'est jamais en sécurité. Le monde est plein de dingues. Mais cela ne veut pas dire que l'assassin frappera de nouveau. Il peut très bien s'agir d'un ami de Miss Marchant, et qui l'aura peut-être tuée pour se venger ou dans un accès de jalousie.

De nouveau, Noel fut tenté de mentionner l'homme à la voiture étrangère, mais se retint de le faire. Maintenant qu'il était hors de cause, inutile de se remettre dans le bain.

— Il n'y a pas eu viol, poursuivit Kabrick, et probablement même pas tentative de viol. Voyez-vous,

168

nous sommes convaincus que Miss Marchant a été attaquée par-derrière.

— Par-derrière ? fit écho Noel d'un ton surpris. Avec un rasoir ?

— C'est très simple, expliqua le policier. Miss Marchant était une femme plutôt petite : un mètre cinquante-cinq environ, ce qui facilitait beaucoup un tel mode d'attaque. Nous pensons que l'assassin est droitier. Debout derrière Miss Marchant, il passe le bras par-dessus l'épaule gauche de la jeune femme, lui saisit le menton dans la paume de sa main gauche, la forçant ainsi à renverser la tête en arrière tout en lui faisant tendre le cou. Alors, de sa main droite par-dessus l'épaule droite, il n'a plus qu'à lui couper la gorge avec le rasoir. A mes yeux, ce M.O. suggère la préméditation. Je ne crois pas à l'hypothèse du fou. En conséquence de quoi, les autres femmes habitant ici courent moins de dangers que vous ne le pensiez, madame Tasker.

Leona ne se laissa pas convaincre pour autant. Noel fut certain qu'elle tenait à se sentir menacée, parce qu'elle voulait se croire désirable.

— Il l'a toute tailladée à coups de rasoir, objecta-t-elle. Seul un dément pouvait agir ainsi.

— Elle était morte quand son corps a été ainsi mutilé, déclara Kabrick en se carrant plus confortablement dans son fauteuil et observant bien ses interlocuteurs. Je peux me tromper, bien sûr. Je n'arrête pas de formuler des hypothèses mais, à la Criminelle, on est obligé d'agir ainsi. Il y a aussi la question du sang... Vous savez ce que signifie M.O., monsieur Tasker ?

— *Modus operandi*, répondit Noel avec assurance.

— Oui, exactement. La façon d'opérer de l'assassin. La manière dont il commet ses crimes. Quels avantages y a-t-il a attaquer sa victime par-derrière dans un meurtre au rasoir ?

Noel réfléchit :

— L'avantage de la surprise ?

— Peut-être. Et la victime a moins de chances de

pouvoir se protéger avec ses bras. On peut l'atteindre immédiatement en un point vital. Mais cette méthode présente aussi un autre avantage : celui que l'assassin ne soit pas trop aspergé de sang.

— Vraiment ? fit Noel, admiratif.

— Oui, et c'est un très grand avantage, qui diminue l'importance du problème posé par la nécessité de se débarrasser de vêtements tâchés de sang.

— Mais, objecta Noel, la femme qui a découvert le corps, disait qu'il y avait du sang partout ?

S'enfonçant encore davantage au creux du fauteuil, le lieutenant Kabrick sourit :

— Oui et non, déclara-t-il. Admettons que Miss Marchant soit morte quand on lui a tranché la gorge. Elle s'effondre plus ou moins à plat ventre sur le sol. Jusqu'à présent, elle ne présente qu'une seule entaille et c'est essentiellement sur le devant de son corps qu'il y a du sang ; ainsi, bien sûr, que sur le rasoir et les mains de l'assassins. Et maintenant que la victime est morte, continuer de lui porter des coups de rasoir ne présente aucune difficulté. L'assassin peut procéder avec soin, en évitant de recevoir du sang sur lui. Voyez-vous, un détail me paraît assez singulier : bien qu'il y ait eu du sang en abondance sur le tapis et dans toutes les directions, nous n'avons relevé aucune empreinte sanglante de chaussure. L'assassin ne vous semble-t-il avoir agi avec beaucoup de précaution ?

— Si, en effet, reconnut Noel.

— Alors, poursuivit Kabrick, dites-moi un peu quel genre de fou nous avons là ? Un dément assoiffé de sang, qui ne pense qu'à mutiler sa victime, se livrer à une véritable boucherie ? Oui, sans doute, d'autant que tout assassin est plus ou moins fou. Mais celui-ci a d'autres choses en tête. Il pense notamment à la difficulté de se débarrasser de vêtements ou de chaussures tâchés de sang.

Noel était de plus en plus captivée par l'exposé de Kabrick.

— Mais l'empreinte sanglante sur le rasoir ? questionna-t-il.

— Deux explications possibles. Comme je vous le disais, tout assassin est plus ou moins fou. Première explication : il a voulu laisser délibérément un indice susceptible de permettre son identification, afin de connaître l'excitation de se mesurer à la police. Deuxième explication : il a vu ou entendu quelque chose, a pris peur et s'est enfui avant d'avoir complètement terminé son travail. Une remarque en passant : bien que les entailles soient nombreuses, on a l'impression que l'assassin n'est pas allé jusqu'au bout de ce qu'il voulait faire. Cette remarque peut vous paraître étrange, mais j'ai vu un certain nombre de cas où...

Kabrick s'interrompit brusquement, regarda sa montre et se leva aussitôt.

— Je me suis peut-être laissé aller un peu trop longuement. Ce que je voulais, c'est que vous vous sentiez mieux, moins inquiète. Car je suis convaincu que cet assassin ne s'intéressait qu'à une seule femme.

Tout en se dirigeant vers la porte, le policier continua :

— Si, à n'importe quel moment, l'un de vous se rappelait quelque détail concernant Miss Marchant, faites-nous le connaître, qu'il vous semble ou non important.

Le lieutenant parti, Leona demeura assise sur le sofa, très pâle, le regard perdu dans le vague.

— Qu'est-ce que tu as ? demanda Noel.

— J'ai peur, dit-elle.

Il eut un sourire indulgent. Pourquoi avoir peur ? Qui pourrait avoir envie de la tuer ? Lui seul, son mari ; et, pour l'instant, il ne voyait aucune raison de le faire.

Le lieutenant Kabrick et ses hommes n'arrêtèrent pas l'assassin de Gabrielle Marchant. La police s'était pourtant livrée à un travail extrêmement minutieux dans l'appartement du crime. Le bruit courait qu'ils avaient même décloué la moquette, décollé le papier peint qui tapissait les murs, mais tout cela sans résultat. Finalement, ils renoncèrent et disparurent de Camelot Court. Le syndic ne chercha pas à louer l'appartement bien qu'il eût été entièrement remis à neuf. Il avait déjà suffisamment de mal sans cela, car les locataires des autres appartements avaient une tendance très nette à ne pas renouveler leur bail quand celui-ci venait à expiration, préférant aller habiter ailleurs. Mais il y en avait qui restaient malgré tout — telle Leona — semblant tirer un certain plaisir de la crainte qui les saisissait chaque fois qu'il leur fallait rentrer chez eux après la tombée de la nuit. Car l'assassin n'avait pas sévi de nouveau.

Bien qu'il irradiât suffisamment d'énergie virile pour séduire des femmes comme Gabrielle Marchant, Noel Tasker semblait ne pas en avoir assez pour réussir dans le monde du commerce. Ses affaires allaient de mal en pis, tant il se faisait rafler de clients par la concurrence. Son patron le gardait, mais réduisait ses notes de frais et lui laissait entendre que si cela continuait... Noel avait envisagé de se chercher une autre maîtresse pour remplir le vide de son existence, mais il constata avec désarroi qu'il ne pouvait se permettre ce luxe. Gaby, elle, n'avait jamais eu de grandes exigences sur le plan matériel.

Du côté de Leona, c'était le contraire. Si elle continuait de feindre d'avoir peur à l'idée qu'un fou homicide pût rôder dans le voisinage, tout allait bien pour elle à son bureau. Elle fut même nommée cadre, à un niveau inférieur certes, mais ça n'en était pas moins une promotion assez rare pour une femme.

— As-tu droit à une voiture de fonction ? lui demanda Noel d'un ton acerbe lorsqu'elle lui annonça la nouvelle, tout en sachant très bien que celle dont il avait l'usage risquait désormais de lui être retirée à tout moment.

— Non, mais j'ai droit maintenant à d'autres avantages, telle qu'une assurance sur la vie, pour un montant de cinquante mille dollars, aux frais de la boîte.

Dès lors ce ne fut plus qu'une question de temps pour que Noel prît la décision qui s'imposait. Et il y avait urgence : Noel ne savait plus combien de temps encore il garderait son emploi. Or un homme au chômage dont la femme avait une assurance-vie de cinquante mille dollars, ça incite vite au soupçon. Et puis son emploi, avec le travail qu'il lui fallait rester faire certains soirs, était aussi le seul moyen qu'il avait de se fabriquer un alibi.

L' « obsédé sexuel » n'y avait vraiment pas mis du sien. Comme il ne récidivait pas, les théories du lieutenant Kabrick touchant un meurtre commis par vengeance ou jalousie se trouvèrent renforcées. Mais le pire fut que les femmes habitant Camelot Court cessèrent d'avoir peur, y compris Leona.

Oh! bien sûr, elles continuaient encore à faire « comme si », surtout quand elles se retrouvaient entre elles : une demi-douzaine de femmes dans les trente-quarante ans, renchérissant les unes sur les autres à propos de ce tueur qui pouvait être embusqué dans n'importe quel recoin ombreux, et prenant des mines apeurées en croisant les mains sur leurs dérisoires appas. Mais c'était du cinéma et rien de plus.

Aussi serait-ce rendre service à ces dames que de leur procurer une petite émotion qui stimulerait leur production d'adrénaline. D'autant que ces dames jouaient un rôle assez important dans le plan de Noel. Le moment venu, elles ne manqueraient pas de témoigner que, depuis des mois, Leona Tasker vivait dans la terrible crainte de ce qui lui était arrivé.

M.O.

Noel l'avait bien en tête, car le lieutenant Kabrick avait été très obligeant à cet égard, et les journaux aussi. Tout le monde connaissait le M.O. et ne manquerait donc pas de le reconnaître. Tant pis pour les théories du lieutenant. Il devrait changer d'avis.

Le rasoir-couteau fut facile à se procurer. Noel

l'acheta au cours d'un de ses déplacements. La seule différence était que, cette fois, il n'y aurait pas d'empreinte sanglante sur le manche. Mais à part cela, le M.O. serait exactement le même. Même dément, un assassin sait tirer des enseignements de son expérience.

Le plus risqué, c'était l'alibi. En bref, il fallait être à deux endroits en même temps. Pas facile, certes, si l'on était censé d'une part dîner avec un client et, d'autre part, se trouver à la même heure chez soi avec sa femme. Mais pourquoi ne pas susciter une assemblée plus nombreuses, au cours de laquelle on pourrait s'éclipser pendant quelques minutes sans que cette absence soit remarquée ? On pouvait compter alors qu'une demi-douzaine de témoins, plus ou moins éméchés, affirmeraient sans hésiter : « Oui, oui, c'est exact... Noel ne nous a pas quittés de la soirée. »

Sur ce point, les circonstances servirent Noel, car un grand congrès d'affaires devait avoir lieu en ville.

— Seras-tu à la maison jeudi soir ? demanda-t-il à Leona.

— Bien sûr, répondit-elle car la persistance de sa peur la dissuadait de se trouver dehors après la tombée de la nuit. Toi, je suppose que tu seras à ce fameux congrès ? Eh bien, je regarderai la télé.

Donc, ce serait pour jeudi soir.

Noel n'était pas sans éprouver des scrupules, voire des remords anticipés. Mais il n'avait pas le choix, et il en ressentait toute l'amertume.

D'un autre côté, il pouvait renoncer. S'il perdait sa place de représentant, il en trouverait sûrement une autre, fut-ce pour vendre des encyclopédies en faisant du porte à porte. Leona l'aiderait à faire bouillir la marmite, mais cela l'amènerait à être de plus en plus possessive, exigeante. Depuis le meurtre, sous prétexte qu'elle avait peur, elle se serrait davantage contre lui dans le lit, assoiffée d'affection, cependant que le samedi et le dimanche matin elle était de plus en plus portée au badinage. Or depuis qu'il n'avait plus Gaby, Noel supportait encore moins Leona.

Mais avec cinquante mille dollars, plus ce qu'ils avaient à leur compte d'épargne ; il pourrait s'en aller ailleurs recommencer sa vie. Certes, cinquante mille dollars, ça ne dure pas toujours, et il se retrouverait peut-être dans le même pétrin que maintenant. Néanmoins, cinquante mille dollars ça vous permet de faire un bout de chemin, et sur ce chemin il rencontrerait peut-être une autre Gaby. Il voulait profiter du peu de jeunesse qui lui restait encore.

Alors, avait-il le choix ? Ce serait pour jeudi soir.

Au banquet d'ouverture du congrès, le jeudi soir, Noel Tasker s'efforça de faire remarquer sa présence au maximum de gens, serrant des mains, distribuant des tapes sur l'épaule, échangeant des plaisanteries. Il faisait aussi mine de boire, mais seulement mine, car il tenait à être parfaitement lucide.

Comme le repas tirait en longueur, Noel laissa malgré lui paraître un certain énervement, mais personne ne s'en aperçut. Enfin, on fit passer les cigares, et puis arriva le moment qu'il attendait. Alors qu'on déplaçait des chaises et s'installait au petit bonheur, les lumières s'éteignirent pour permettre la projection d'un film de quarante-cinq minutes sur les nouveaux développements de l'industrie. Noel disposait donc de quarante-cinq minutes d'invisibilité.

Seul un serveur ou deux avaient pu remarquer son départ. Il n'utilisa pas l'ascenseur et il s'était garé dans la rue, pour ne pas avoir affaire avec le gardien du parking. Il mit douze minutes pour atteindre Camelot Court et eut la quasi certitude que son arrivée passait inaperçue, car maintenant qu'on était en automne, les gens restaient calfeutrés chez eux sans plus s'occuper des allées et venues de leurs voisins.

Leona l'accueillit, en manifestant une certaine surprise. Prête à se coucher, elle avait la tête hérissée de rouleaux.

— Comment se fait-il que tu rentres si tôt ? demanda-t-elle en lui souriant.

— C'était assommant.

Il passa dans la chambre à coucher et se dépouilla de ses vêtements. Quand il reparut complètement nu et sa main droite derrière le dos tenant le rasoir, Leona eut un haussement de sourcils expressif :

— Noel, qu'est-ce qu'il t'arrive ?

Il sourit en haussant les épaules :

— Je t'ai dit que le dîner était assommant. J'ai pensé que je pourrais passer le temps ici plus agréablement...

Pour qu'il l'amène à se placer comme il le souhaitait, il fallait qu'elle se lève et quitte le sofa.

— Noel ! Tu as trop bu !

Il secoua la tête.

— . Une fille a dû surgir du gâteau, comme dans les films...

— Et ça m'a donné des idées ? Ma foi, peut-être bien...

Les secondes se muaient en minutes et Leona jouait les Sainte Nitouche, prenant son temps.

— Alors, qu'est-ce que tu en penses, Leona ?

— Je viens de mettre mes rouleaux...

— Ça n'est pas un obstacle majeur.

— Noel, dit-elle tandis qu'un sourire s'épanouissait sur ses lèvres, tu m'as l'air bien polisson ce soir !

— Oui, je l'avoue.

Elle se mit lentement debout et lentement gagna le milieu du living. Là, elle s'immobilisa et, toujours comme au ralenti, dénoua la ceinture de son déshabillé.

— Ôte-le... la pressa-t-il. Les rideaux sont fermés.

Il s'en était assuré.

Elle laissa glisser le négligé par terre et demanda, tout en caressant sa chemise de nuit :

— Dois-je l'ôter aussi ?

— Pourquoi pas ?

Elle entreprit de la retirer et, dans le même temps, il passa derrière elle. *C'est une chance que Gaby n'ait pas été violée !* pensa-t-il. *J'aurais eu du mal à répéter le M.O.*

Ce fut au moment où elle rejetait la chemise de côté

que, se plaçant directement derrière sa femme, Noel entra en action. L'empoignant par les cheveux, rouleaux et tout, il lui tira la tête en arrière et, serrant les dents en un suprême effort de volonté, lui trancha la gorge avec le rasoir.

Oh! le sang... Il n'avait pas imaginé que le sang giclerait aussi loin, ni qu'une femme en train de saigner pareillement pût avoir encore tant de force. Elle se lança de côté, cherchant à fuir. Il se cramponna à ses cheveux et elle chut sur le sofa, sans qu'il lâchât prise pour autant. Elle était contre la petite table où sa main voulut saisir le lourd cendrier qui s'y trouvait... Noel pesa alors de tout son poids sur elle afin que Leona ne pût tenter d'utiliser ce cendrier pour se défendre, car il ne voulait pas courir le risque d'avoir une marque au visage ou une bosse sur la tête.

Puis, au moment même où il se demandait si elle succomberait jamais, il la sentit mollir et s'affaisser. Ils demeurèrent un moment ainsi, elle avec la tête et les bras sur la petite table, lui chevauchant son dos, tandis que le sang rougissait la table, le cendrier, le parquet. Enfin il eut la certitude qu'elle était morte.

Noel laissa passer une précieuse minute, peut-être même deux, avant d'aborder la phase suivante, la plus difficile de tout le plan. Il n'avait que très peu mangé au banquet mais, à présent, il avait envie de vomir. Une horrible pensée lui vint : pourrait-on analyser les vomissures pour voir si elles correspondaient au menu du banquet?

Il se ressaisit. Le M.O. Il fallait s'y conformer ou ce serait sa perte. Si le meurtre ne pouvait être attribué au fou qui était censé avoir tué Gaby, les soupçons se porteraient tout naturellement sur le mari, à qui une assurance-vie de cinquante mille dollars fournissait un excellent mobile.

Il écarta donc le corps de la petite table et le coucha à plat ventre sur le sol. La blessure béante continuait à gargouiller. Le rasoir était plein de sang et aussi la main qui le tenait, mais Noel avait réussi à ne pas marcher dans la flaque rouge.

Il se mit au travail en fermant les yeux, mais s'avisa aussitôt que, en procédant ainsi, il risquait de se blesser lui-même. S'en tenir strictement au M.O. Tous les détails précis lui venaient de Maxine Borley, témoin oculaire ; si le témoignage avait été enjolivé et ne correspondait pas à la réalité...

Enfin, il eut terminé, à un détail près : celui qui constituerait la seule petite différence avec le précédent crime. Cette fois, l'assassin ne devait pas laisser d'empreinte sur le rasoir. Evidemment, il aurait pu mettre des gants, bien sûr, mais il lui aurait fallu ensuite se débarrasser de ces gants tachés de sang. Non, c'était plus simple ainsi... Il essuya le rasoir avec un coin de la chemise de nuit, laissa tomber l'arme dans la flaque de sang, puis envoya le léger vêtement l'y rejoindre. Aucun laboratoire au monde ne pourrait tirer une empreinte de tout ça.

Restait Noel lui-même.

Le lieutenant Kabrick avait eu entièrement raison. Avec ce M.O., l'assassin ne recevait guère de sang sur lui. Ses vêtements, bien sûr, étaient dans la chambre à coucher et il n'avait pas marché dans le sang. Seuls ses mains et ses bras avaient été éclaboussés ; toutefois, pour plus de sûreté, il prit une douche, une douche rapide mais minutieuse, qui incluait même les cheveux. L'air de la nuit les sècherait. Après quoi, il remit ses vêtements. Quand, au sortir de la chambre, il traversa la salle de séjour, il n'eut même pas un regard pour le corps gisant sur le parquet.

Il ferma à clef la porte d'entrée. Nul ne le vit remonter dans sa voiture et repartir. Douze minutes plus tard, il arrivait à l'hôtel, où il eut la chance de pouvoir se garer à la même place que précédemment.

Lorsque Noel rejoignit les congressistes, le film se terminait. Cette fois, il but pour de bon, distribua force tapes et poignées de main, blagua de plus belle, mais durant tout cela il ne perdit pas de vue son objectif. Il sollicita des commentaires à propos du film et apprit ainsi tout ce qu'il avait besoin d'en savoir. Ce ne serait pas là-dessus que Kabrick risquerait de le coincer.

Il était tard quand Noel Tasker quitta l'hôtel. Il n'avait pas envie de s'en aller. Il aurait préféré coucher sur place, comme certains de ses collègues qui n'étaient pas de la ville, mais il se devait de rentrer chez lui, en mari fidèle et attentionné.

Cette fois, il conduisit moins vite et le trajet de retour lui prit vingt minutes. La voiture garée, il remonta l'allée, ouvrit la porte avec sa clef. Il avait laissé la lumière allumée, si bien qu'il n'eut pas à actionner le commutateur. Leona gisait exactement comme il l'avait laissée.

Décrochant le téléphone, il composa le numéro de la police sur le cadran et, d'une voix brisée, signala le meurtre.

Finalement, à la suggestion du lieutenant Kabrick, Noel passa le reste de la nuit dans un hôtel, afin de laisser le champ libre aux enquêteurs et aux techniciens de la police.

Il dormit par à-coups, et n'eut aucunement besoin de se forcer pour paraître effondré le lendemain matin. Commettre un meurtre n'est pas rien.

Le lieutenant Kabrick se présenta à l'hôtel le vendredi matin, aux alentours de onze heures. Dès qu'il lui eut ouvert la porte de chambre, Noel dit :

— Leona n'avait pas tort d'avoir peur, hein ? C'est bien le même type qui l'a tuée ?

Le policier esquissa un haussement d'épaules en prenant place dans un fauteuil :

— Vous croyez ?

— Noel le regarda fixement :

— Non ? Mais j'ai vu un rasoir...

— Cette fois, le rasoir ne présentait aucune empreinte, l'informa Kabrick.

Intérieurement, Noel sourit. *Un point pour moi.*

— Mais il y avait plusieurs empreintes sanglantes sur

179

la petite table proche du sofa et sur le cendrier qui s'y trouvait.

— Des empreintes de l'assassin ?

— Non, de votre femme.

Le lieutenant leva les yeux. Un regard dur, implacable.

— Et presque tout de suite nous nous sommes aperçus d'une chose étrange. Une des empreintes de votre femme correspondait à celle relevée sur le rasoir ayant servi à tuer Miss Marchant.

Noel s'assit avec précaution au bord du lit, car la chambre s'était mise à tourner autour de lui.

— Il faut que nous causions un peu ensemble, monsieur Tasker, dit le lieutenant. Nous avons à discuter de pas mal de choses... De l'hypothèse selon laquelle votre femme aurait tué Miss Marchant... De la raison qu'elle pouvait avoir de le faire... Et puis, si votre femme a tué Miss Marchant, qui a tué votre femme ? Voyez-vous, monsieur Tasker, j'ai ma petite idée là-dessus...

Noel n'écoutait plus. Pourquoi, mais pourquoi Leona avait-elle égorgé Gaby ? Il n'arrivait pas à imaginer une raison... Peut-être cela lui viendrait-il plus tard.

Frightened Lady.
Traduction de Maurice Bernard Endrèbe.

L'homme multiple

par

JACQUES GILLIES

Lorsque Kennedy déboucha dans la lumière intense du patio, il aperçut un homme assis à l'autre bout, sous une vigne en tonnelle. Auprès de lui, une jeune femme était étendue, immobile sur un matelas pneumatique, et semblait dormir. Un grand verre, à demi rempli d'une boisson rafraîchissante d'une belle teinte verte, était à portée de sa main.

— M. Grimaud ? demanda-t-il.

Il était sur le point de poursuivre sa marche en direction de l'inconnu quand celui-ci fit un geste.

— Une minute ! Ne bougez pas : je veux voir ce dont vous avez l'air.

L'homme semblait très fatigué. Il parlait anglais lentement, comme avec précaution. Il faisait sauter dans sa main une pièce d'argent : mais c'était comme si cette pièce avait pesé une tonne. La jeune femme n'avait pas ouvert les yeux.

En plein soleil, Kennedy sentait la tête lui tourner. Il n'avait pris qu'une tasse de café noir et une biscotte en descendant du train à Nice : il était surtout préoccupé de ne pas arriver en retard et ne pas manquer l'emploi qu'il avait sollicité. Une goutte de sueur lui coula le long du visage, depuis l'extrémité de la ride qui lui barrait le front. Grimaud continuait à l'examiner tranquillement.

— Combien pesez-vous, monsieur Kennedy ?

— Soixante-quinze kilos, environ.

— Humm... Ça va à peu près.

En dépit du contrôle qu'il opérait sur lui-même, Kennedy vacilla.

— Il fait très chaud, monsieur Grimaud, dit-il. Si vous n'y voyez pas d'inconvénient...

Et il eut un geste vers un siège disponible.

Grimaud eut un sourire :

— Une minute encore, s'il vous plaît. Quel âge avez-vous ?

Kennedy s'essuyait le cou avec son mouchoir.

— Vingt-huit ans, murmura-t-il.

La sueur avait collé ses cils : il tenta de battre des paupières pour y remettre de l'ordre.

— Ecoutez, cette chaleur... Il faut que je...

— Eh bien, ça va, Kennedy... Asseyez-vous maintenant.

Grimaud avait cessé de sourire.

Kennedy pénétra dans l'ombre fraîche de la tonnelle. La voix lente de Grimaud continuait :

— Bon, j'ai déjà vu une douzaine de candidats. C'est encore vous qui me ressemblez le plus. Je vous embauche... si vous êtes toujours d'accord...

— Merci, monsieur Grimaud. Quel que soit le travail à faire, je le ferai de mon mieux.

— Bien entendu, il va falloir que vous vous arrangiez un peu, que vous teigniez vos cheveux pour qu'ils soient un peu plus foncés. Mais avec des lunettes noires et une moustache comme la mienne, ça devrait pouvoir aller. Mon avocat m'a dit que vous aviez connu récemment une période difficile. Je me demande d'ailleurs ce que vous pouviez bien faire à Paris, en tant que détective privé américain...

Kennedy s'agita sur sa chaise, un peu gêné.

— Eh bien, je suis venu à Paris pour enquêter sur une affaire de divorce. L'affaire a tourné court, et je suis resté en panne... Sa voix s'étouffa dans l'air pesant.

Grimaud eut un hochement de tête signifiant *peu importe*.

— Je vous propose une rémunération de trois cent cinquante francs par jour — un peu plus de cinquante dollars.

Les yeux de Kennedy s'écarquillèrent.

— Ce n'est pas mal... Et qu'est-ce que je vais avoir à faire ?

— Me remplacer de temps en temps.

En un geste qui parut lui demander un effort considérable, M. Grimaud avança le bras et referma ses doigts sur la paume de sa main, comme pour s'assurer du parfait état de ses ongles manucurés.

— Comprenez-moi bien, reprit-il, on cherche à m'abattre.

Sans autre avertissement, il jeta, par-dessus le corps toujours immobile de la jeune femme, un objet brillant qui vint atterrir sur les genoux de Kennedy. Kennedy le ramassa et constata qu'il ne s'agissait pas d'une pièce de monnaie, mais bien d'une jolie balle de fusil, au nickel étincelant. La pointe de la balle était légèrement écrasée. Grimaud expliqua :

— Le jardinier a trouvé cette balle, pas plus tard qu'hier, à proximité de la clôture. On a essayé de m'avoir de loin, avec un fusil à lunette : on a dû me tirer depuis le champ d'oliviers.

Tandis que Kennedy examinait la balle en la tournant et la retournant entre ses doigts, Grimaud ajouta :

— C'est pourquoi je vous ai fait rester cinq minutes en plein soleil : pour le cas où mes petits amis se seraient encore trouvés dans les parages et où ils auraient eu envie de faire un carton...

— C'est très gentil de votre part... fit Kennedy avec une pointe d'amertume. Et il se demanda s'il aurait assez de courage pour se lever et s'en aller.

Grimaud se mit à rire.

— Pourquoi pas ? N'êtes-vous pas à mon service ? A moins que vous préfériez... ?

Kennedy laissa tomber la balle par terre. Il songea au retour à Paris par cette chaleur écrasante, aux démarches à reprendre d'agence en agence pour tenter de trouver un autre emploi... La voix fatiguée insista :

— Oui ou non, êtes-vous décidé à travailler pour mon compte ?

Kennedy poussa un soupir.

— Bien sûr, monsieur Grimaud. Bien sûr.

Grimaud se leva : il était frais, les vêtements qu'il portait semblaient sortir de l'armoire.

— Entrons dans la maison, voulez-vous ? Vous prenez vos fonctions sans tarder davantage, n'est-ce pas ?

Le corps d'albâtre, dont ils durent faire le tour, ne bougea pas d'une ligne. Ils pénétrèrent dans un petit salon où la vigne en tonnelle répandait une ombre verte.

Grimaud et la jeune femme étaient assis, silencieux, en face de lui, de l'autre côté de la table. Bien décidé à faire honneur au dîner, Kennedy dévorait à belles dents, en dépit de l'odeur aigre provenant de la moustache postiche que Dominique, le domestique, lui avait collée sur la lèvre supérieure. Dominique lui avait également fait un shampooing pour foncer sa chevelure et l'avait coiffé avec une ondulation sur le front, comme Grimaud.

Après quoi, Grimaud avait posé la question à Anna :

— Qu'en penses-tu ? N'est-ce pas une réussite ?

— Formidable ! avait reconnu la jeune femme, avec une nuance d'inquiétude. Mais je me demande bien comment je ferai maintenant pour vous distinguer l'un de l'autre...

Ce à quoi Grimaud avait répondu sans plaisanter :

— Je serai celui qui te descendra si tu te trompes.

Kennedy, médusé, ne pouvait détacher son regard du visage de la jeune femme. Elle n'avait pas le genre américain : et pourtant, elle était Américaine. Grimaud en se levant de table, déclara :

— Anna va vous emmener faire une petite promenade, avant qu'il fasse nuit. Le pays est très joli... Il est préférable que vous ayez cela sur vous.

Il lui tendit un automatique de petite taille.

C'était un Beretta 22 : Kennedy le glissa dans la poche de sa veste. La Jaguar grand sport était à la porte. Il était encore en train d'admirer la voiture quand Anna reparut, s'enveloppant dans un raglan en poil de chameau.

— C'est un peu ridicule... J'ai l'air d'une potiche !

— Nos accords veulent que vous preniez ma place où et quand je vous le demande.

Exaspéré, Kennedy répliqua :

— Ecoutez : s'il est vrai qu'on veut vous tuer, laissez-moi organiser votre protection comme je l'entends.

— Je vous paie pour que vous fassiez ce que je veux, moi.

Kennedy eut une hésitation : mais il songea au chèque qui l'attendait au premier étage. Grimaud lui avait versé ses appointements, d'avance, pour toute la semaine. La somme représentait le coût d'un vol de Nice à New York. Il finit donc par descendre les marches du perron.

Anna conduisait rapidement, traversant les champs d'oliviers d'un blond cendré dans la lumière du soir. Au départ, Kennedy était aussi tendu qu'un ressort comprimé : mais il se relaxa peu à peu. Anna ne disait rien ; le vent de la course agitait doucement ses longs cheveux. Par deux fois, elle ralentit pour allumer une cigarette : elle avait les gestes brefs et mesurés d'une personne habituée à se servir elle-même.

A la fin, il lui demanda :

— Anna, que faites-vous donc là ?

Pendant un moment, elle le considéra avec des yeux aussi vides et inexpressifs que les fenêtres d'une Maison Centrale. Puis elle se décida à répondre :

— Félix avait besoin d'une secrétaire. J'avais envie de venir en Europe. Voilà...

Elle ajouta tranquillement :

— Il veut m'épouser...

Elle ne dit rien de plus. Ils traversèrent la vieille ville, dépassèrent le port, rejoignirent la Promenade des Anglais. La baie était parée d'un collier de lumières ; le reflet de la lune la divisait en deux parties égales. Kennedy se dit que c'était en tout cas un merveilleux décor pour mourir jeune...

A leur retour, ils trouvèrent Grimaud qui les attendait sur le perron.

— Vous devez être fatigué, Kennedy, dit-il. Allez vous reposer : je n'ai plus besoin de vous ce soir.

En montant lentement l'escalier, Kennedy jeta un coup d'œil sur le petit salon enfumé. Sur le bar, à hauteur de poitrine, il y avait trois verres...

Le matin suivant, quand il pénétra dans la salle à manger, Kennedy sentait immédiatement qu'il y avait de la poudre dans l'air. Grimaud lui dit brièvement :

— Le facteur a apporté un paquet. Je préférerais que vous l'ouvriez.

Le paquet était à côté de son assiette. Un peu embarrassé, Kennedy répondit cependant : « D'accord », et prit le paquet en main. A ce moment il remarqua que les autres avaient fait quelques pas en arrière et qu'ils demeuraient auprès de la fenêtre ouverte. Il jeta un regard sur l'étiquette imprimée qui mentionnait le nom de Félix Grimaud. Le paquet avait été posté à Cannes. Aucune autre indication utile n'apparaissait sur l'emballage.

Soudain, dans un moment de colère, il saisit le paquet et le lança dans le foyer de la cheminée, qui était vide. Puis, se tournant vers Grimaud, il cria :

— Oui, je vais l'ouvrir, votre paquet ! N'ayez pas peur, je vais l'ouvrir ! Mais je vais l'ouvrir à ma façon !

Il alla rechercher le paquet, il ôta le papier brun qui l'enveloppait, faisant apparaître une boîte à chaussures. Il posa la boîte sur la table, puis, s'agenouillant pour utiliser le plateau de la table comme protection, il souleva doucement le couvercle avec l'extrémité d'un couteau. Le couvercle bascula. On aurait entendu voler une mouche. Kennedy se releva lentement, Grimaud se rapprocha de lui. La boîte contenait une poupée en celluloïd avec des lunettes noires et des moustaches : Kennedy considéra la petite fourchette à cocktail qui lui transperçait la poitrine...

Grimaud se mit à rire :

— Ils n'y vont pas par quatre chemins, hein ?... Qu'est-ce que vous en dites ?

— Kennedy, aujourd'hui, c'est repos pour vous... déclara Grimaud, alors qu'ils étaient assis tous les trois devant leur tasse de café à l'ombre de la tonnelle. Et ce soir, vous emmènerez Anna dîner en ville. Je vous ai fait réserver une table sur la terrasse du Casino Royal. Ce n'est pas aussi dangereux que vous pourriez le croire : le maître d'hôtel a reçu des ordres pour qu'une protection vous soit assurée.

Les yeux en l'air, Kennedy admirait les somptueuses grappes de chasselas doré qui pendaient au-dessus de leurs têtes comme des lustres de cuivre.

— J'aimerais bien descendre en ville cet après-midi, monsieur Grimaud, demanda-t-il. Je veux dire : pour une affaire personnelle.

— Mais moi, je préfère que vous restiez ici.

Kennedy secoua la tête.

— Ecoutez, monsieur Grimaud : je suis maintenant engagé dans une aventure qui peut finir mal d'un instant à l'autre. Je voudrais tout au moins que ma famille aux U.S.A. sache où je suis.

— C'est juste. Grimaud se leva lentement et resta debout. Allez-y, mais faites vite. Prenez une des voitures si vous voulez.

Il s'éloigna de son pas traînant.

Le même soir, alors qu'ils attendaient que la Jaguar soit sortie du garage, Grimaud demanda à Kennedy :

— Votre petite balade de cet après-midi vous a-t-elle fait du bien ?

— Beaucoup de bien, répondit-il sans se compromettre. Dans sa poche, au lieu du chèque, il y avait une liasse de billets de cent francs : et Kennedy, pour se rassurer, mit la main dans cette même poche.

Grimaud était en train de lui donner ses consignes :

— Si l'un de mes amis essaie de vous approcher et d'engager la conversation avec vous, Anna a pour mission de lui expliquer que vous êtes fatigué ce soir... D'ailleurs, rendez-moi le revolver. En tenue de soirée, c'est un peu trop visible. Et puis, au Casino Royal, ils n'aiment pas qu'on vienne avec des armes à feu. En cas de besoin, Anna en a un autre dans son sac à main.

L'instant d'après, Anna les rejoignait, très séduisante dans un fourreau de soie noire. Ils démarrèrent immédiatement, tandis que Grimaud, demeuré sous le porche, les saluait de la main en disant :

— Amusez-vous bien, Kennedy... Vous savez, c'est une soirée qui coûte cher ! Profitez-en !

En descendant vers la mer, Kennedy réussit à obtenir d'Anna quelques confidences supplémentaires. Elle était venue en Europe sous l'uniforme de la W.A.A.F. et elle avait rencontré Grimaud au cours d'une permission qu'elle avait passée à Paris. Avant de le connaître, elle était fiancée à un garçon de l'Ohio. Elle lui avait demandé de venir la rejoindre en Europe : mais il avait là-bas une petite affaire de transports qui ne marchait pas mal. Il était associé avec un ancien copain de l'U.S. Air Force et il ne voulait pas le laisser tomber. Elle en concevait quelque amertume.

Ils arrivèrent sans incident jusqu'à la table qui leur était réservée sur la terrasse du Casino. Les serveurs allaient et venaient : mais Kennedy ne faisait pas honneur au repas. A nouveau, il avait la gorge nouée. Il attendait... Au bout d'un certain temps, un homme portant la livrée du Casino s'approcha de lui et lui dit à l'oreille :

— On vous demande au téléphone, monsieur.

Kennedy vit les yeux d'Anna s'agrandir de terreur.

— Il ne faut pas me quitter, dit-elle. Félix est formel sur ce point !

— Anna, excusez-moi. Je sais que c'est urgent...

Il ne s'absenta pas plus de deux minutes. Quand il revint, elle le considérait avec des yeux ronds.

— Maintenant, écoutez-moi bien, commença-t-il d'une voix sévère. Nous n'avons que très peu de temps devant nous. Dès le premier instant, j'ai eu le sentiment que cette affaire de déguisement était très louche.

Il la vit reprendre son souffle.

— Que voulez-vous dire ?

— Je veux dire ceci : j'ai tiqué dès le premier jour quand il m'a lancé la balle de fusil. Voyez-vous : cette balle n'avait jamais été tirée, elle ne comportait aucune rayure, aucune trace de poudre brûlée. Par ailleurs, j'ai réfléchi que Grimaud ne vous aurait pas envoyée avec moi s'il avait été sûr que les tueurs me guettaient. Après cette comédie macabre de la poupée dans le paquet, mon opinion a été faite. Et si personne ne chercher à tuer Grimaud, c'est probablement que Grimaud a une autre bonne raison pour avoir besoin d'un sosie : par exemple qu'il a l'intention de tuer et qu'il lui faut un alibi... Demain, il m'aurait gentiment rendu le revolver... il se serait soigneusement confectionné un alibi... et j'aurais été à découvert ! Lorsque j'aurais tenté de raconter l'histoire rocambolesque de Grimaud voulant me déguiser pour ceci ou pour cela, il aurait nié froidement et l'inspecteur m'aurait ri au nez !

— Voyons ! Jamais Félix n'aurait...

— Chut ! Cet après-midi, je me suis arrêté au Commissariat Central de Nice. Votre Félix a un passé. La police a été vivement intéressée par mes suppositions. Une voiture a attendu Grimaud, ce soir, à la porte de sa villa et l'a pris en filature. Grimaud a été pincé dans l'appartement d'un riche propriétaire de la rue Saint-Clair : malheureusement, les inspecteurs n'ont pas été assez rapides pour sauver la vie de Dominique. Grimaud l'a abattu parce qu'il a cru que c'était son domestique qui l'avait vendu.

— C'est incroyable...

Les mains d'Anna se crispèrent sur son sac.

— Je vous préviens qu'on vous recherche. La police

veut savoir quelles ont été les récentes activités de Grimaud.

Il tâta dans sa poche la liasse de billets de banque et la lui montra.

— Ça fait mal, mais ça passera. Avec cette liasse, il y a de quoi vous ramener aux Etats-Unis... Vous ne feriez peut-être pas mal d'aller jeter un coup d'œil sur ce que fabrique votre copain de l'Ohio.

— Vous êtes vraiment prêt à faire cela pour moi ?

— Vous savez, cette histoire Grimaud, ça va être un sale truc. Je n'aimerais pas vous y voir mêlée. Nous sommes entre Américains : il faut bien se donner un coup de main...

Elle se leva, toucha l'argent du bout des doigts.

— Comment vous retrouverai-je ? Je vous rembourserai : j'y tiens beaucoup.

— Ça ne fait rien. J'en ai d'autre, tout ce qu'il faut...

— Je n'oublierai jamais... dit-elle avec un peu de solennité. Elle fit demi-tour et il la regarda s'éloigner.

Il demeura assis dans la pénombre, tournant lentement le verre de whisky entre ses doigts. Peu de temps après, le bruit d'une sirène lui parvint : et l'inspecteur au regard perçant qu'il avait rencontré au commissariat fut devant lui. L'inspecteur lui fit un récit détaillé des événements. En guise de conclusion, il lui demanda :

— Monsieur Kennedy, y a-t-il quelque chose que je puisse faire pour vous ? Parlez... C'est accordé d'avance.

Kennedy eut un sourire en coin. Il songeait à une chose qui l'embarrassait fort depuis le départ d'Anna.

— A vrai dire, répondit-il enfin, je suis un peu à court d'argent. Pensez-vous que la Sûreté aurait l'amabilité de régler l'addition ?

The Plural Mr. Grimaud.
Traduction de Gersaint.

Un peu de bonheur
avant la mort

par

HENRY SLESAR

> *Avant de prescrire les plaisirs simples, il*
> *faut songer aux conséquences.*

La voix du psychiatre semblait émaner du diplôme encadré accroché au-dessus de sa tête. Artifice de ventriloque ? Il s'appelait Harold Miller et la signature gravée donnait à son nom une touche majestueuse. Admirant le dessin des lettres, Werther Oaks se demanda si le Dr. Miller n'avait pas fait appel à un artiste italien ou viennois pour redessiner la signature. Il plissa les yeux pour déchiffrer le lieu de délivrance du diplôme : New Jersey. Où les psychiatres de l'Ecole viennoise allaient-ils se nicher ? Le Dr. Miller réalisa que son interlocuteur ne l'écoutait pas, il s'éclaircit la gorge.

— Excusez-moi, dit Werther. Je n'arrive pas à me concentrer. Ce que vous me dites... j'avoue que j'ai du mal à admettre ce que vous dites.

— Je sais bien, dit le Dr. Miller. (La voix émanait maintenant de sa source naturelle.) Ce n'est pas facile d'entendre parler ainsi de sa propre femme. Mais c'est la vérité et il faut la regarder en face. Cet accident n'en était pas un. Comme l'a montré Freud, dans la vie il n'y a pas de hasard.

— C'est quand même difficile à admettre. Je veux dire, à propos de Sylvia. Avec tout ce qu'elle possède.

191

(Il eut un petit rire amer.) Je ne parle pas de moi, naturellement. J'ai toujours été un bon mari, mais je ne vous demande pas de me croire.

— Je ne vous ai pas fait venir ici pour vous mettre en accusation, mais pour essayer d'aider votre femme.

Werther examina les doigts de Miller. De gros doigts courts et boudinés. Quel contraste avec les mains de Werther ! Quand il avait rencontré Sylvia au Club de Grosse Pointe, il était « mannequin de mains ». Elle avait eu, d'abord, une grimace méprisante en apprenant son étrange profession. Mais, plus tard, sur la terrasse, elle lui avait avoué s'être demandée quelle impression cela faisait d'être touchée par des mains aussi célèbres.

— Docteur Miller, dit Werther, ma femme m'a juré s'être trompée, avoir pris ces pilules par inadvertance. Vous pensez vraiment que c'était un acte délibéré ?

— Plutôt, l'expression d'un désir inconscient. Le fait, voyez-vous, que votre femme possède apparemment « tout ce dont elle a besoin » ne signifie pas qu'elle ait *tout ce qu'il lui faut*. Vous comprenez ?

Ce soir-là, Werther aurait volontiers giflé Sylvia. Avec une de ses fameuses mains. Mais au lieu de cela, il lui avait pris la tête entre les mains et avait posé un tendre baiser sur ses lèvres. Une gifle l'aurait moins surprise.

Deux mois plus tard, en dépit de la méfiance des amis de Sylvia qui considéraient Werther comme un chasseur de fortunes, ils s'étaient mariés. Pendant leur lune de miel, elle l'avait pris par les poignets et avait exulté :

— Maintenant elles sont à moi !

Il avait plaisanté à propos de ses mains données en mariage et Sylvia avait éclaté de rire. C'était la dernière fois qu'il l'avait entendue rire.

**

— Bien sûr, elle n'est pas d'une nature très gaie, dit Werther au psychiatre. Je m'en suis aperçu tout de suite quand je l'ai rencontrée. Elle a des moments de dépression, mais je ne pensais pas que c'était aussi grave.

— Elle m'a raconté qu'il lui arrivait de s'enfermer quatre ou cinq jours de suite dans sa chambre.

— En effet, ça lui arrive de temps en temps. C'est sa manière à elle d'échapper aux pressions.

— Aux pressions ?

— L'argent n'empêche pas d'échapper aux obligations, dit Werther en parodiant Vossberg, l'homme d'affaires de Sylvia.

— Ah ! dit Miller qui semblait maintenant presque viennois. Mais l'argent ne préserve pas des maladies de l'esprit.

— Ne peut-on acheter le bonheur ?

— Pour un psychiatre, dit Miller, un tel cliché n'a pas de sens. Je pense que là se trouve la clé du problème de votre femme. Et c'est ce qui la bouleverse. Peut-être au point de la conduire jusqu'à la mort.

Werther cligna des paupières.

— L'argent l'a rendue malheureuse, continua le Dr. Miller. L'argent lui a apporté une vie terne, sans satisfaction personnelle. Elle est incapable de jouir des plaisirs simples, elle ignore ce qu'est le plaisir.

— Je m'en suis aperçu, murmura Werther. Mais pensez-vous vraiment qu'elle soit malheureuse au point de se donner la mort ?

— Non, pas si l'on intervient rapidement, dit le Dr. Miller. Autrement, il risque de se produire un autre « accident ». Et cette fois il pourrait être fatal.

Quand le Dr. Miller le raccompagna à la porte du bureau, Werther lui offrit une de ses fameuses mains. Ses doigts tremblaient. Miller suggéra que lui aussi prenne un peu de repos.

Werther sortit de l'immeuble et s'étonna qu'il fît encore jour. Sa voiture était parquée au coin de la rue, en stationnement illicite depuis une demi-heure. Malgré cela, il prit le temps de faire le tour du pâté de maisons afin de réfléchir à ce qu'il venait d'apprendre.

Sylvia était sur le point de se suicider.

Sylvia était malheureuse à mourir.

La signification de tout cela lui coula dans le corps comme un verre de vin et lui fit l'effet d'un bon champagne. S'il n'y avait eu autant de gens dans la rue, il aurait sauté de joie.

**
*

Velvet sentit qu'il y avait quelque chose de changé en lui mais ne dit rien. Avec un contentement de félin, elle attendit qu'il se décidât de lui-même à fournir une explication. Elle s'installa à terre devant lui, se lovant sur la moquette, tandis qu'il s'asseyait dans le sofa, fumant silencieusement un de ces petits cigares bruns qu'il avait troqués depuis peu contre les cigarettes. Lentement elle tendit la main, caressa le mollet de Werther, puis, faisant glisser la chaussette, elle entreprit de masser la cheville dénudée.

— Mardi soir, dit doucement Werther, Sylvia a avalé quatre ou cinq comprimés de somnifère. Elle dit qu'elle s'est trompée, qu'elle croyait que c'était de l'aspirine.

— On ne prend pas cinq cachets d'aspirine d'un coup, souligna Velvet avec logique.

— Ah! dit Werther, et il réalisa qu'il réagissait exactement comme le docteur Miller.

— Werther chéri, vas-tu enfin me révéler ce que cache cet air mystérieux? Cette grande affaire, qu'est-ce que c'est?

Velvet était le mannequin vedette de l'Agence de modèles Tilford. Elle gagnait plus de cent dollars de l'heure et ses revenus mensuels dépassaient ceux de Werther (une pension versée par Vossberg). Dans ces circonstances, il se réjouissait d'être l'ami privilégié de Velvet. Ils s'étaient connus à l'agence, quelques mois plus tôt, quelques mois avant qu'il ne rencontrât Sylvia

194

à Grosse Pointe. (On l'avait envoyé à Detroit tourner dans un film publicitaire pour le compte d'une compagnie automobile. « Regardez ces mains sur le volant et vous comprendrez ce qu'il y a de nouveau dans le moteur ».) Quand elle avait appris son mariage avec Sylvia, Velvet lui avait fait une scène pendant plus d'une heure. Jusqu'à contracter une laryngite qui l'avait empêchée de tourner le lendemain dans un film vantant les mérites d'une nouvelle crème de beauté. A la suite de quoi elle lui avait envoyé chaque mois une note correspondant aux royalties qu'elle aurait dû toucher. Il avait fini par acquitter sa dette en lui offrant un bracelet en diamants de chez Tiffany. Pour cela, il avait réussi à convaincre Vossberg qu'il désirait faire un cadeau à Sylvia.

— Ma femme est sur le point de se suicider, dit Werther. Voilà la grande affaire.

— Tu plaisantes ? Tu dis ça pour plaisanter ?

— Vel, dit tristement Werther. Tu crois que je plaisanterais avec des choses pareilles ? Comprends-tu ce que cela *signifie* pour nous ? Nous n'avons plus besoin de nous préoccuper de cette histoire de voiture, de freins qui lâchent… nous n'avons plus besoin de nous compromettre dans cette histoire de meurtre.

— Oh ! Werther, gémit Velvet en se bouchant les oreilles, ne prononce pas ce mot ici. Comment peux-tu prononcer ce mot chez moi ? On pourrait nous entendre. Tu sais qu'on s'était promis de ne parler que de « mm-mm ».

— Ça fait six mois qu'on parle de « mm-mm », dit Werther. Et maintenant Sylvia va au-devant de nos désirs. Plus besoin de « mm-mm ».

— *Pauvre* Sylvia ?

— Oui, dit Werther. Elle est plus mal en point que je ne le croyais. Complètement névrosée, elle s'est mise à haïr l'argent, son argent. C'est marrant, non ? Elle déteste cet argent que je convoite tant.

— Il faut être fou pour haïr l'argent, fit Velvet. C'est

peut-être pour ça qu'elle en est arrivée là, parce qu'elle est folle.

— Elle est malheureuse, dit Werther en exhalant une bouffée de cigare. Elle a toujours été malheureuse. Parce que l'argent n'a jamais eu aucun sens pour elle. Du moins pas le même sens que pour moi.

— Ou que pour moi, ajouta Velvet. Regarde, Werther, regarde. (Elle porta un ongle d'un pouce de long au coin de ses yeux.) Regarde, je commence à avoir des pattes-d'oie. Je n'en ai plus pour longtemps. Dans un an au plus je me retrouverai au chômage.

— On ne peut pas savoir quand elle recommencera, dit Werther. Peut-être la semaine prochaine, peut-être dans un ou deux ans.

— Hein !

— Le psychiatre ne m'a pas donné d'indication précise, il ne sait pas. Ça dépend.

— Ça dépend de son état ? Alors, Werther chéri, rends-la plus malheureuse encore !

— Ouais, merveilleuse idée, géniale, dit Werther en fronçant le sourcil. Et l'argent, le testament, l'héritage ? Je suis suspendu à un fil, et je ne tiens pas à ce que Vossberg surgisse avec une paire de ciseaux. Non, ajouta-t-il tristement, je ne *veux* pas rendre cette pauvre fille plus malheureuse qu'elle n'est. Je l'aime bien, Velvet, elle me fait pitié, je suis vraiment désolé pour elle.

— C'est pour cela que je t'aime, soupira Velvet en frottant doucement sa joue contre la cheville de Werther. Parce que tu as du cœur.

— Tout ce qu'il me reste à faire, dit Werther, c'est lui administrer une dose mortelle de somnifère. Le Dr. Miller soutiendra dur comme fer qu'elle était prête à se suicider. Et personne ne pourra dire le contraire.

Sylvia garda les yeux clos quand il entra dans la chambre. Son cœur se mit à battre plus fort quand il se glissa sous les draps de satin. Il approcha sa main des lèvres de Sylvia. Le souffle froid de la respiration rafraîchit ses doigts.

— Sylvia ? murmura-t-il.

— Je ne dors pas, répondit-elle. (Elle ouvrit les yeux et le contempla, ses grands yeux noirs étaient remplis de larmes.) Je t'attendais. J'avais hâte de savoir ce que t'as dit le Dr. Miller.

— Comment sais-tu que je devais aller voir le Dr. Miller ?

— L'enveloppe près du téléphone. Elle porte son adresse. J'ai compris qu'il t'avait téléphoné. Qu'est-ce qu'il t'a raconté sur moi ?

— Sur toi, rien. (Werther sourit.) Il voulait simplement connaître le mari indigne qui n'avait pas su veiller à ce que sa femme ne se trompe pas de médicament.

— Il a osé te traiter de mari indigne ?

— Mais je le suis, dit-il tendrement. Si je n'étais pas rentré après dix heures ce soir-là, rien de tout cela ne serait arrivé.

— Je sais que tu travailles beaucoup, dit Sylvia.

Naturellement, elle n'en savait rien ; mais, pour elle, tous les hommes travaillaient beaucoup, c'était une chose établie. Son père avait gagné soixante-dix millions de dollars en ne quittant son bureau que pour se laver les dents. Werther, qui travaillait maintenant dans la compagnie de son père (American Bit & Drill), était l'administrateur le plus paresseux qu'on puisse imaginer. Un administrateur incapable qui se reposait entièrement sur la diligence de ses collègues.

— Dis-moi la vérité, murmura Sylvia. Que t'a dit le Dr. Miller à mon sujet ? Il t'a parlé de mon traumatisme ?

— Non, répondit Werther. Il m'a simplement dit que tu étais une personne merveilleuse qui n'a jamais eu la possibilité de devenir elle-même.

Des larmes coulèrent sur les joues de Sylvia.

— Il y a quelque chose d'anormal en moi, Werther. Pourquoi ne suis-je pas heureuse ? Je sais que je pourrais être heureuse, mais tout ce que je ressens c'est un immense vide intérieur. Werther, dis-moi ce qu'il faut faire !

— Pour l'instant, ma chérie, dit Werther, simplement fermer les yeux et essayer de dormir. Souviens-toi, Vossberg doit passer ici dans la matinée. Tu auras besoin de toutes tes forces pour discuter avec lui.

— Ma force, c'est toi, Werther, dit-elle en agrippant ses belles mains.

Le geste le toucha profondément. Quand de nouveau ses yeux se fermèrent encore mouillés de larmes, à son tour il sentit des pleurs perler sous ses paupières.

— Pauvre Sylvia, murmura-t-il.

Le lendemain, au bureau, il envoya six fléchettes dans la cible et décrocha le téléphone avec détermination.

— Velvet, dit-il, il faut que je te parle.

— J'écoute.

— Pas au téléphone. Tu fais toujours cette pub pour le shampooing ?

— Je suis en train. Je viens de rentrer pour me laver les cheveux.

— J'arrive.

Il l'obligea à s'asseoir sur le canapé tandis qu'il arpentait la pièce.

— Je ne peux pas, dit-il.

— Tu ne peux pas quoi ?

— Ne t'énerve pas.

Elle n'était pas énervée. Simplement déconcertée.

— Cela ne veut pas dire que j'ai changé d'avis. Simplement que je ne peux pas le faire maintenant. Ce ne serait pas bien.

— Qu'est-ce qui ne serait pas bien ? « Mm-mmer » Sylvia ?

— Oui. Pas maintenant, Velvet. Je ne peux pas.

— Mais tu as dit toi-même que c'était maintenant

qu'il fallait le faire, que son psychiatre pensait qu'elle allait se suicider, que personne ne pourrait nous soupçonner.

— Je sais ce que j'ai dit.

— Alors pourquoi attendre ? Si c'est maintenant qu'elle est *malheureuse,* c'est maintenant qu'elle *doit* le faire.

— Mais c'est aussi la raison pour laquelle je ne *peux* pas le faire, Vel. Parce qu'elle est malheureuse. Parce que cette pauvre fille n'a jamais connu un jour de vrai bonheur de toute sa vie. Pas même avec moi.

— Mais elle t'aime.

— Je suis sa force, dit Werther, répétant les paroles de Sylvia. C'est tout ce que je suis pour elle. Mais je ne l'ai jamais rendue heureuse, et ce n'est pas juste. Ce n'est pas bien, Velvet, de lui prendre son argent sans rien lui donner en retour.

— Mon Dieu ! Tu réagis vraiment de façon étrange, dit Velvet d'une voix teintée d'admiration.

— C'est pourquoi j'ai pensé, dit Werther, que je pourrais essayer de la rendre heureuse, réellement heureuse, avant de la faire mourir.

— Hein ?

— Je ne sais pas si je réussirai. Je ne sais pas si ce que dit le Dr Miller est vrai, si sa théorie est la bonne, s'il est vrai que l'argent l'a tellement traumatisée qu'elle ne peut jouir des plaisirs simples.

— Les plaisirs simples ?

— Oui, la nature, le ciel quand les nuages se réunissent pour parler de pluie...

— Oh ! Werther, c'est merveilleux !

Il avait lu ça dans un almanach.

— Le ciel quand une tempête se prépare, l'océan qui se déchaîne, ce que ressent l'herbe quand on s'y allonge après avoir marché longtemps dans la campagne...

— Oui, acquiesça Velvet, oui, je comprends ce que tu veux dire, Werther. J'ai aussi ressenti ces choses-là, mais c'est encore meilleur quand on a de l'argent.

— Non, dit-il. Justement. Ce sont des plaisirs qu'on

ne peut acheter avec de l'argent... Tu comprends ce que je veux dire ?

— Werther, s'il te plaît, dis-moi ce que tu as l'intention de faire ?

— J'ai l'intention de partir en voyage avec Sylvia — un voyage spécial — pas de première classe, pas d'hôtels de luxe, rien que l'argent puisse acheter. Je veux voir si elle peut être heureuse en vivant comme les gens simples, sans souci du lendemain, profitant à chaque instant de la présence des autres, de moi, du ciel, de la mer, de l'herbe. Je sais que ça peut paraître bizarre, peut-être pensera-t-elle que je suis fou, mais je vais le lui proposer. Un peu de bonheur avant la mort. Tu comprends, Vel ?

— Oui, dit Velvet, en le regardant avec respect. Et tu sais ce que je comprends aussi, Werther ? Que tu feras un excellent mari pour moi.

Sylvia se montra d'abord incrédule.

— Un voyage sans argent ? Mais pourquoi cela ?

Il éclata de rire.

— Je savais que tu aurais cette réaction, ma chérie. Mais, crois-moi, j'ai bien pesé chaque mot. Oh ! nous ne partirons pas complètement démunis. Nous prendrons quatre ou cinq cents dollars. Nous ne descendrons pas à l'hôtel, nous ne louerons pas de voiture dans chaque ville, nous vivrons simplement, avec les moyens d'un couple de jeunes gens en vadrouille.

— Werther, je n'arrive pas à croire que tu parles sérieusement. Nous avons toujours dépensé une fortune en voyage...

— Et quel plaisir en as-tu retiré ? Regarde les choses en face, Sylvia, tu t'es amusée pendant ces voyages ?

— Mais où irons-nous ?

— Où vont les gitans ? Partout, nulle part ! Sans destination précise. Là où nous mènera la route.

— En roulotte ?

— Pourquoi pas à bicyclette ? Ou à pied ? Mieux encore avec nos pouces ?

— Tu veux dire en auto-stop ?

— Pourquoi pas ? Tu as un très beau pouce, je ne te l'ai jamais dit ?

— Venant de toi, avec les mains que tu as, c'est un compliment.

Il rit comme un enfant.

— Nous vivrons comme des trimardeurs, ma chérie. Nous serons clochards, vagabonds, va-nu-pieds, nomades ! Avec un peu de chance peut-être nous ferons-nous arrêter par la police...

— Non merci !

— Nous achèterons des hamburgers sur le bord des routes et cueillerons des mûres dans les bois. Nous dormirons dans des motels bon marché, où nous signerons M. et Mme Smith, et personne ne soupçonnera que nous sommes légitimement mariés...

Un sourire éclaira le visage de Sylvia.

— Werther, je me demande par moments si tu n'es pas un peu fou.

— Mais, Sylvia, je veux que nous devenions complètement fous. Je veux que nous apprenions à respirer de l'air qui ne soit pas conditionné, à nager dans de l'eau qui ne soit pas désinfectée au chlore, à boire du gros rouge et à manger ce que mange Monsieur Tout-le-monde. Et peut-être même quitter un restaurant sans payer l'addition...

— Tu veux vraiment que nous fassions cela ?

— Je veux que nous partions, demain, cette nuit, tout de suite, sans prévenir personne, même pas Vossberg. Ramassons le peu de liquide qui traîne ici et en route pour l'inconnu ! Pas de carte de crédit, pas un mot à la banque, pas de bagage...

Sylvia soupira.

— Bon, d'accord, concéda-t-il juste un petit sac, un tout petit sac, avec le minimum nécessaire.

— Werther, c'est l'idée la plus folle que j'aie jamais

entendue de toute ma vie. Je ne pense pas que nous supporterons ça plus d'une semaine.

— Si tout va bien, on pourra embarquer sur un bateau à destination de l'Europe. Et faire le tour du monde.

— Je ne t'ai jamais vu comme ça, Werther !

— Et je ne t'ai jamais vue vraiment heureuse de vivre, Sylvia, dit-il en la prenant dans ses bras. C'est pourquoi je voudrais tant que tu acceptes.

— Tu ne crois pas qu'il serait plus raisonnable de prévenir Vossberg ?

Werther eut un sourire victorieux.

— On lui enverra une carte postale, dit-il avec jubilation. On achètera une carte postale dans une boutique de souvenirs, et on écrira : « Merveilleuses vacances ! Contents que vous ne soyez pas avec nous ! »

Sylvia éclata de rire. C'était la deuxième fois qu'elle riait depuis qu'il la connaissait.

Deux mois plus tard, Velvet reçut une lettre de Werther. Elle avait presque abandonné l'espoir d'entendre encore parler un jour de lui, elle était en pleine dépression. L'agence avait engagé trois nouvelles filles et elle était passée en quatrième position. Le directeur de l'agence avait accepté en son nom une photo publicitaire pour une marque de bière à quatre-vingt-dix dollars l'heure. Dix pour cent moins cher que le tarif habituel. Ce qui dans ce métier était de mauvais augure ; le commencement de la fin, elle n'en avait plus pour longtemps.

Elle ouvrit la lettre avec une telle fébrilité qu'elle arracha à moitié une douzaine de mots sur la deuxième page. Elle lut avec avidité :

Vel chérie,

Désolé de n'avoir pu t'écrire plus tôt, mais les circonstances m'en ont empêché. Je viens juste de rentrer

202

de Big Sur, où j'ai passé tout ce temps avec Sylvia dans une communauté où il était impossible, littéralement impossible, de distinguer les garçons des filles. Parce que la moitié des garçons de la communauté avaient décidé que la barbe était « out » cette année mais que les cheveux longs restaient « in ». Quant à moi, je pense que cela t'intéressera de savoir que j'arbore une magnifique barbe brune qui m'envahit tout le visage et me fait, je crois, ressembler un peu à Walt Whitman. En plus jeune et plus beau, pardonne ma vanité. Sylvia elle-même a beaucoup changé, elle n'a plus rien à voir avec la femme avec laquelle je suis parti à l'aventure il y a deux mois. Elle n'a pas mis une once de maquillage depuis notre départ (elle avait emporté avec elle une douzaine de pots de crème qu'elle a jetés après quelques jours). Elle n'a jamais été aussi bien. Sa peau est toute cuivrée, elle a un teint magnifique avec une nuance pêche. Elle a perdu au moins dix livres, jamais je n'aurais cru qu'elle pût être aussi bien. Elle est terriblement fière de sa nouvelle silhouette. Elle a oublié Halston, Yves St. Laurent et Mme Grès, elle ne se préoccupe plus de dîner dans les grands restaurants ou d'apparaître dans les parties à la mode. En fait, plus rien de ce qui appartient à la vie mondaine ne l'intéresse maintenant. Mais la chose la plus importante c'est qu'elle est heureuse. Vel, je veux dire : vraiment heureuse, plus heureuse qu'elle ne l'a jamais été pendant toute sa vie. Vel, j'ai gagné mon pari, je lui ai rendu la joie de vivre. Depuis le jour de notre départ (avec exactement quatre cent douze dollars en poche, et la ferme résolution de faire durer cet argent deux mois) elle a découvert en elle une nouvelle personnalité. Je ne pourrais probablement pas te raconter tout ce qu'ont été ces deux mois. Peux-tu imaginer ce que c'est que manger quelques pommes de terre au dîner, ou dormir deux nuits de suite dans un sac de couchage au fond d'une barque, ou voyager dans un vieux camion en compagnie de trois vagabonds ivres jouant de l'harmonica pendant toute la nuit... Ou faire la cueillette des pommes et en manger jusqu'à s'en dégoûter à vie, ou devenir amis avec un groupe de musiciens de rock and roll qui nous ont conduits dans leur bus jusqu'à Charlotteville, en Caroline du Nord? Vel, je ne peux tout te raconter, mais bientôt nous en aurons le temps. J'ai fait ce que je pensais devoir faire. Maintenant, c'est terminé, je rentre à la maison avec Sylvia. Elle est complètement transformée, Vel, elle est très heureuse. Mais je veux que tu saches que, moi, je n'ai pas changé, je suis toujours disposé à réaliser mes projets. C'est important pour moi. Je suis certain que tu vois ce que je veux dire. Aussi, ne t'attends pas à avoir de mes nouvelles avant plusieurs jours. Tu comprendras bientôt pourquoi. En attendant, mon amour, je t'embrasse très fort, et n'oublie pas de brûler cette lettre.

Werther

P.S. Je t'ai demandé de brûler cette lettre. Qu'attends-tu pour le faire?

Velvet brûla la lettre.

*
**

Une semaine plus tard elle lut l'annonce de la mort tragique de Sylvia. Un journal seulement, *News,* considérait la nouvelle suffisamment importante pour la relater en dehors de la rubrique nécrologique, mais dans tous les journaux on la qualifiait d' « héritière ». Le *Times* avait publié une photo d'elle, une photo prise d'évidence avant son séjour dans la commune avec Werther. La plupart des nécrologies mettaient l'accent sur l'ascension de son père. Une dernière insulte triste et gratuite, songea Velvet. Sa mort était attribuée à l'absorption d'une dose trop forte de somnifère. C'était son mari, Werther, qui avait découvert le corps. L'article de *News* précisait qu'elle était très « déprimée ».

Werther ne donna pas signe de vie, ni le lendemain ni le jour suivant, et une anxiété grandissante gagna bientôt Velvet. Elle ne voulait pas téléphoner chez lui de peur d'inquiéter des amis ou des membres de la famille de Sylvia venus présenter leurs condoléances à Werther. Cependant, n'ayant toujours pas de nouvelles à la fin de la semaine, elle décida de prendre le risque de lui téléphoner. Une femme de chambre lui répondit que Werther était en conférence, et elle raccrocha, plus anxieuse que jamais.

Werther l'appela le soir même. Il lui expliqua que la réunion avait été organisée par Vossberg, l'homme d'affaires de Sylvia. Il y avait à régler des points de succession, à propos de l'authentification du testament, points auxquels Werther ne pouvait répondre. Il paraissait troublé, Velvet comprit tout de suite pourquoi. Personne ne commettait un « mm-mm » sans en ressentir quelque trouble.

Enfin Werther la rappela pour lui annoncer qu'il arrivait immédiatement. Il avait une voix bizarre.

— Tu avais une voix bizarre, dit Velvet.

Elle le regarda et ajouta :

— Tu *as l'air* bizarre.

— C'est à cause de la barbe, dit Werther. Je me suis rasé et j'ai la peau blanche alors que le reste est encore bronzé. C'est pour ça que j'ai l'air bizarre.

Il s'assit sur le canapé, le regard fixe.

— Werther, tu n'as pas pris l'habitude des drogues dans ta commune ?

— Non, dit-il en hochant la tête, le regard toujours dans le vague.

— Alors qu'est-ce qu'il se passe ? Pourquoi as-tu ces yeux étranges ?

— Je l'ai rendu heureuse, dit Werther, songeur. J'ai fait ce que j'avais à faire, Vel. Puis je lui ai donné les comprimés de somnifère et elle est allée se coucher en souriant. Elle souriait encore quand je l'ai découverte.

— C'est pour ça que tu es dans cet état ? demanda Velvet.

— Non, dit Werther.

Il baissa les yeux sur ses fameuses mains. Il remarqua

qu'elles portaient quelques rides sur le dos, comme les traces de patte d'un oiseau. Enfin il regarda Velvet.

— Je sors de chez le notaire, dit-il. Sylvia avait changé son testament à notre retour de la communauté, Velvet.

— Qu'a-t-elle fait ?

— Elle a tout donné. Tout son argent. Elle a tout donné à des œuvres de charité. Elle voulait être pauvre, parce que c'est la pauvreté qui l'a rendue heureuse... Heureuse, répéta Werther.

Le mot sonnait comme le début d'un chant funèbre.

Happiness before Death.
Traduction de Francis Bebouch.

Ah, ces Russes !

par

JACK RITCHIE

Ce que Nadia peut foncer — aussi vite qu'une gazelle ou une antilope — quand elle fait ses dix secondes ! Mariska aussi, d'ailleurs.

Quant à moi, je me contente de lancer au loin mon poids — en l'occurrence un marteau.

Debout sur le pont supérieur du bateau soviétique qui m'emmène aux Etats-Unis pour une compétition sportive, je mange un sandwich tout en regardant les Russes effectuer leur gymnastique collective — en avant, en arrière ; à gauche, à droite ; en haut, en bas.

Ce n'est pas que nous, Hongrois, n'entretenions pas notre condition physique. Mais, plus individualistes, nous n'avons pas besoin qu'un gueulard, juché sur une estrade, nous dise à travers un porte-voix ce que nous devons faire — surtout s'il s'exprime en russe.

Observant plus particulièrement le groupe des femmes, juste au-dessous de moi, je m'afflige du nombre élevé de jambes fortement musclées. Heureusement, celles de Nadia, elles, ne sont pas si fortes. Au contraire, elles sont sveltes et il est évident au premier coup d'œil que Nadia est taillée pour la course, encore que, avec sa chevelure d'un noir brillant et ses yeux mauves, on la voie davantage dans un ballet que sur la cendrée.

Mariska surgit à mes côtés.

— Encore en train d'épier Nadia, hein ? demanda-t-elle. Cette *Russe ?*

Mariska est la femme la plus rapide de Hongrie. Mais si elle a remporté le 100 mètres en Pologne et en Italie, en Allemagne Occidentale et en France, par contre, elle a été battue par Nadia. Mariska est donc manifestement très jalouse des succès athlétiques de Nadia. Elle consacre au moins cinquante pour cent de son temps à manifester cette jalousie. Au plissement de ses yeux, je peux déduire que cette question de suprématie sera tranchée une fois pour toutes en Amérique.

— Nous aurions dû choisir la liberté en Allemagne ou en France, dit Mariska. Ou, à la rigueur, en Italie.

Je secoue la tête.

— Non, Mariska. Puisque notre but final est d'obtenir le droit d'asile en Amérique, n'avons-nous pas intérêt à rester au sein de l'équipe jusqu'à notre arrivée là-bas ? Et puis, de toute façon, cela nous permet de voyager gratuitement.

C'est alors que nous nous apercevons de la présence de Boris Volakov à nos côtés.

A la fois chaperon de l'équipe soviétique et responsable de tout pendant la traversée, Boris est un personnage particulièrement impopulaire. Le bruit court, en effet, que ses rapports défavorables ne seraient pas étrangers à la disparition d'un sauteur en hauteur, d'un coureur de fond et d'un champion de triple saut.

— Participerez-vous à la manifestation organisée à bord, demain soir, pour célébrer l'amitié entre toutes les nations ? demanda-t-il.

Avec les Russes, nous nous exprimons en anglais. C'est une langue d'autant plus admirable que son emploi exaspère nos interlocuteurs.

— Je suis désolée, répond Mariska, mais je sens que je suis en train de m'enrhumer.

— Mes sinus sont également irrités, ajouté-je. En général, il faut bien quarante-huit heures de soins pour venir à bout de ce genre d'affection.

Souriant comme un requin, Boris réplique sans se démonter :

— Je me suis entretenu avec les dirigeants de toutes les équipes nationales et je suis sûr qu'ils feront en sorte que les problèmes médicaux de cet ordre soient résolus avant la fin de la soirée.

Il examine Mariska de la tête aux pieds.

— J'ai toujours admiré les Hongroises. J'ai d'ailleurs séjourné quelque temps à Budapest.

— Ah ! oui ? s'étonne Mariska avec une infinie suavité. En tant que touriste ?

Il s'éclaircit la voix :

— Euh... pas exactement.

Sur le pont d'en bas, la fin de la séance de gymnastique entraîne la dislocation du groupe d'athlètes.

S'excusant, Boris se dirige alors vers l'escalier métallique qui conduit aux ponts inférieurs.

Ayant levé les yeux et l'ayant vu en train de descendre, mais faisant comme si de rien n'était, Nadia s'éloigne d'un pas décidé.

Quel spectacle captivant — du moins du haut de mon observatoire — que la poursuite consécutive à cette tentative d'évasion, avec ses successions de coups d'œil par-dessus l'épaule, de pas qui s'allongent et de changements de direction imprévus à la hauteur des canots de sauvetage et des manches à air !

Etudiant la situation, je me rends parfaitement compte que Nadia va se faire finalement rattraper — car ce Boris est rusé et habile à déjouer les manœuvres de l'adversaire.

— Je crois que je vais descendre, annoncé-je à Mariska.

Elle me regarde mais s'abstient de tout commentaire. Une fois en bas de l'escalier, il me faut cinq bonnes minutes pour réussir à intercepter Nadia.

— Par ici, lui dis-je en la prenant par le bras.

— Oh ! s'exclame-t-elle, encore vous !

Ce n'est pas, en effet, notre première rencontre, et nous avons déjà bavardé toutes les fois que j'ai pu susciter une occasion. Elle me suit néanmoins lorsque je l'entraîne vers un treuil, derrière lequel nous nous accroupissons. Boris ne se fait pas attendre longtemps : il passe bientôt à côté de nous, ses yeux habités par la lueur jaune caractéristique du chasseur. Nadia soupire profondément :

— Jusqu'à maintenant, j'ai toujours été sauvée par quelque chose, mais je crains d'être bientôt à court de miracles et de prétextes.

— Des prétextes ? Et pourquoi donc ? demandé-je. Un simple *non* en le dévisageant n'est-il pas suffisant ?

Elle me regarde comme si j'étais un enfant.

— Les choses ne sont pas toujours aussi simples que ça dans la vie. Boris est un homme qui a le bras long.

— Ah ! ça oui, dis-je d'un air entendu. Je me suis laissé dire qu'il a fait envoyer trois malheureux types en Sibérie.

Elle sourit, mais son sourire est crispé.

— Il ne s'agissait pas d'hommes et personne n'a été envoyé en Sibérie. Nous ne traitons plus nos athlètes d'une façon aussi primitive. Il s'agissait de femmes qui avaient dit *non* et elles ont été simplement exclues de l'équipe. Maintenant, elles enseignent les rudiments du langage et de l'écriture aux enfants des maternelles de Kandalaksha. C'est situé au-delà du cercle polaire, mais encore en Europe.

— Nadia, dis-je, la France est un beau pays et, qui plus est, un pays libre — oh ! bien sûr, à la manière capitaliste — comme d'ailleurs l'Allemagne de l'Ouest et l'Italie. Pourquoi donc n'avez-vous pas sollicité le droit d'asile dans l'un de ces pays ? Il est peu probable que Boris aurait alors continué à vous poursuivre.

Elle secoue la tête.

— Non. Il m'était absolument impossible de faire une chose pareille.

— Parce que vous avez des parents en Russie ? On les aurait liquidés, n'est-ce pas ?

— Nous ne *liquidons* plus les parents, rétorque-t-elle avec raideur. Non, en fait je n'avais pas envie de quitter l'équipe. C'est une grande consécration que d'en faire partie et c'est pourquoi je ne l'abandonnerais pas avec plaisir.

Je sens la moutarde me monter au nez.

— Ainsi, la défense de votre honneur vous est moins chère que la sauvegarde de votre présence dans l'équipe ?

Elle se renfrogne.

— Je préférerais évidemment être assurée des deux.

Puis elle en revient à Boris.

— C'est le chaperon des athlètes, explique-t-elle amèrement, mais il a quand même couru autrefois le cent mètres. C'est un être cupide et un opportuniste. Il est à l'affût des sautes de vent — allant là où les difficultés sont moindres et les avantages plus importants. C'est de cette façon qu'il est parvenu à son poste actuel, lui qui n'était au début que le préposé aux uniformes. Je le soupçonne, en outre, d'avoir fait du marché noir en Russie, mais toujours avec assez d'habileté pour éviter de se faire prendre.

Pendant que je me masse la mâchoire, il me revient en mémoire une expression disant que si la montagne ne vient pas à Mahomet, Mahomet doit aller à elle.

— Ne désespérez pas, Nadia. Je vais m'occuper personnellement de cette question.

Le soir même, dans la salle à manger, je m'asseois à la table de Boris — ce qui ne pose aucun problème, car il y a toujours des places — et, tout en buvant une tasse de thé, je lui demande :

— Connaissez-vous New York ?

— Non, répond-il. Tout ce que je sais de l'Amérique, c'est que les pauvres y sont exploités par les riches.

— C'est la vérité, conviens-je en soupirant. Et ce qui est fâcheux, c'est que je ne pourrai pas rendre visite à mon cousin Stephen quand nous arriverons là-bas. Il fait partie de ces riches exploiteurs.

Mon propos paraît éveiller l'intérêt de Boris.

— Il est riche ? Eh bien, mais qu'est-ce qui vous empêche d'aller le voir ?

Je souris tristement.

— Simplement le fait que c'est un traître en compagnie duquel moi, fidèle membre du parti, je ne voudrais pour rien au monde être vu. Il s'est enfui de Hongrie voici deux ans.

Un point a retenu l'attention de Boris.

— Un traître *riche ?* Mais savez-vous si, avant de s'enfuir, il a réussi d'une façon quelconque à — euh — transférer de l'argent dans une banque suisse ?

— Je ne crois pas. Quand il est arrivé en Amérique, Stephen était sans le sou.

Boris demeure songeur.

— Cela fait deux ans seulement qu'il s'est enfui, et *aujourd'hui* il est riche ?

J'approuve d'un signe de tête.

— Il possède plusieurs immeubles à Hoboken, une piscine, deux voitures, trois maîtresses et huit chevaux.

Boris est impressionné.

— Trois maîtresses ? Mais comment a-t-il pu se procurer tout cela ?

— Celui qui lui a procuré tout cela est son homme d'affaires, John Smith, singulier nom pour un Américain. C'est l'agent littéraire de Stephen. John Smith lui a fait écrire ses mémoires, et le livre est devenu un bestseller. De plus, on va bientôt en tirer un film et Stephen ne manquera pas de toucher son pourcentage.

Boris est perplexe.

— Mais il y a des dizaines de milliers de traîtres. Vous n'allez pas me faire croire qu'il suffit à chacun d'eux d'écrire un bouquin pour être sûr de gagner autant d'argent ?

— Bien sûr que non, concédé-je. Mais Stephen était un homme important derrière le Rideau... (Je m'éclaircis la voix.) ... dans notre pays. Il était commissaire chargé de la surveillance de l'Institut Féjer. Mais peut-être avez-vous entendu parler de son livre *J'étais un commissaire politique au service du F.B.I. ?*

Boris fronce les sourcils.

— Ça me dit vaguement quelque chose.

212

— Stephen est extrêmement précieux, ajouté-je. Il n'y a pas assez de commissaires transfuges en Amérique, car rares sont ceux qui passent à l'Ouest. Ils savent pourtant qu'ils y vivront dans l'aisance.

Boris est d'accord.

— Dans l'aisance peut-être. Mais dans l'opulence, certainement pas.

Puis, d'un ton désinvolte, il s'enquiert :

— Et ce John Smith, où vit-il donc, ce porc de capitaliste ?

— A Chicago, dans un endroit appelé State Street. Son nom doit probablement se trouver dans l'annuaire téléphonique.

Lorsque je me lève pour prendre congé, Boris songe encore à mon cousin Stephen, qui en fait n'existe absolument pas.

Au moment où commence la soirée de l'Amitié, un brouillard épais s'abat sur l'Océan. Le bateau, dont la marche est si lente qu'on le croirait presque arrêté, actionne régulièrement sa sirène de brume. C'est d'autant plus indispensable que nous risquons à tout instant d'entrer en collision avec d'autres navires ; nous approchons en effet de New York et le trafic maritime est particulièrement intense. Dans la salle à manger, Nadia, Mariska et moi-même nous retrouvons à la table de Boris.

Mais, profondément absorbé dans ses pensées, celui-ci ne parle presque pas et se contente de boire abondamment.

La soirée est ennuyeuse au possible. Puis, vers dix heures, une altercation se produit près du bar dans le groupe des Tchécoslovaques : sous l'œil attentif et goguenard des Ruthènes, Tchèques et Slovaques commencent à échanger des coups. Une fois le calme revenu, je remarque que, ayant émergé de sa méditation, Boris a reporté toute son attention sur Nadia.

Sa voix est pâteuse :

— Nadia, allons faire tous les deux quelques pas sur le pont.

— Je regrette, répond-elle, mais le brouillard est mauvais pour ma gorge.

— Vous n'êtes pas une chanteuse, lui rappelle aigrement Boris tout en lui jetant un regard furieux. Cela vous plairait-il d'apprendre à lire et à compter à des enfants d'âge pré-scolaire ?

A peine l'orchestre a-t-il attaqué un air de danse que j'entraîne Nadia sur la piste.

— Nadia, lui dis-je, ce n'est pas le moment de vendre la mèche. Pour le moment, vous devez encore vous montrer docile avec Boris.

Elle est révoltée.

— Et c'est vous qui me conseillez *ça* ?

Je m'empresse de m'expliquer.

— Je ne fais allusion qu'à cette promenade sur le pont dans le brouillard. Je suis persuadé qu'il ne se passera rien car il a trop bu pour être entreprenant. Je me demande même s'il peut encore marcher.

Elle me dévisage.

— Mais que mijotez-vous donc, Janos ?

Je souris.

— J'ai un plan que je crois astucieux. Je vous l'exposerai quand le moment sera venu de le mettre à exécution. J'ai l'impression que bientôt vous ne verrez plus jamais Boris.

Dès la fin de la danse, Nadia redouble d'amabilité envers Boris. Bientôt elle et lui se lèvent et, comme prévu, se dirigent ensemble vers la porte. Mais la démarche de Boris se révélant beaucoup plus assurée que je ne le prévoyais, je commence à m'inquiéter. N'y tenant plus, je me lève aussi et sors à mon tour dans le brouillard. Mais là, j'hésite. Où sont-ils passés ? Se sont-ils dirigés vers la droite ou vers la gauche ? Je tends l'oreille, mais en vain.

Après avoir tourné à droite et fait dans cette direction une douzaine de pas, je me heurte à un couple enlacé. Je les reconnais : l'homme est un sauteur en hauteur tchèque et la femme une gymnaste roumaine.

214

Ils semblent fort peu se soucier des mauvaises relations entre leurs pays respectifs.

— Excusez-moi, dis-je. Quelqu'un est-il passé par ici voici quelques instants ?

L'homme scrute intensément mon visage. Quel soulagement pour lui de ne pas reconnaître en moi un commissaire !

— Non, répond-il. Du moins nous n'avons rien vu.

Je reviens alors sur mes pas. Bien que ne cessant de buter sur divers obstacles, je continue à tendre l'oreille. Mais tout ce que j'entends c'est, de tous côté, le gémissement des sirènes. Et quand celles-ci se taisent, tout n'est que silence autour de moi. Je commence donc à me demander si, au fond, je ne me suis pas trompé de direction, lorsque je perçois tout à coup un cri étouffé. Bien qu'il soit assourdi par le brouillard, je devine que l'endroit d'où il provient est tout proche.

Je presse aussitôt le pas et, au bout d'une dizaine de mètres seulement, je tombe sur Nadia et Boris. Autant que je puisse le constater, celui-ci est considérablement moins ivre que je ne le pensais. A la vue de ce qui est imminent, mon sang ne fait qu'un tour et j'oublie toutes ces histoires de Mahomet avec sa montagne. Je me rue en avant en poussant un cri de guerre patriotique.

Mon bond hors du brouillard prend Boris complètement au dépourvu. Mais sa surprise devient sans bornes lorsque, l'ayant empoigné par un bras et une jambe, je le fais tournoyer... une fois... deux fois... puis le lâche d'un seul coup.

C'est un jet splendide, peut-être le record du monde de la spécialité. Boris et son gémissement s'envolent à travers l'épais brouillard par-dessus la lisse du navire.

Nadia m'ayant rejoint, nous scrutons ensemble les tourbillons grisâtres qui nous masquent la surface de la mer.

— C'était cela votre plan génial ? demande Nadia.

— Non, dis-je d'un air triste. Il y a loin de la coupe aux lèvres.

Un silence suit ma réponse. J'essaie d'en profiter

pour réfléchir à la situation pour le moins fâcheuse dans laquelle nous nous trouvons.

— Nadia, finis-je par dire. Je vais me constituer prisonnier et dire la vérité. Je raconterai que vous n'étiez même pas présente, que c'était qu'une altercation entre lui et moi.

— Cessez donc de dire des bêtises. Personne n'est accouru, n'est-ce pas ? C'est donc que le brouillard a suffisamment assourdi son gémissement pour qu'on ne l'entende pas. Nous allons nous contenter de nous éloigner. Boris a tout simplement disparu et nous, eh bien, nous ne savons absolument rien à ce sujet.

— Mais voyons, on vous a vue quitter la salle de bal en sa compagnie. On va vous poser des tas de questions. Et aucune Cour Suprême n'osera absoudre l'aveu qui s'ensuivra inévitablement.

Nadia propose une autre solution.

— Et si nous disions que c'est un accident dont nous avons été tous deux les témoins ? Nous dirons que Boris a fait un faux mouvement et qu'il est tombé à la mer.

Je secoue la tête.

— Je ne pense pas qu'on nous croie. Il est en effet bien connu que les commissaires politiques ne meurent pas de mort accidentelle.

Un nouveau silence s'établit, que je romps en soupirant.

— Nadia, je ne crains rien pour moi-même. Si personne n'a entendu les cris de Boris, je pense que son absence passera inaperçue jusqu'à demain. A ce moment-là nous serons déjà arrivés à New York. La liberté n'est plus qu'une question d'heures.

Elle me regarde en ouvrant de grands yeux.

— Vous voulez dire que vous allez passer de l'autre côté ?

— Exactement. Cela fait déjà un moment que nous avons pris notre décision.

Après s'être ouverts à l'extrême, ses yeux se plissent.

— Nous ? Qui compose ce nous ?

— Mariska et moi.

216

Ses lèvres se pincent. C'est vraiment surprenant comme ces femmes athlètes peuvent mettre en doute leurs capacités respectives. Il y a quand même davantage de sportivité chez les hommes.

— L'Amérique est un grand pays, dis-je. Un pays assez vaste pour accueillir deux sportives de grande classe.

— J'en doute, rétorque-t-elle.

Mais elle ajoute en soupirant :

— Néanmoins, je pense que je n'ai pas le choix.

Le lendemain matin, nous entrons par beau temps dans le port de New York. Tandis que nous dévalons la passerelle, le haut-parleur du bateau invite Boris à rejoindre son équipe.

Un bruit court — que Nadia et moi avons fait naître — selon lequel Boris, ayant trop bu, a dû s'endormir dans quelque recoin du navire.

Nous foulons sans encombre le sol américain et rejoignons l'hôtel. Evidemment, j'aurais préféré — ainsi d'ailleurs que Nadia et Mariska — prendre part aux épreuves sportives avant de choisir la liberté. Mais il nous semble que chaque instant de retard pourrait nous être fatal.

Aussi profitons-nous de la première occasion pour nous réunir tous les trois et nous rendre au commissariat de police le plus proche, où nous nous présentons comme réfugiés politiques.

Je n'ai jamais eu à regretter notre geste. Trois mois plus tard — le jour de mon mariage — je retrouve Bela, un sauteur à la perche de notre équipe qui a lui aussi choisi la liberté, mais seulement à l'issue de la manifestation sportive. Ayant appris que j'allais me marier, il a souhaité assister à la cérémonie.

Nous échangeons une poignée de main et il me dit en souriant :

— Ainsi, c'est toi qui a jeté Boris par-dessus bord !

Je ne peux m'empêcher de pâlir quelque peu car, si la nouvelle s'ébruite, je suis perdu. Les Américains n'oseront pas couvrir un meurtrier, même si sa victime est un Russe.

— As-tu été témoin de la scène ? demandé-je vivement.

Il secoua la tête.

— Non. Mais j'ai entendu dire que c'est Boris en personne qui raconte comment ça s'est passé.

Je cligne les yeux.

— Boris Volakov est vivant ?

Bela sourit.

— Tu l'as balancé par-dessus bord juste au moment où, caché par le brouillard, un petit cargo longeait notre bateau. Boris a eu la chance d'atterrir sans que personne ne s'en rende compte sur la bâche d'un canot de sauvetage. Toutefois, étant donné le choc, il est demeuré inconscient pendant environ une demi-heure.

Soulagé, je reprends mon souffle.

Bela poursuit :

— Dès qu'il est revenu à lui et s'est rendu compte qu'il était encore en vie mais se trouvait sur un autre bateau, Boris s'est précipité vers la passerelle de commandement et a annoncé au capitaine qu'il était un réfugié politique désireux de rester à l'Ouest. Il a ajouté qu'il désirait envoyer au plus vite un message radio à un certain M. John Smith, habitant State Street, à Chicago.

Je pousse un soupir.

— Ainsi, Boris se trouve actuellement en Amérique ?

Le sourire de Bela s'accentue.

— Non car, malheureusement pour lui, le bateau sur lequel tu l'as balancé était un cargo russe.

Ce fut un mariage on ne peut plus réussi. J'étais en pleine forme et Nadia, la jeune mariée, était ravissante.

La demoiselle d'honneur n'était autre, bien entendu, que ma sœur Mariska.

That Russian !
Traduction de Claude Alain.

Ce fameux rire

par

FRANK SISK

C'était le capitaine Thomas McFate qui s'occupait de l'affaire. Il quitta la piscine et revint vers le patio pour regarder à nouveau le corps mollement étendu sur la chaise longue, vêtu uniquement d'un peignoir éponge.

Un léger bouillonnement de sang au-dessus de l'œil droit marquait l'endroit par où la balle avait pénétré, pour ressortir derrière l'oreille gauche. Là, un petit nuage de moucherons tournoyait autour de la blessure, tandis que sur les pieds nus du cadavre, de grosses mouches bleues s'étaient groupées.

McFate se pencha sur un verre à moitié rempli d'un liquide tiède, posé sur une table à côté de la chaise longue... un gin-tonic, pensa-t-il, datant d'une heure à peu près. C'est alors qu'il remarqua l'enveloppe de papier bleu qui dépassait de la poche. L'enveloppe, toute froissée, était adressée à Norman Markham. Il n'y avait pas d'adresse et elle n'était même pas collée. A l'intérieur, il trouva plusieurs feuilles du même papier bleu que l'enveloppe, couvertes de lignes écrites d'une main enfantine et féminine, qui arrivaient de temps en temps à former une phrase à peu près construite.

McFate lut :

Cher Norm, je sais très bien que cela ne servira à rien, mais je suis assez folle pour te donner une dernière chance. Il te faut jouer cartes sur table maintenant, et te décider entre Michèle et moi. Ce que je veux, c'est que tu me regardes les yeux dans les yeux et que tu oses me le dire toi-même, sans passer par quelqu'un d'autre. Et si tu choisis Michèle, comme tu as semblé le faire ces derniers temps qui furent si moches pour moi, alors je tire le rideau définitivement, Norm, et je te jure que cette fois je le pense vraiment... aide-moi, s'il te plaît. Demain, si je vis encore, j'aurais 24 ans, et grâce à « l'amour » j'ai déjà l'air d'une vieille sorcière. Peut-être, en lisant la rubrique nécrologique des journaux, pourras-tu vérifier que je dis la vérité ? Je t'écris ces mots au bord de ta piscine, cette piscine qui devait être la nôtre, te souviens-tu ?... Pour t'en souvenir, il faudrait que ta mémoire remonte à un million d'années en arrière, quand tu me disais que j'étais le seul soleil de ta vie... oh, oui, au moins un million d'années parce que à l'époque j'étais assez jeune pour croire tout ce que tu me disais... et non, il n'y a que deux ans de cela. Oh, Norm, ne ris pas. Je sais que tu es au studio, à des kilomètres d'ici, mais je m'imagine que tu regardes ces pauvres mots par-dessus mon épaule et que tu ris... comme si tu avais la télévision ou un don de voyance. Mais, ton fameux rire, Norm, je ne peux plus le supporter.

C'est drôle, dans le temps je trouvais que ton rire était une chose formidable et comme je t'admirais quand tu éclatais de rire les jours de tournage où les acteurs et les techniciens étaient mauvais, avec tous ces visages moroses autour de toi, mais je n'étais à l'époque qu'une script-girl débutante qui ne comprenait rien à rien. Puis tu m'as remarquée et tu m'as donné trois lignes à dire dans le film pilote d'une série de westerns que tu devais réaliser pour la télévision. Ce fut un échec, et j'ai commencé à mieux le connaître, ton fameux rire, quand tu n'étais plus en représentation et comment il pouvait me déchirer le cœur mieux qu'un poignard.

Je l'ai entendu, le jour où tu as anéanti nos projets de mariage. Tu te souviens ? C'était un vendredi soir, le 29 septembre. Moi, je ne l'oublierai jamais... jamais. Nous devions aller à Las Vegas en voiture et dîner en route, mais quand je suis arrivée au bureau tu avais un *billet d'avion pour New York, tes deux valises et une grosse somme d'argent en poche... Et quand je t'ai demandé si tu serais absent longtemps, tu m'as répondu : « Assez longtemps, assez longtemps, Sara. » Et tu m'as jeté ton fameux rire, comme un verre d'eau glacée au visage.*

Cela voulait dire quoi ? Que devais-je penser ? Et bien, j'ai fini par le savoir, mais ce fut dur, tu sais ?... Quand tu es revenu, une semaine plus tard, avec cette fameuse rousse que tu avais dénichée dans je ne sais quel minable music-hall, et que tu m'as à peine dit bonjour. Si je n'avais pas absorbé une trop forte dose de somnifère, tu ne m'aurais même pas regardée, mais tu es venu me voir à l'hôpital avec un bouquet de fleurs et une bonne histoire à me raconter comme quoi la rousse n'était qu'un nouveau visage pour ton émission de variétés, et moi j'ai mordu à l'hameçon et je t'ai cru jusqu'à la prochaine fois...

— Qu'est-ce que c'est, chef... une lettre d'amour ?

McFate jeta un coup d'œil sur l'homme en complet de cotonnade qui lui posait la question, depuis le perron.

— A mon avis, sergent, ce serait plutôt une lettre de suicide.

Le sergent regarda le corps et dit :

— Un suicide ? Vous voulez rire, Chef ?

McFate reprit sa lecture.

« ... cette fois-ci, c'était une putain que tu avais ramassée à Mexicali. Je t'avais averti que c'était elle ou moi, qu'il y en avait une en trop... mais tu m'as ri au nez. Tu as recommencé plus tard quand je t'ai dit que je me tuerais. « Dors bien », m'as-tu répondu. Eh bien, je ne suis pas passée loin. Si l'extra n'était pas revenu chercher sa bicyclette dans le garage, je me serais endormie pour toujours sur la banquette avant de la voiture, asphyxiée par les gaz d'échappement.

Une fille nouvelle qui venait après une autre, voilà l'histoire de ma vie, et aujourd'hui, c'est cette Française, mais j'ai l'intuition que cette fois c'est un peu différent :

tu parles de nouveau mariage, comme avec moi il y a longtemps. Je sais que tu n'as pas de suite dans les idées, mais je veux te mettre au pied du mur. Es-tu sérieux à propos de Michèle, ou pas ? Si tu me réponds oui, alors Norm, je vais vraiment me tuer, mais cette fois je ne me raterai pas. Pas de pilules, pas de gaz d'échappement ni de rasoirs... mais un revolver, avec des balles dedans. Tu te souviens, ce joli petit pistolet à deux coups, à manche en ivoire, que tu m'avais donné pour que je puisse me défendre contre les loups... Et que tu le veuilles ou non, tu vas profiter du spectacle, parce que si tu choisis Michèle au lieu de moi, je me mettrai juste devant toi et je tirerai, afin que tu te rappelles cet instant toute ta vie et que tu saches ce que tu as fait subir à une fille bien, dont le seul crime avait été de t'aimer... Et je ne crois pas que cette fois-ci tu riras, Norm. Attends et ouvre bien les yeux ! Ta Sara pour toujours. »

Le sergent proféra :

— Si c'est un suicide, où diable est passé le flingue ?

McFate mit la lettre dans sa poche.

— C'est une dénommée Sara qui l'a pris. Une de ses anciennes petites amies.

— Vous voulez dire que ce type, Markham, s'est flingué et qu'une de ses copines a subtilisé l'arme ?

— Pas tout à fait, sergent. La fille voulait se tuer, mais Markham s'est mis à ricaner. Regardez bien, il a encore l'air de rire en se moquant.

That So-Called Laugh.
Traduction de Bruno Martin.

Comme une autre vie

par

LAWRENCE BLOCK

Entre quatre heures et quatre heures et demie Howard Jordan téléphona à sa femme.

— Je travaillerai sans doute tard, lui dit-il. Le texte du scénario TV pour Prentiss était plein de trous. Il va me falloir passer la moitié de la nuit à le refaire.

— Tu restes en ville ?

— Je n'ai pas le choix.

— J'espère que tu trouveras facilement une chambre...

— Je vais m'en occuper tout de suite. Sinon, j'ai toujours le divan du bureau.

— Bon, soupira Carolyn.

Ce soupir avait pour but de lui montrer la tristesse que sa femme éprouvait à ne pas le voir rentrer.

— A demain soir, alors. N'oublie pas de téléphoner à l'hôtel.

— Non.

Pourtant, il n'en fit rien. A cinq heures, les bureaux se vidèrent. A cinq heures cinq, Howard Jordan rangea le sien, boucla sa serviette, et quitta l'immeuble. Il mangea un steak au petit restaurant du coin, puis il prit un taxi qui le mena à une maison de trois étages en briques rouges dans Christopher Street. Sa clé ouvrit la porte de la rue. Il entra.

Dans le vestibule une mince fille aux longs cheveux blonds lui sourit.

— Bonsoir, Roy.

— Bonsoir, poupée.

— C'est vraiment trop, fit-elle en examinant ses vêtements. La respectabilité même de la classe moyenne !

— Simple façade.

— Idiot. Il y a réunion chez Ted et Betty. Vous venez ?

— Peut-être.

— A tout à l'heure.

Il entra dans son propre appartement, glissa sa serviette derrière une bibliothèque basse improvisée à l'aide de briques et de planches. Dans le petit placard, il accrocha son complet gris requin, sa chemise, sa cravate à rayures rouges. Il passa ensuite un blue-jean étroit, un pull-over brun à col roulé, troqua ses mocassins noirs contre des chaussures de tennis usées. Il laissa son portefeuille dans le complet gris et en prit un autre contenant infiniment moins d'argent, pas de carnet de chèques, mais par contre quelques cartes l'identifiant comme étant Roy Baker.

Il passa une heure à jouer aux échecs dans l'arrière-salle d'un café de Sullivan Street, gagna deux parties sur trois. Ensuite il rejoignit des amis dans un bar, à quelque distance de là, et prit part à une discussion passionnée sur les implications culturelles de Camp. Lorsque le patron de la boîte les jeta dehors, il emmena ses amis à la réception de Ted Marsh et Betty Haniford dans East Village. Quelqu'un avait apporté une guitare. Roy s'assit par terre et écouta en buvant du vin.

Ginny, la blonde aux longs cheveux qui habitait un appartement dans le même immeuble que lui, était ivre. Il la raccompagna chez elle, et l'air de la nuit la dégrisa.

— Montez une minute, lui dit-elle. Je voudrais vous raconter ce que mon psychanalyste a déclaré cet après-midi. Je ferai du café.

— Excellente idée, répondit-il, et il monta avec elle. Il apprécia la conversation, le café, et Ginny elle-même. Une heure plus tard, il regagna son appartement et se coucha. Il était environ une heure et demie.

Le lendemain matin il se leva, fit sa toilette, mit une chemise blanche propre, une autre cravate à rayures, le même costume gris requin, et retourna à son bureau.

Tout cela avait commencé assez innocemment. A partir du moment où il était passé, de façon sensationnelle, de petit rédacteur de publicité chez Lowell, Burham & Plescow à rédacteur en chef chez Keith Wenrall Associates, il s'était trouvé devant l'obligation de travailler de plus en plus souvent tard le soir. Mais si ces heures supplémentaires ne l'ennuyaient jamais — elles lui évitaient simplement la présence d'une femme pleurnicharde — le train de nuit pour New Hope, par contre, devenait une source continue d'ennuis. Jamais il ne se couchait avant deux heures et demie les jours où il travaillait tard, et il devait sauter du lit à sept heures et demie afin d'être à son bureau à neuf heures.

Très vite il abandonna le train pour l'hôtel. Ce n'était pas une solution parfaite, car elle ne faisait que substituer à l'insomnie la dépense et l'incommodité. Il était souvent difficile de trouver une chambre à une heure tardive, et toujours impossible d'en avoir une à moins de douze dollars. En outre, les chambres d'hôtels, pour aussi chères qu'elles fussent, ne fournissaient ni brosse à dents ni rasoir, sans compter le linge de rechange et une chemise propre. De plus, il émane de ces chambres quelque chose de temporaire, quelque chose en marge des habitudes, qui déroute. Il s'y sentait encore moins chez lui que dans sa maison pleine de miasmes de Bucks County.

Un appartement, finit-il par se dire, supprimerait ces inconvénients tout en lui économisant de l'argent. Il pouvait en trouver un qui lui conviendrait parfaitement pour cent dollars par mois, moins par conséquent que ce qu'il dépensait à l'hôtel et qui serait toujours à sa disposition avec des vêtements de rechange dans le

225

placard, un rasoir et une brosse à dents dans la salle de bains.

Un jour il découvrit l'offre suivante parmi les petites annonces : *Christopher Street, 1 p. s. de b. cuis. meub. Conf. 90 dollars par mois.* Il mit la phrase en clair, et décida qu'une pièce dans Christopher Street avec salle de bains, cuisine, meubles, et confort, pour 90 dollars par mois, représentait exactement ce qu'il cherchait. Il téléphona au propriétaire et demanda à visiter.

— Venez après dîner, répondit l'annonceur. Il donna l'adresse à Howard Jordan en s'enquérant de son nom.

— Baker, dit Jordan. Roy Baker.

Quand il eut raccroché, il se demanda bien pourquoi il venait de donner un faux nom. C'était là un expédient commode quand on tenait à éviter d'être rappelé, mais en l'occurrence cela ne signifiait rien. Peu importe : il rectifierait en louant l'appartement. En attendant, il avait suffisamment d'ennuis à rédiger, à partir des envolées littéraires fantaisistes d'un jeune rédacteur, un texte capable de convaincre un homme que ses succès féminins seraient bien plus nombreux s'il se servait d'une certaine marque de cosmétique pour ses cheveux.

Le propriétaire, un petit homme qui faisait penser à un oiseau, le nez chevauché d'épaisses lunettes à monture de métal, attendait Jordan.

Monsieur Baker ? Par ici. Au rez-de-chaussée sur la cour. C'est très agréable.

L'appartement était petit, mais acceptable. Quand Jordan eut déclaré qu'il le louait, le propriétaire sortit un bail de sa poche. Immédiatement, Jordan changea d'avis en ce qui concernait son identité. Un bail, il le savait, serait beaucoup plus facile à rompre s'il ne portait pas son véritable nom. Il jeta au papier un vague coup d'œil, et froidement signa « Roy Baker » en contrefaisant son écriture.

— Maintenant vous voudrez bien me verser cent quatre-vingts dollars, dit le propriétaire. C'est-à-dire un mois d'avance et un mois de provision.

Jordan cherchait son carnet de chèques quand il réalisa que sa banque n'honorerait sûrement pas un chèque signé Roy Baker. Il régla donc le propriétaire en espèces. Le lendemain, il emménageait.

Ce jour-là, il passa l'heure du déjeuner à acheter des vêtements supplémentaires qu'il laisserait dans l'appartement, choisit des draps, et finalement aussi une valise pour emporter ce qu'il venait d'acquérir. Par fantaisie, il fit placer le monogramme « R.B. » sur cette valise. Ce même soir, il travailla tard, prévint Carolyn qu'il restait coucher à l'hôtel, et emporta ses achats à son appartement où il rangea ses vêtements neufs dans le placard, sa nouvelle brosse à dents et son rasoir dans la minuscule salle de bains. Puis il fit son lit et se coucha. A ce moment-là, Roy Baker n'était rien de plus qu'une signature en bas d'un bail et deux initiales sur une valise.

Deux mois plus tard, il existait bel et bien.

Roy Baker se matérialisa petit à petit. Quand il y réfléchissait Jordan n'arrivait pas à comprendre comment cela avait commencé ni à quel moment pour lui c'était devenu un but. La garde-robe personnelle de Baker entra en jeu quand Jordan se mit à fréquenter les bars et les cafés d'East Village et voulut ressembler davantage à un habitant du quartier qu'à quelqu'un de la ville. Il se mit à porter des jeans, des chaussures de toile, de gros pulls, et lorsqu'il abandonnait sa veste à trois boutons pour revêtir la tenue de Roy Baker, il se transformait aussi complètement que Bruce Wayne avec le masque et la cape de Batman.

Chaque fois qu'il rencontrait des gens dans l'immeuble ou dans le voisinage, il se présentait automatiquement sous le nom de Roy Baker. C'était normal. Evidemment, cela aurait créé une situation embarrassante si, face à quelqu'un qu'il connaissait, il avait dû expliquer qu'il portait un nom mais vivait sous un autre. Mais, en étant Baker au lieu de Jordan, il pouvait jouer un rôle beaucoup plus intéressant. Jordan n'était après tout qu'un rédacteur en chef vieux jeu de Madison Avenue, personnage peu attirant aux yeux des chanteurs, peintres et acteurs qu'il fréquentait dans East Village. D'un autre côté, Baker pouvait devenir tout ce que souhaitait Jordan. En peu de temps, son identité même prit forme. Il était peintre, mais incapable de faire quelque chose de sérieux depuis la mort tragique de sa femme, et il se voyait obligé pour l'instant d'accepter un travail stupide dans un studio d'art commercial de la ville.

Cette identité imaginaire devenait parfois pour lui sujet d'amusement. L'expédient mis à part, il ne se laissait pas aveugler par son côté psychologique. Substituez *écrivair* à peintre, et vous approcherez de sa situation réelle. Depuis longtemps il rêvait d'écrire, mais n'avait jamais vraiment fait d'efforts sérieux pour y parvenir depuis son mariage avec Carolyn. L'invention de la mort tragique de sa femme n'était ni plus ni moins qu'un souhait. Rien n'aurait pu lui faire plus plaisir que la mort de Carolyn. Aussi incorporait-il ce rêve à la biographie de Baker.

A mesure que les semaines passaient, Baker acquérait de plus en plus de personnalité. Il se fit ouvrir un compte à la banque, car c'était gênant de devoir payer son loyer en espèces. Il s'inscrivit à un club de livres et, de ce fait, se trouva bientôt sur d'innombrables listes de ventes par correspondance. Il reçut une lettre de son député l'avisant des développements futurs de Washington et soulignant l'effort héroïque que fournissait cet élu pour défendre ses intérêts. Peu après, il regagna son appartement même les soirs où il ne faisait pas d'heures supplémentaires.

Il est intéressant de remarquer que, une fois installé dans cet appartement, il eut de moins en moins souvent à travailler tard. Peut-être ce besoin de rester tard au bureau était-il venu du souci de ne pas aller retrouver Carolyn. De toute façon, maintenant qu'il avait un endroit où se rendre au sortir du bureau, il lui sembla moins essentiel de rester dans celui-ci après cinq heures. Il travaillait rarement plus d'un soir par semaine, mais toujours trois nuits en ville, et même quatre.

Parfois il passait la soirée avec des amis, ou bien restait chez lui à goûter aux joies d'une solitude bénie. D'autres soirs, il cherchait une femme agréable pour partager avec lui cette solitude.

Il s'attendait à être pris en flagrant délit de double vie, savourant la tension qui en découlait. Il s'imaginait découvert, ou gagné par le remords, ou bien encore il se figurait qu'une erreur commise dans cette double existence le ramènerait un jour par force à la maison. Mais rien de tout cela n'arriva, son travail, au bureau, témoigna d'une notable amélioration. Il devint non seulement plus compétent, mais sa façon d'écrire se fit plus vigoureuse, plus inspirée, plus créatrice. Il travaillait mieux en moins de temps. Même son existence avec Carolyn s'améliorait, rien que parce qu'elle s'amenuisait de plus en plus.

Divorcer ? Il y pensait, imaginant sa joie d'être Roy Baker à plein temps. Financièrement parlant, ce serait catastrophique, il le savait. Carolyn exigerait la maison, la voiture, et une grosse part de son salaire. Mais Roy Baker pouvait survivre avec une fraction seulement de la paie d'Howard Jordan, et même confortablement, sans maison ni voiture. Il n'avait jamais repoussé l'idée de demander à Carolyn de divorcer, pas plus qu'il n'avait vraiment abordé la question, quand, un soir… Il la vit sortir d'une boîte de nuit de West Third Street, ses cheveux noirs ébouriffés par le vent, la démarche incertaine d'une femme qui a bu, et le bras d'un homme passé de façon possessive autour de sa taille.

Sa première réaction fut de s'étonner que quelqu'un pût vraiment la désirer. Avec toutes les filles au corps frais, aux lèvres sensuelles, d'East Village, comment un homme pouvait-il s'intéresser à Carolyn ? Pour lui, cela n'avait aucun sens.

Et puis, brusquement, sa surprise fit place à une fureur noire. Elle, si froide avec lui depuis des années, traînait à présent avec d'autres hommes, ajoutant l'insulte à tous les ennuis. Elle le forçait à la supporter, le laissait rembourser les hypothèques sans fin de cette horrible maison, trouvait bon qu'il cautionnât son compte dans un grand magasin pour qu'elle arrive à se voir un jour sur la liste des Dix Femmes les Mieux Habillées. Elle lui prenait tout, et ne lui donnait rien, pour l'offrir pendant ce temps à d'autres.

Il comprit alors qu'il la haïssait, qu'il l'avait toujours haïe, et que, finalement, il allait faire quelque chose.

Mais quoi ? Engager des détectives ? Réunir des preuves contre elle ? Demander le divorce pour adultère ? Mince vengeance, et peu en rapport avec le délit.

Non, non, il ne pouvait vraiment décider quoi que ce fût. Passer à l'action exigerait de lui beaucoup trop d'efforts. Il était le genre brave type, à la vie étroite, démodé, le bon vieil Howard Jordan. Il ferait ce dont un tel homme était capable : endurer en silence ce qu'il avait découvert, prétendre ne rien savoir, continuer comme avant.

Mais Roy Baker, lui, pouvait bien davantage.

A partir de ce jour-là, il laissa ses deux existences se chevaucher. Les soirs où il restait en ville, il se rendait directement du bureau à un hôtel voisin, prenait une chambre, en défaisait le lit comme s'il y avait dormi, puis quittait cet hôtel par l'escalier de service. Après un tour rapide en taxi pour revenir en ville, et après s'être changé, il redevenait Roy Baker dont il vivait l'habituelle existence, passant simplement un peu plus de temps qu'auparavant aux alentours de la 5ᵉ rue ouest. Un certain temps passa avant qu'il ne revît Carolyn. Cette fois, il la suivit. Il découvrit que son amant était un chanteur nommé Stud Clement, et apprit par une enquête discrète que Carolyn payait le loyer de celui-ci.

— Stud en a hérité de Phillie Wells quand celui-ci est parti pour la côte, lui expliqua quelqu'un. Il paraît qu'elle a un imbécile de mari quelque part dans le Connecticut ou ailleurs. Si Stud se trouve absent, peu lui importe avec qui elle rentre.

Par conséquent, il y avait un certain temps que cela durait. Jordan eut un sourire amer. On a bien raison de dire que le mari est toujours le dernier à savoir.

Il continua son manège à l'hôtel, tissant soigneusement la trame de sa vie, tout en surveillant avec attention Stud Clement. Un soir que Carolyn ne vint pas en ville, il s'arrangea pour s'approcher du chanteur dans un bar d'Hudson Street, et l'écouta parler. Il nota le léger accent du Tennessee, l'aigu de la voix, le genre de mots dont se servait Clement.

Pendant ce temps il s'attendait à ce que sa haine s'apaisât, sa fureur aussi. Dans un sens, qu'est-ce que Carolyn avait fait de plus que lui ? Tôt ou tard, il allait sûrement se calmer. Et pourtant, non, il s'aperçut au contraire qu'il la détestait un peu plus chaque jour, non seulement parce qu'elle le trompait, mais parce qu'elle avait fait de lui un publiciste au lieu d'un écrivain, parce qu'elle l'obligeait à habiter cette maison au lieu d'un appartement dans East Village, et à cause de tout ce qu'elle avait trouvé pour gâcher chaque instant de sa vie. Sans elle, il eût été toujours Roy Baker. Elle l'obligeait à demeurer Howard Jordan, et, pour cela, il ne cesserait jamais de la haïr.

Une fois qu'il eut compris, il décrocha le téléphone.

— Je voudrais te voir ce soir, dit-il.

— Allô, c'est toi, Stud ?

Ainsi l'imitation était réussie.

— Pas chez moi, ajouta-t-il vivement. 193 Christopher Street, appartement 1-D. A sept heures et demie ni plus tôt ni plus tard. Et ne rôde surtout pas de mon côté.

— Des ennuis ?

— Viens, dit-il. Et il raccrocha.

Moins de cinq minutes plus tard, son propre téléphone sonna. Il s'y attendait.

— Allô, Howard ? fit Carolyn. Je me demandais... Tu ne rentres pas à la maison ce soir, n'est-ce pas ? Tu couches à l'hôtel ?

— Je ne sais pas, répondit-il. J'ai beaucoup de

travail, mais cela m'ennuie tellement d'être loin de toi. Peut-être vais-je le laisser de côté pour une fois...

— Oh ! non !

Il l'entendit haleter. Puis elle se reprit.

— Je veux dire... il faut d'abord penser à ta carrière, chéri. Tu le sais. Ne t'occupe pas de moi, mais de ton travail.

— Eh bien..., commença-t-il, ravi, je ne suis pas sûr...

— De toute façon, coupa-t-elle, j'ai un horrible mal de tête. Reste donc en ville ? Nous aurons le week-end pour nous...

Il la laissa parler. Quand elle eut terminé, il téléphona à son hôtel habituel, retint comme d'habitude une chambre pour onze heures et demie. Puis il se remit à travailler, pour ensuite quitter son bureau à cinq heures et demie et franchir la porte de l'immeuble après avoir apposé sa signature sur le registre du hall. Il mangea rapidement dans un snack-bar, retourna à son bureau à 6 heures et signa de nouveau le registre en entrant.

A sept heures moins le quart, il s'en fut de nouveau, oubliant cette fois de signer. Il prit un taxi et se rendit à son appartement. Il y arriva aux environs de sept heures dix. Vingt minutes plus tard, on frappa à la porte. Il ouvrit. Carolyn parut surprise en le voyant devant elle tandis qu'il la tirait vers l'intérieur. Une grimace tordait son visage. Elle n'arrivait pas à comprendre.

— Je vais te tuer, Carolyn, dit-il. Et il lui montra le couteau. Elle mourut lentement, et avec bruit. Partout ailleurs dans le pays ses cris eussent attiré la police, mais cela se passait à New York, et les New-yorkais ne s'occupent jamais des cris des femmes que l'on assassine.

Après cela, il prit les quelques vêtements qui n'appartenaient pas à Baker, râfla le portefeuille de Carolyn, et s'en alla. D'une cabine publique de Sheridan Square, il téléphona à l'aéroport et fit une réservation.

Puis, en taxi, il se rendit à son bureau où il se glissa sans inscrire son nom sur le registre d'entrée.

A onze heures quinze, il repartit, gagna son hôtel, et dormit beaucoup mieux qu'il ne l'aurait cru. Le lendemain matin, il alla au bureau comme d'habitude et demanda trois fois à sa secrétaire d'appeler New Hope. Personne ne répondit.

On était vendredi. Il prit son train habituel pour rentrer chez lui, sonna plusieurs fois à la porte, chercha sa clé, et entra. Il appela Carolyn à plusieurs reprises, puis se prépara quelque chose à boire. Au bout d'une demi-heure il alla voir la voisine pour lui demander si elle savait où était sa femme. Cette voisine lui répondit qu'elle l'ignorait. Trois heures plus tard, il téléphonait à la police.

Le dimanche, un policier de la localité vint le voir. De toute évidence, on avait dû prendre au moins une fois les empreintes digitales de Carolyn, peut-être à l'époque où, avant leur mariage, elle était fonctionnaire. La police de New York découvrant son cadavre le samedi soir, avait mis un peu moins de vingt-quatre heures pour vérifier les empreintes et localiser Carolyn à New Hope.

— Je préférerais n'avoir pas à vous dire cela, commença le policier. Après que vous nous avez eu appris la disparition de votre femme, nous avons interrogé certains de vos voisins. Il semble bien qu'elle ait été... hem... qu'elle vous trompait, monsieur Jordan. J'ai peur même que cela n'ait pas été qu'une seule fois. Elle rencontrait des hommes à New York. Le nom de Roy Baker vous dit-il quelque chose ?

— Non. Etait-ce... ?

— Sans doute l'un de ceux qu'elle connaissait, monsieur Jordan. Je crains que ce ne soit lui qui l'ait tuée.

Howard sut mêler de façon habile la douleur à l'étonnement. Il s'évanouit presque lorsqu'on l'emmena voir le cadavre, mais parvint stoïquement à se ressaisir. Il apprit par la police de New York que Roy

Baker était un type d'East Village, quelque artiste à la tête légère. Baker avait réservé une place d'avion peu après le meurtre de Carolyn, mais n'était pas allé retirer son billet, se rendant compte probablement que cela eût permis à la police de retrouver sa trace. Peut-être avait-il pris l'avion sous un autre nom, mais on le rattraperait sûrement avant peu.

— Il a agi avec précipitation, dit le policier. Il a laissé ses vêtements, oublié de vider son compte en banque. Un type comme ça ne peut aller que dans des endroits bien déterminés : East Village, North Beach à Frisco, peut-être la Nouvelle-Orléans. A mon avis, il reviendra dans East Village avant un an. A ce moment-là, nous lui mettrons la main au collet.

Pour la forme, la police de New York vérifia l'emploi du temps de Jordan au moment du meurtre, et apprit qu'il était resté à son bureau jusqu'à onze heures quinze, exception faite de la demi-heure pendant laquelle il avait mangé un sandwich au snack du coin, et qu'il avait ensuite passé le reste de la nuit à l'hôtel où il allait toujours quand il travaillait tard le soir.

Et, chose incroyable, tout s'arrêta là.

Après un temps convenable, Howard mit la maison de New Hope en vente et s'en débarrassa presque aussitôt. A meilleur prix même qu'il n'aurait pensé. Il revint en ville, s'installa à l'hôtel qui lui avait servi d'alibi, en attendant de trouver dans les petites annonces un appartement d'East Village à louer.

Il roulait en taxi en direction d'Horatio Street où il devait voir quelque chose, quand il s'avisa soudain qu'il lui était maintenant impossible d'habiter East Village. On l'y connaissait comme étant Roy Baker. On l'identifierait aussitôt, et il serait arrêté, ce qui signifierait la fin de tout.

— Faites demi-tour, ordonna-t-il au chauffeur. Reconduisez-moi à l'hôtel. J'ai changé d'avis.

Il passa deux autres semaines dans cet hôtel, en s'efforçant de réfléchir et de trouver un moyen sûr de pouvoir vivre à nouveau à la façon de Roy Baker. S'il existait une solution, il ne la trouva pas. L'existence tranquille dans East Village n'était plus pour lui.

Il loua un appartement dans Manhattan. Un appartement excessivement coûteux, mais qui lui parut froid et sans charme. Il prit l'habitude de passer ses soirées libres dans les boîtes de nuit où il buvait un peu trop et dépensait beaucoup d'argent pour assister à de piètres spectacles. Mais il sortait rarement, car il lui fallait de plus en plus souvent travailler tard. Il lui devenait de plus en plus difficile de réaliser quelque chose dans un temps déterminé. En plus de cela, son travail perdait de sa qualité. Il usait des blocs et des blocs de papier avant d'arriver à faire quelque chose de propre.

Il comprit lentement, péniblement, et commença de voir ce qu'il s'était fait à lui-même.

En Roy Baker, il avait trouvé la seule existence qui lui convînt. L'appartement de Christopher Street, la fausse identité, le monde nouveau des nouveaux amis, les vêtements, les habitudes et le vocabulaire différents, tout cela constituait un milieu où il se mouvait à l'aise parce que ce milieu lui convenait parfaitement. Les nécessités mécaniques qu'exigeait sa double identité, les solides cordes qui enserraient celle-ci, les délices enfantins issus du mystère ajoutaient un élément d'exaltation passionnant. Etre Roy Baker l'amusait. Plus encore, il lui plaisait d'être Howard Jordan jouant à être Baker. Cette double existence s'adapta si bien à lui qu'il ne ressentait pas tellement alors le besoin de se séparer de Carolyn.

Et pourtant, il l'avait tuée — et il avait supprimé du même coup Roy Baker, effaçant celui-ci du tableau, de façon nette, définitive.

Il acheta un blue-jean, un pull-over à col roulé, une paire de chaussures de tennis. Il rangea ces vêtements dans le placard de son appartement de Sutton Place, et, de temps en temps, quand il passait une soirée solitaire, il enfilait cette tenue de Roy Baker, s'asseyait sur le parquet et buvait du vin de Californie à même la bouteille. Il aurait préféré se trouver dans l'arrière-salle d'un café à jouer aux échecs ou discuter art et religion dans quelque bar d'East Village, ou bien encore écouter une guitare mélancolique dans une réunion d'amis au fond d'un grenier.

Il pouvait mettre autant de fois qu'il le voulait la tenue de Roy Baker. Mais ce n'était pas la même chose. Il pouvait boire du vin en écoutant des disques de guitare sur son pick-up. Mais ce n'était pas non plus la même chose. Il avait la possibilité de s'offrir des femmes, mais sans pouvoir les ramener chez elles après les réunions d'East Village et faire l'amour avec elles dans des maisons à deux étages sans confort.

Il lui fallait être Howard Jordan.

Avec ou sans Carolyn, marié ou célibataire, maison de New Hope ou appartement de Sutton Place, un fait demeurait inchangé. Il n'aimait tout simplement pas être Howard Jordan.

Pseudo Identity.
Traduction de Simone Millot-Jacquin.

Les privilèges du crime

par

TALMAGE POWELL

Le shérif Alfie Abbott sauta de sa voiture de service ruisselante de pluie, en même temps qu'il en éteignait les phares. Flanqué de son adjoint, le grand et maigre Bud Smith, il traversa en courant la rue sombre jusqu'à la petite gare routière presque déserte. Comme de petits becs de poulets picorant, la pluie fine tambourinait sur le toit de tôle du bâtiment de ciment où le car de Cleveland devait effectuer un court arrêt d'un moment à l'autre.

Projetant des ombres qui avaient vaguement la forme d'une boule et d'une quille de bowling, Alfie et Bud jetèrent un coup d'œil par la fenêtre crasseuse de la salle d'attente chichement éclairée. On n'y voyait qu'une seule personne sur l'un des bancs délabrés, une vieille dame pauvrement vêtue, somnolant, une misérable valise en carton glissée sous ses jambes. Le guichet aux billets était fermé. Ceux qui voulaient prendre le car à cette heure devaient payer leur place directement au chauffeur.

— Fichtre, grommela Alfie, déçu.

Au même moment une porte s'ouvrit à l'intérieur de la salle d'attente. Un homme sortit des lavabos, et les yeux bleus d'Alfie s'éclairèrent.

— Fichtre! répéta-t-il d'un ton entièrement différent. Je crois qu'on le tient, Bud! Il colle en tous points à la description.

L'homme, petit, râblé, noiraud, portait un pantalon de popeline marron et un blouson sale à fermeture éclair. Il jeta un coup d'œil vers la pendule poussiéreuse au-dessus du guichet fermé. Il était dix heures cinquante-trois. Dans trois minutes le car de Cleveland serait là.

Saisissant le bras fort et musclé de Bud, Alfie éloigna son adjoint de la zone éclairée par la fenêtre.

— Cette fois ça n'a pas traîné, fit Bud. On a de la veine : c'est la crème des imbéciles, ce gangster. (Il regarda une nouvelle fois par la vitre.) Une vraie cible de foire. Comme s'il voulait qu'on l'attrape.

— Nous ne le tenons pas encore, lui rappela Alfie. Attention. Il ne faut surtout pas faire de mal à la vieille dame.

Bud hocha la tête. Son visage allongé prit un air grave.

— Comment procède-t-on ?

Il y eut un bruissement d'imperméable tandis qu'Alfie inspectait rapidement les alentours.

— Nous allons l'encercler, décida-t-il. Ayez l'œil sur la porte. Moi j'entrerai par le côté où se rangent les cars.

— Bien combiné, chef !

— Surveillez-le par la fenêtre. S'il se réfugie aux toilettes, courez vite vous poster dans la ruelle.

— Coupez-lui ses arrières et il ne pourra pas nous échapper, promit Bud, sur un ton tel qu'Alfie leva la tête pour le dévisager. La lueur qu'il vit dans les yeux de Bud lui fit penser à un chien-loup assoiffé de sang.

Il agita un doigt sous le nez crochu de son adjoint :

— Attention, Bud, ne perdez pas de vue les lois sur le traitement des suspects, prisonniers et criminels. Vu qu'on est les seuls représentants de la loi dans ce sacré patelin, on ne peut pas se permettre de prendre sur le temps et l'argent des contribuables pour assurer notre propre défense contre des accusations de brutalité.

Bud grinça des dents.

— Très bien, mais s'il me tombe dessus, moi je cogne.

— A condition de ne pas y aller trop fort. Il a des droits, vous savez.

— Des droits, j't'en fiche ! Moi, j'appelle ça des privilèges, bougonna Bud.

L'attention d'Alfie se porta de nouveau sur la gare routière. Il prit une profonde inspiration et courba le dos sous son imperméable ruisselant d'eau.

— Bien... en avant !

Tout en contournant le bâtiment, Alfie se disait que le type à l'intérieur était vraiment la reine des cloches. La reine des cloches, pour lui, c'était un gars tellement bouché qu'il était convaincu que les autres l'étaient encore plus que lui.

L'oiseau qui se pavanait dans la salle d'attente alors que la main de la justice était sur le point de s'abattre sur lui avait dû juger qu'Hoskinsburg, avec pour seul défenseur de l'ordre un cul-terreux de shérif, était l'endroit rêvé pour commettre son forfait.

Mais il avait loupé son coup dès le début, quand il s'était présenté timidement au « Service Entretien Dépannage Poids Lourds », où le veilleur de nuit, Jim Harper, se trouvait seul. Avec autant d'allant qu'un asticot sur le point de faire connaissance avec l'hameçon, l'apprenti-gangster avait essayé de garder l'œil sur toutes les directions à la fois, en même temps qu'il brandissait un revolver rouillé et informait Jim que c'était un hold-up.

Presque aussi terrifié que son agresseur, Jim avait poussé un bêlement et s'était laissé choir derrière un établi. Le cambrioleur avait pris la plainte de Jim pour le cri de colère d'un homme héroïque plongeant vers une arme cachée. Saisi de panique, il avait laissé échapper son revolver et avait pris ses jambes à son cou. Au bruit de sa fuite, Jim avait rampé hors de sa cachette.

Quelques minutes plus tard Alfie et Bud étaient

entrés en scène, alertés par un coup de téléphone de Jim.

— Il a dévalé Main Street à toutes jambes, shérif.

Encore tout faible, Jim avait donné sa version de l'événement, assis sur l'établi :

— L'était seul. Personne l'attendait.

— Pas de voiture ?

— Pas que j'aie vu, shérif.

— Hum, avait réfléchi Alfie. Ni gare ni aéroport... il n'y a que le car de Cleveland... (Il fit claquer ses doigts.) Sapristi, Jim ! Ce bandit avait bien repéré la ville. Il a choisi l'heure d'arrivée du car de Cleveland pour faire son coup. Pensait vous assommer et disparaître avec son butin, ni vu ni connu !

— Vous y êtes ! Bud lui avait agrippé le bras. Vous avez tout bien reconstitué !

— A moins qu'il n'ait eu une voiture planquée dans une rue par-derrière. La règle numéro un est de bloquer toutes les issues, et à Hoskinsburg y a que la gare routière.

Il semblait enfin que l'efficacité et l'esprit vif d'Alfie allaient trouver à s'employer.

En fait de gagner Cleveland et de s'y perdre dans la foule avant que le shérif d'Hoskinsburg, un péquenot à l'esprit borné, ait eu seulement le temps de s'apercevoir de ce qui était arrivé, le gangster se trouvait bel et bien pris dans les mâchoires d'un piège. Alfie était certain de tenir le coupable. Il était improbable que deux étrangers répondant trait pour trait à la description de Jim se trouvent à Hoskinsburg le même soir.

Alfie avait maintenant atteint les larges portes latérales. A travers une des vitres il jeta un coup d'œil dans la salle d'attente. L'homme était plus jeune qu'il ne l'avait cru tout d'abord : environ trente ans, mais l'air dur, avec de grosses pommettes en saillie sur sa figure basanée et lippue, une toison de cheveux noirs lissés comme des plumes brillantes autour de ses oreilles et sur sa nuque de taureau.

La gorge soudain sèche, Alfie avala sa salive. Il

poussa la porte et fit son entrée dans la salle d'attente avec, à peu près, autant de grâce que le car qui allait arriver trop tard pour que le gangster puisse en profiter.

L'homme jeta immédiatement un regard soupçonneux sur Alfie, puis vers la porte d'entrée. Apercevant au-dehors la silhouette efflanquée de Bud, il laissa échapper un bruyant soupir et fit un pas vers les lavabos.

Alfie avança pour lui couper la route. L'homme pivota sur les talons. Sa bouche se déforma en un rictus affreux à voir.

— Qu'est-ce qui vous prend? Vous cherchez la bagarre ou quoi?

Sa voix fit à Alfie l'effet de sable se déversant d'un camion-benne.

Il ouvrit le col de son imperméable pour montrer le petit insigne d'argent épinglé au revers de son costume noir.

— Je suis le shérif de ce comté et j'ai de bonnes raisons de vous tenir pour suspect.

L'homme le brava du regard.

— Non mais, vous n'êtes pas bien? J'attends le car, c'est tout.

— Je sais, fit Alfie d'une voix douce. Mais vous en prendrez un autre, si vous avez la chance d'être innocent.

— Ouais? Innocent de quoi?

— Tentative de hold-up au Service Entretien Dépannage Poids Lourds, il y a moins de vingt minutes.

L'air désespéré, le suspect considéra la carrure d'Alfie et sa mine résolue.

— Ecoutez, grogna-t-il. J'ai des droits...

— Qui seront respectés, assura Alfie. De fait, nous vous avertissons dès maintenant que tout ce que vous direz pourra être utilisé contre vous.

Les épaules soudain affaissées, l'homme proféra une ultime menace:

— D'accord, mon vieux. Mais arrêtez-moi à tort, et

241

je vous poursuis jusqu'à ce que vous ne puissiez même plus vous payer un bretzel avec votre bière.

La menace n'eut pas l'air d'émouvoir Alfie. D'une tape polie sur l'épaule, il fit tourner son prisonnier et le fouilla.

— Maintenant, allons-y.

Encadré par Alfie et Bud, ce dernier ouvrant la marche, le suspect garda un silence morose durant le court trajet jusqu'au petit bâtiment crasseux qui abritait le bureau du shérif et une prison composée de quatre cellules.

Lorsqu'ils eurent pénétré en file indienne dans le bureau, Alfie désigna à son prisonnier un fauteuil de bois près de sa table de travail.

L'homme se laissa choir sur le siège et s'agrippa aux accoudoirs.

— J'ai bien réfléchi. Je ferais peut-être mieux de tout avouer...

Levant la main, Alfie lui imposa silence.

— Halte-là ! Pas d'aveux sous la contrainte. C'est contraire à la loi.

Le suspect ouvrit de grands yeux.

— Sous la contrainte ?

D'un geste du pouce, Alfie se désigna lui-même, puis Bud en faction devant la porte.

— Deux officiers de police, vous retenant contre votre gré, tout seul, dans une petite pièce, en pleine nuit. Après vous iriez dire qu'il y a eu contrainte, d'où violation de vos droits.

— Vous voulez dire que vous n'allez pas m'écouter ? fit l'homme, bouche bée.

— Pas avant que vous ayez un avocat. C'est le règlement.

Le prisonnier se tassa sur son siège.

— Quelle sorte de shérif êtes-vous ?

Une soudaine lassitude envahit le regard d'Alfie.

— Je crois pouvoir dire que j'en ai été un fichtrement bon. Maintenant, ça n'a plus d'importance. Je n'ai qu'un an à faire avant la retraite et je ne laisserai pas un minable petit gangster user de ses droits pour bousiller ma fin de carrière. Après tout, j'ai bien mérité mon bretzel avec ma bière.

Le regard de l'homme voyagea d'Alfie à Bud et revint se poser sur Alfie.

— Quand je parlais de vous poursuivre... c'était pour rire... juste une petite plaisanterie.

— C'était rudement bien envoyé. Non, monsieur, la loi dit que vous n'avez pas à me donner autre chose que vos noms, âge et adresse, tant que votre avocat n'est pas présent. Et si vous n'avez pas d'avocat ni les moyens de vous en payer un, je suis supposé vous en procurer un aux frais des contribuables.

Le suspect parut comme frappé de stupeur. Sa nervosité avait complètement disparu.

— C'est à se taper la tête contre les murs, se récria-t-il enfin. Alors même les péquenots connaissent l'évangile de la Cour Suprême !

— Je m'en tiens au code. En trois ans, c'est la première fois qu'il est commis à Hoskinsburg quelque chose ayant l'allure d'un crime. Probablement la dernière avant ma retraite. Je vous ai capturé. J'ai un revolver vous ayant appartenu, et un témoin. D'après ce qui est écrit dans le code, mon travail est terminé.

L'homme se redressa :

— Si vous me laissez plaider coupable, je vous dirai tout... D'abord j'ai tenté un hold-up, et puis...

— Nom ? interrompit Alfie en attirant à lui un formulaire.

Soupir excédé.

— Silvio Santos, répondit le suspect d'un ton morne.

— Age ?

— Trente et un ans.

— Adresse.

Il haussa les épaules.

— Sans domicile fixe.

— Parfait. Ce sera tout pour l'instant. Bud, mettez-le en cellule et veillez à ce que le lit soit propre.

— Bien, chef.

Traversant la pièce, Bub vint saisir Santos par le bras.

— Attendez une minute ! Santos s'agrippa au fauteuil. Je vais vous donner des détails sur ce délit que j'ai commis...

— Quand votre avocat sera là, monsieur Santos.

— J'ai jamais dit que je voulais un avocat ! hurla le prisonnier.

— Il vous faut en vouloir un ! C'est obligatoire ! hurla lui aussi Alfie en bondissant sur ses pieds.

— Qu'est-ce qui m'y force ?

— La loi, espèce d'abruti ! Que vous le sachiez ou non, vous avez des droits. Vous ne pouvez pas vous passer d'avocat !

Alfie baissa les yeux vers son poing qui venait de s'abattre sur le bureau. Il prit une profonde inspiration et adoucit sa voix.

— Alors, qui est votre avocat ?

— Je connais quelqu'un à Cleveland, je crois...

— Son nom ?

— Arnold Eman.

— Nous nous mettrons en rapport avec lui de votre part. Ça fait partie du métier. Partie des sauvegardes qui ont été érigées pour protéger vos droits.

L'avocat n'arriva au bureau d'Alfie qu'à dix heures le lendemain matin. Il fit une entrée majestueuse, se présenta et serra énergiquement la main d'Alfie. Ce dernier n'en croyait pas ses yeux. Il s'était attendu à un petit avocat miteux. Me Eman, au contraire, était un robuste individu, d'une mise recherchée et dont le petit doigt s'ornait d'un diamant pesant bien neuf carats. Il se dégageait de sa personne une belle assurance et des bouffées d'eau de Cologne qui évoquaient Bond Street. Dehors, un chauffeur l'attendait dans la limousine qui l'avait amené.

— Maintenant, si je puis voir mon client, shérif...

— Tout de suite. C'est le seul locataire que nous ayons ces temps-ci. Vous pourrez parler en toute tranquillité. Par ici, je vous prie.

Revenu seul dans son bureau, Alfie se carra dans son fauteuil, croisa les mains sur son ventre et se plongea dans une profonde méditation.

Au bout d'un moment il se détendit. Avec le revolver rouillé, les empreintes de Silvio Santos et le témoignage oculaire de Jim Harper, l'affaire était réglée d'avance.

Un sourire entrouvrit ses lèvres. Santos et son curieux défenseur pouvaient bien bavarder le temps qu'ils voudraient, ils ne pourraient en tout cas pas se plaindre de procédure illégale. Les droits du prisonnier avaient été respectés à la lettre.

Bien au calme dans la cellule de Santos, Eman disait :

— Etant donné les circonstances, vous avez bien fait de m'appeler.

— Je crois.

Assis sur sa confortable couchette immaculée, Santos savourait une cigarette.

Eman prit place à côté de son client et posa sur lui une main réconfortante.

— Ne vous faites aucun souci, Silvio. Avant un an vous en serez sorti.

— Avec vingt-cinq mille dollars en prime !

Les yeux sombres de Silvio rêvèrent dans l'avenir.

— Ça ne devrait pas être une mauvaise année, ricana Eman, exception faite du manque de femmes. Les prisons ne sont plus ce qu'elles étaient. Aujourd'hui on a des droits, des privilèges ; le cinéma, le sport, la lecture ; des inspecteurs qui viennent vérifier si le rata est bon.

— Pour ce qui est des femmes, je me rattraperai quand je sortirai, les poches bourrées de fric.

Silvio envoya un coup de coude dans les côtes d'Eman en se tordant de rire. Puis le petit homme basané s'appuya au mur et reprit un air grave.

— Une année pour décider où et quand le faire.

— Tout juste. Personne n'ira se douter que vous aviez seulement entendu parler de lui. Il n'y aura aucun lien entre vous deux.

Le visage de l'avocat se durcit.

— Ce sale mouchard ne mérite pas plus de considération qu'une punaise qu'on écrase. D'ici le jugement j'aurai largement le temps de vous tenir informé. Une fois là-bas, quand vous aurez tout mis au point, on vous fera passer ce dont vous aurez besoin.

Santos hocha la tête.

— Quand je pense ! Je viens ici exprès pour me faire piquer et qu'on me fourre en taule, et j'ai vu le coup où on allait me désigner d'office un avocat qui m'aurait sorti de là en moins de deux !

Eman alluma une cigarette à bout ivoire et sourit à Santos à travers la spirale de fumée.

— Maintenant, voyons un peu les détails concernant ce mouchard que le syndicat a décidé de supprimer. (Il se racla la gorge.) D'abord, son numéro matricule : 11802. Son nom...

Sa voix prit un ton confidentiel et Santos écouta, les yeux mi-clos.

The Privileges of Crime.
Traduction de Michel Girard.

Mort d'un vendeur de voitures

par

HELEN NIELSEN

A trois heures de l'après-midi, une voix cria dans le haut-parleur du parc où étaient exposées les voitures d'occasion : « On demande M. Cornell au téléphone. M. Cornell, au téléphone, je vous prie ! »

Cornell sentit que cet appel était une bénédiction du Ciel. M. Garcy était de mauvaise humeur et éprouvait le besoin de passer sa colère sur quelqu'un. Ces derniers temps, il semblait que ce fût toujours Cornell qu'il choisît à cet effet. Ce n'était pas juste, et Garcy le savait bien. Le marché aux voitures connaît des périodes creuses ; les ventes de voitures neuves étaient rares, elles aussi. Mais qu'est-ce que Cornell pouvait y faire ? Hypnotiser les clients ? La dame qui sortait du garage n'avait pas voulu de l'Oldsmobile bleue parce qu'elle n'aimait pas le bleu. Même Jack Richards, qui avait presque vingt ans de moins que Glenn Cornell et dont l'impertinent nœud papillon exerçait une grande séduction sur la clientèle féminine, n'aurait pas réussi à vendre une voiture bleue à une femme qui n'aimait pas le bleu, même s'il s'était agi d'une excellente affaire.

« On demande M. Cornell au téléphone. M. Cornell au tél... »

Cornell sauta sur l'occasion qui lui était offerte d'échapper à M. Garcy et entra dans le bureau avant que la téléphoniste ait terminé son second appel. A l'autre bout du fil, une voix masculine, jeune et précise, questionna :

— Allô, le garage Garcy, de Sutter Street ? C'est M. Cornell ? Il y a quelques jours, vous aviez une Cadillac d'occasion — une conduite intérieure, de 1957. Le prix était inscrit dessus : trois mille sept cent cinquante dollars, je crois. Oui, c'est bien celle-là que je veux dire. Elle est toujours là ? Vraiment ? Ah, bon ! Je viendrai la voir dès que j'aurai terminé mon travail. Si elle marche aussi bien qu'elle en a l'air, l'affaire est faite.

— Elle marche très bien, affirma Cornell. Aussi bien qu'une voiture neuve et elle a une garantie, tout comme une voiture neuve. A quelle heure viendrez-vous ? Dix-sept heures trente ? Très bien. Je vais la tenir prête. Oh, voulez-vous me donner votre nom ? Berra ? Parfait, monsieur Berra. A tout à l'heure.

M. Berra avait raccroché. Glenn posa à son tour le récepteur. Quand il releva la tête, son regard rencontra le tableau des ventes que M. Garcy laissait toujours en évidence. Il y avait six noms inscrits sur ce tableau, mais les deux derniers avaient été rayés. M. Garcy n'effaçait jamais les noms des employés auxquels il avait donné leur congé : il se contentait de les barrer d'un trait de craie, comme un rappel menaçant de ce qui risquait d'arriver à ceux dont les ventes tombaient trop bas. Le nom qui se trouvait juste au-dessus du dernier nom rayé était celui de Glenn Cornell. Au moment où il faisait cette constatation, Glenn, en se retournant, vit M. Garcy debout sur le seuil de la porte.

— C'était un de mes clients, dit-il d'un ton de gaieté forcée. Il est intéressé par la Cadillac noire. Je dois l'emmener faire un essai à cinq heures et demie.

Ce n'était pas un gros mensonge. Glenn n'avait jamais vu M. Berra, mais Garcy n'en savait rien. Et cela valait bien la peine de modifier un peu l'histoire pour voir l'expression du patron passer de la surprise à une sorte de déception, et ses lèvres se plisser en une de ces grimaces qui lui servaient de sourire.

— Bravo ! dit Garcy. Il est vraiment intéressé ? Vendez-la-lui, Cornell. Ne le laissez pas filer. Il a mordu à l'hameçon : à vous de ferrer.

C'était plus qu'un encouragement : c'était un ordre. Cornell jura qu'il vendrait la Cadillac noire à M. Berra, même si ce devait être la dernière chose qu'il fît de sa vie.

Exactement une semaine plus tard, vers onze heures du soir, la police, appelée par des voisins, découvrit une Cadillac noire garée dans une ruelle derrière un chantier de bois, à trois kilomètres environ du garage Garcy. Un homme était affaissé sur le volant et son menton, pressant le klaxon, avait déclenché celui-ci qui, selon les voisins, sonnait depuis près d'une heure. Un des policiers ouvrit la portière droite de la Cadillac.

— Hé là ! cria-t-il d'une voix forte, pour essayer de couvrir le bruit du klaxon. Ce n'est pas l'endroit choisi pour cuver son vin ! Vous empêchez les gens de dormir !

Mais il s'arrêta net et se pencha en avant pour renifler l'intérieur de la voiture.

— Apporte ta lampe électrique ! cria-t-il à son camarade. J'ai l'impression que la voiture est pleine de vapeurs d'essence.

Le second policier s'approcha pour respirer à son tour.

— Ce n'est pas de l'essence, dit-il. On dirait plutôt de la luzerne brûlée.

Mais quand la lampe éclaira l'homme effondré sur le volant, les deux policiers se turent. L'homme n'était pas ivre : il était mort. Glenn Cornell ne vendrait plus jamais rien à personne : il avait eu la tempe droite trouée par une balle de .45.

Hazel Cornell était encore très jolie, malgré le chagrin qui assombrissait son regard. Vingt ans plus tôt, se dit l'inspecteur Sommers, elle avait même dû être une ravissante jeune mariée. Maintenant, elle était veuve. Elle ne pleurait pas — le Ciel en soit loué ! Elle avait des cernes sous les yeux et un pli amer aux lèvres ;

mais, à ces détails près, on aurait pu la prendre pour une bonne ménagère qui aurait revêtu sa plus jolie robe et mis son chapeau des dimanches pour venir relater à la police les méfaits d'un garnement du voisinage ou quelque autre ennui de ce genre.

Mais c'était d'homicides que s'occupait l'inspecteur Sommers.

— Je me rappelle parfaitement ce que j'ai raconté aux policiers hier soir, dit-elle, et je sais aussi à quoi ressemble cette affaire. Mais je connaissais bien mon mari. Ce que les journaux de ce matin ont imprimé est faux : Glenn ne s'est pas suicidé. C'était un homme très croyant. Jamais il n'aurait envisagé de se tuer.

Elle parlait d'une voix basse mais ferme, tous les nerfs tendus dans son effort pour se maîtriser. Sommers jeta un coup d'œil au dossier de Cornell posé sur son bureau. Toutes les déclarations faites par cette femme, la veille au soir, y étaient consignées.

— Mais, madame Cornell, lui fit-il remarquer, vous avez reconnu vous-même que votre mari était déprimé et en mauvaise santé.

— Pas vraiment en mauvaise santé, protesta-t-elle. Sa toux persistante le gênait un peu. Glenn avait eu de la bronchite étant enfant, et cette toux le reprenait de temps en temps. Mais il y était habitué. Il ne se serait pas tué pour cela !

— Vous avez déclaré aussi qu'il était préoccupé par la vente d'une voiture qu'il essayait de placer à un client. Pendant toute la semaine, il avait tenté de conclure cette affaire sans réussir à obtenir une réponse définitive. Hier soir, il était rentré très fatigué et avait refusé de dîner.

— Il avait la migraine, expliqua-t-elle.

— Il est allé dans sa chambre et y est resté environ dix minutes. Puis il est ressorti en disant qu'il avait rendez-vous avec un certain M. Berra et — Sommers jeta un nouveau coup d'œil sur la déposition — qu'il avait l'intention de mettre un terme à cette indécision.

— Il m'a dit : « Je le tiens au bout de mon hameçon ; il ne me reste plus qu'à ferrer. »

— Dix minutes, répéta Sommers sans prendre garde à l'interruption. Voyons, madame Cornell, n'avez-vous pas identifié le revolver qui se trouvait sur la banquette, à côté du corps de votre mari, comme étant son propre revolver qui — avez-vous déclaré — était habituellement rangé dans le tiroir de son bureau ?

— Si, mais Glenn...

— Or, l'examen balistique a prouvé que votre mari avait été tué d'une balle tirée par ce même revolver.

— Oui, mais ce n'est pas Glenn qui a tiré !

Elle parlait d'une voix calme, comme insensible. Elle n'était pas venue seule. Affalé sur un siège à côté d'elle, un adolescent se mit à s'agiter fiévreusement en l'écoutant.

— T'énerve donc pas comme ça, m'man, dit-il.

— Je ne m'énerve pas, Andy, répondit-elle du même ton calme. Je dis simplement la vérité. Ton père ne s'est pas suicidé.

Il ne serait sans doute pas facile de lui ôter cette idée de la tête. C'était une femme résolue qui devait avoir été une épouse dévouée et être une bonne mère. Une femme sans histoires, bouleversée qu'une aventure aussi tragique ait pu venir troubler sa vie bien organisée.

— Madame Cornell, reprit Sommers, vous rendez-vous compte de la portée de vos déclarations ? Si votre mari ne s'est pas suicidé, c'est qu'on l'a assassiné. Connaissez-vous quelqu'un qui ait pu en vouloir à votre mari au point de le tuer ?

— Oh, non ! Glenn n'avait pas d'ennemis.

— Et cependant, vous affirmez qu'il a été tué.

— Il s'agit peut-être d'une attaque de bandits. Il conduisait une voiture coûteuse. On pouvait croire qu'il avait de l'argent.

Elle cherchait à se raccrocher à ses illusions.

— Mais, à la morgue, vous avez reconnu les objets personnels de M. Cornell, lui rappela-t-il. Son portefeuille, qui contenait dix-sept dollars, son porte-clefs, ses pilules pour la toux...

— Cette toux le prenait si souvent, insista-t-elle. Il avait toujours des pilules sur lui.

— ... son bracelet-montre et son alliance, poursuivit le policier. Tout y était ; rien n'a été volé. On a déjà tué des gens pour moins de dix-sept dollars, savez-vous, madame Cornell ? Mais ce n'est pas le cas pour votre mari.

— Alors, c'est peut-être l'acte d'un fou, insinua-t-elle. Un de ces déments dont on entend parler si souvent.

Si elle persistait dans son opinion, le mieux à faire était d'abonder dans son sens.

— C'est possible, concéda Sommers.

— A moins que ce ne soit M. Berra..., ajouta-t-elle. Avez-vous retrouvé ce M. Berra ?

Son regard était accusateur. Mais Sommers n'avait jamais vu un cas de suicide aussi flagrant. On n'avait relevé dans la voiture aucune trace de lutte. Lui-même s'était rendu sur les lieux pour s'en assurer. Et pas d'empreintes digitales sur le revolver, à part celles de Glenn Cornell. L'inspecteur ouvrit la bouche pour répondre, mais Andy le devança.

— M'man, intervint-il, la police sait ce qu'elle doit faire. Laisse-la donc tranquille.

— Non, elle ne le sait pas ! riposta Mme Cornell. Sinon, elle ne raconterait pas aux journalistes que ton père s'est suicidé. Elle pourrait au moins interroger M. Berra.

La petite femme décidée se leva, le visage calme, les yeux secs, pour affirmer :

— Glenn ne s'est pas suicidé !

Puis, se détournant, elle quitta le bureau. Andy bondit sur ses pieds pour la suivre, mais hésita un instant devant le bureau de l'inspecteur.

— Ne faites pas attention à ce que dit ma mère, implora-t-il. Elle est bouleversée, vous savez. Elle n'arrive pas à y croire.

252

C'était un beau garçon aux traits avenants, aux cheveux blonds coupés court. Il portait un pull-over d'uniforme, avec un énorme S sur la poitrine.

— Mais tu y crois, toi, n'est-ce pas ? demanda Sommers.

— Bien sûr. Je comprends. Un homme peut perdre sa confiance en soi, sa fierté. Je veux dire : peut-être que ce client à qui il essayait de vendre la voiture lui a filé entre les doigts. Ou bien, peut-être que Garcy était trop dur avec lui. Il y a des patrons qui sont comme ça. Dès qu'ils sentent qu'on a un peu la trouille, ils sont comme des loups qui reniflent l'odeur du sang.

— La trouille ? répéta Sommers. Veux-tu me faire croire que ton père était un déglonflé ?

Andy Cornell rougit jusqu'à la racine des cheveux.

— Non, c'est pas ça que je voulais dire... Mais je sais qu'il se laissait facilement avoir.

— Quel âge as-tu, Andy ? demanda l'inspecteur.

— Seize ans.

— Et toi, tu ne te laisses pas avoir, n'est-ce pas ?

— Ah ça, non !

Sommers examina attentivement le jeune garçon pendant quelques secondes avant de le congédier. Sans le vouloir, le gosse avait, du moins, expliqué la raison pour laquelle sa mère refusait de se rendre à l'évidence. « Dégonflé », répéta Sommers pour lui-même. Ce n'était pas là une épitaphe très sympathique, d'un fils à son père... Sommers décida d'avoir une conversation avec M. Berra.

Dans la salle d'exposition du garage de Sutter Street, où une rangée de fanions rouges et blancs se balançait mollement, M. Garcy fit montre d'un manque total d'enthousiasme pour répondre aux questions indiscrètes de son visiteur. Il avait déjà dû tenir tête à un ou deux reporters et estimait qu'un suicide est un sujet déplaisant à traiter. Un sujet morbide, même, et qui risquait de donner mauvaise réputation à son garage.

— Pour être franc avec vous, Inspecteur, dit-il — et

je suis toujours franc — je vous avouerai que je n'ai pas été tellement surpris quand la police m'a fait venir, la nuit dernière, pour identifier le corps de Cornell et ma Cadillac. Pas surpris qu'il se soit suicidé, je veux dire. Le pauvre type était au bout du rouleau et incapable de remonter la pente. Il y a quelques années, c'était lui qui, chaque mois, se trouvait en tête de liste sur le tableau des ventes, même pendant la morte-saison. Mais, depuis quelque temps, il avait perdu la main. Il pensait à ses propres problèmes pendant le travail, et c'est très mauvais. Quand un homme ne sait plus s'abstraire de ses problèmes, c'est qu'il est sur la mauvaise pente.

— Des problèmes ? De quels problèmes voulez-vous parler ?

— N'importe lesquels. Nous en avons tous, n'est-il pas vrai ? Des problèmes de famille, de santé, d'argent ; mais nous nous efforçons de les oublier pendant notre travail. Pas Cornell. Il se trouvait toujours des excuses. Son fils était rentré trop tard le soir et il avait veillé pour l'attendre. Son fils fréquentait une bande de voyous au lycée et il craignait de le voir mal tourner... Je vous assure, Inspecteur, que si Cornell avait eu cinq ou six enfants, il serait encore en vie aujourd'hui. Il aurait bien fallu qu'il cesse, depuis longtemps, de se tracasser à leur sujet.

Sommers pensa à Andy Cornell — ce beau garçon grand et blond.

— Son fils n'a pas eu d'ennuis, n'est-ce pas ? questionna-t-il.

— Andy ? Bien sûr que non. C'est un bon gosse, Andy. J'aimerais avoir un fils comme lui. Mais, moi, c'est bien ma veine : j'ai quatre filles !... Pourtant, Cornell se faisait constamment de la bile ; ça devait être physique chez lui. Il avait souvent des migraines, des maux de gorge. Il prenait tout le temps des pilules et ne fumait jamais. Mais il était chez moi depuis près de onze ans et je déteste renvoyer un employé.

Les yeux de Garcy s'étaient posés par inadvertance

sur le tableau accroché au mur et Sommers avait suivi son regard.

— Moroni, Taber, lut-il à voix haute. Qu'indique donc ce trait à la craie, monsieur Garcy ?

Garcy fronça les sourcils.

— Je ne peux pas traîner de poids morts. J'ai une affaire à faire marcher.

Sommers eut un hochement de tête approbateur.

— Cornell, ajouta-t-il, en lisant le nom inscrit au-dessus de ceux des vendeurs congédiés.

Il y eut un moment de silence, puis l'inspecteur reprit :

— Ainsi, vous pensez qu'il était suffisamment déprimé pour décider de se supprimer ?

— Déprimé, instable... Utilisez le terme que vous voudrez ; cela revient au même. Il s'est effectivement suicidé, n'est-ce pas ?

Bien entendu, il s'était suicidé : rien n'était plus évident. Cependant, Sommers, agacé par l'ironie de son interlocuteur, continua de poser des questions.

— Et M. Berra ? demanda-t-il. Lui avez-vous parlé ?

L'impatience à peine voilée dont faisait montre Garcy fit place momentanément à une légère confusion.

— Qui ? questionna-t-il.

— Berra. Le client à qui Cornell espérait vendre la Cadillac. Mme Cornell nous a dit que son mari était sorti avec la voiture dans laquelle on l'a trouvé mort pour conclure une affaire avec un certain M. Berra ?

Garcy soutint le regard de l'inspecteur sans baisser les yeux.

— Je ne crois pas qu'il y ait eu de M. Berra, répondit-il. Je parle sérieusement, Inspecteur. Je sais, j'ai fait à vos hommes la même déclaration que Mme Cornell, la nuit dernière. Mais, depuis, j'ai eu le temps de réfléchir et je suis convaincu que cette histoire a été montée de toutes pièces. Et je vais vous dire pourquoi j'ai cette conviction. Ça a commencé l'autre vendredi — il y a eu une semaine hier. Cornell avait raté une vente qui paraissait sûre. Cela se passait juste avant midi. J'avais rendez-vous pour déjeuner au club et j'ai dû partir ; mais je lui ai dit que je voulais lui parler à mon retour. Il était dans une mauvaise passe et le savait. Je suis rentré vers trois heures et je venais juste d'arriver au parc d'exposition pour avoir cette conversation avec Cornell — c'est lui qui s'occupait de la vente des voitures d'occasion — quand, par le haut-parleur, on l'a appelé au téléphone. Je l'ai suivi dans le bureau et l'ai entendu prendre rendez-vous avec un certain Berra, à qui il voulait faire faire un essai sur la Cadillac noire, à dix-sept heures trente.

— Et ce Berra ne s'est pas montré ? questionna Sommers.

— Non. Vers dix-sept heures quinze, il y a eu un autre coup de téléphone. D'habitude, je rentre chez moi à dix-sept heures, mais, ce jour-là, j'étais resté dans les parages pour voir comment Cornell allait se tirer de cette affaire. Le deuxième appel était encore de Berra qui, disait-il, ne pouvait se rendre au garage à l'heure indiquée mais proposait que Cornell aille le prendre à une station-service qui se trouve au coin de la Troisième Avenue et de Fremont Street. Cela paraissait tout naturel et j'ai laissé partir Cornell.

— Quand est-il revenu ?

— Je ne sais pas, répondit Garcy. Je suis rentré chez moi. Le lendemain matin la Cadillac était de nouveau dans le parc d'exposition, mais Cornell me dit que M. Berra était décidé à l'acheter aussitôt qu'il aurait réuni la somme nécessaire pour payer comptant. Je conseillai à Cornell de baisser un peu le prix pour emporter l'affaire, mais il me répondit que Berra ne voulait pas marchander, qu'il payait toujours comptant et aurait l'argent d'ici quelques jours. Sur le moment, je n'attachai pas beaucoup d'importance à cette histoire, mais, en y réfléchissant, je me rends compte maintenant que Cornell agissait déjà alors d'une drôle de manière.

— D'une drôle de manière ? répéta Sommers. Comment cela ?

— Je ne saurais le dire exactement. Il semblait ne pas vouloir parler de Berra, sauf pour m'assurer que celui-ci tenait à la Cadillac et aurait bientôt la somme nécessaire. En général, les vendeurs aiment bien bavarder au sujet de leurs clients, faire valoir la manière dont ils les ont décidés à acheter ou, tout au moins, raconter quelques anecdotes. Mais Cornell est resté muet comme une carpe. J'ai essayé de lui tirer les vers du nez : je lui ai demandé si Berra travaillait à la station-service où il était allé le prendre. Il m'a dit que non, qu'il ne le croyait pas, et c'est tout ce que j'ai pu en sortir. Trois jours plus tard — non quatre : c'était mardi. Mardi dernier, donc, je lui ai demandé s'il avait eu des nouvelles de Berra, et je lui ai recommandé de battre le fer pendant qu'il était chaud. Cet après-midi-là, il a pris la Cadillac en me disant qu'il allait chez Berra. Il est revenu une demi-heure plus tard en déclarant qu'il n'y avait personne et qu'il essayerait une autre fois.

— Et il a vraiment essayé ?

— Je l'ignore. Je sais seulement que jeudi — avant-hier — M. Berra a appelé de nouveau. Cette fois, il a dit avoir réuni la somme voulue. Sa mère qui habite Pasadema, avait accepté de la lui donner, à condition que Cornell amène la voiture jusque chez elle pour lui permettre de l'examiner. Ça m'a paru assez louche, mais il ne faut pas cracher sur une vente de trois mille sept cent cinquante dollars comptant, et j'ai décidé de faire confiance à Cornell. Je lui ai dit d'y aller, mais de...

Garcy hésita et son visage rougit légèrement.

— De quoi faire ? insista Sommers.

— Je voulais seulement blaguer, bien sûr.

— Mais que lui avez-vous dit, monsieur Garcy ?

— De ne pas revenir avant d'avoir conclu l'affaire.

Le silence n'était troublé que par un lointain bruit de voix venant du hangar du fond.

— Eh bien, est-il revenu ? questionna Sommers.

— Non. Il a appelé hier matin pour me dire qu'il avait rencontré une petite difficulté, mais qu'il arrangerait ça avant la fin de la journée. Il avait toujours la Cadillac avec lui.

Le visage de Garcy, de rouge qu'il était auparavant, était devenu blême.

— Bon sang, ce n'était qu'une façon de parler ! Je ne lui demandais pas de se brûler la cervelle !

Sommers laissa Garcy donner libre cours à son angoisse sans l'interrompre. La machine bien ordonnée qu'était son propre esprit classait et ordonnait les faits et l'ensemble de ceux-ci l'amena à poser une question :

— Monsieur Garcy, vous venez de me dire que ce Berra avait téléphoné à Cornell ici, au bureau, à trois reprises ; et pourtant, vous avez commencé par déclarer que cet homme, selon vous, n'existait pas. Comment expliquez-vous cela ?

— C'était calculé, répondit Garcy, heureux de trouver une diversion à ses pensées. J'y ai réfléchi ce matin. Cornell a reçu ce premier coup de téléphone juste après que je lui avais passé un savon pour avoir raté sa dernière vente — alors qu'il savait que j'avais l'intention d'avoir une conversation avec lui à ce sujet, puisque je le lui avais dit avant d'aller déjeuner. C'est pourquoi il m'a fait miroiter cette nouvelle affaire et l'a entretenue toute la semaine, en m'assurant être absolument certain de vendre la Cadillac. Je pense qu'il était découragé au point d'avoir imaginé ce client, M. Berra, et de s'être entendu avec un ami qui devait l'appeler au téléphone pour rendre l'histoire vraisemblable. Je n'ai jamais vu ce Berra, personne au garage ne l'a vu, et Cornell ne nous a rien dit de lui. La téléphoniste a entendu sa voix — celle d'un homme jeune, a-t-elle dit. C'était peut-être le fils de Cornell qui se chargeait de ces appels. Mais je suis toujours convaincu que M. Berra n'existe pas.

Garcy avait peut-être raison, mais quelque chose chiffonnait Sommers, qui lui venait non de sa raison, mais de son instinct. L'instinct absorbe et retient en un instant ce que l'esprit ne peut analyser qu'au bout d'un certain temps. Il ne s'agissait que d'un petit détail, mais l'inspecteur fronça les sourcils en y pensant.

— Vous me dites que Cornell a conduit la voiture chez Berra. Vous a-t-il dit où celui-ci habitait ?

— Non, il m'a simplement dit que ce n'était pas loin et qu'il serait de retour dans une demi-heure.

— Il a peut-être noté l'adresse quelque part ? Sur son carnet de ventes par exemple ?

— Vous pouvez chercher dans son bureau si vous le désirez. Croyez-moi, si je pouvais mettre la main sur ce Berra, j'aurais quelques questions à lui poser, moi aussi. Savez-vous combien de kilomètres Cornell a faits dans la Cadillac, en une semaine ? Près de deux cent cinquante. J'ai vérifié le compteur au garage de la police hier soir. Certains de nos jeunes vendeurs aiment prendre un modèle récent pour sortir le soir avec leurs petites amies et consommer de l'essence. Des choses comme ça font rapidement baisser les bénéfices d'une affaire ! Il suffit d'une petite voie d'eau pour couler un navire, si on néglige pendant trop longtemps d'y mettre bon ordre.

Sans prendre garde à ce discours, Sommers était allé examiner le bureau de Cornell. Il y trouva nombre de renseignements concernant d'autres clients : leurs noms, adresses et numéros de téléphone — mais rien sur M. Berra.

— Vous voyez bien, dit Garcy. Il a créé ce Berra de toutes pièces. C'est vraiment tragique de penser qu'un homme puisse être assez faible pour avoir recours à de tels mensonges afin de sauver la face.

Dégonflé. Le vocabulaire de Garcy avait trente ans de retard sur celui d'Andy Cornell, mais tous deux, en termes différents, disaient la même chose. Pour Sommers, c'était là un encouragement à continuer ses recherches.

— Au coin de la Troisième Avenue et de Fremont Street, réfléchit-il tout haut.

— Qu'est-ce que c'est ? demanda Garcy.

— L'adresse de la station-service où Cornell devait rencontrer Berra.

— Ah! oui : c'est bien ce qu'il a dit. Ecoutez, Inspecteur...

Sommers, qui s'apprêtait à sortir, s'arrêta devant la porte.

— Si vous voulez continuer à rechercher M. Berra, c'est votre affaire. Moi, mon métier c'est de vendre des voitures, et j'aimerais récupérer ma Cadillac noire à temps pour l'exposition de dimanche.

— Je vais la faire nettoyer et ramener au garage, monsieur Garcy, répondit Sommers. En attendant, il y a une chose que vous pouvez faire pour secouer vos vendeurs et les tenir en haleine.

— Quoi donc? demanda Garcy.

— Rayer le nom de Cornell sur ce tableau.

La station-service qui faisait le coin de la Troisième Avenue et de Fremont Street était très fréquentée et Sommers dut attendre un moment avant de pouvoir obtenir un entretien avec le gérant Max Fuller. Celui-ci fit entrer l'inspecteur dans son bureau, mais ne parut pas lui accorder immédiatement toute son attention et continua d'observer du coin de l'œil un de ses employés.

— C'est un nouveau qui s'occupe des pompes à essence, expliqua-t-il. Les premiers jours, il faut que je le surveille de près... Vous êtes de la police, n'est-ce pas? Qu'est-ce qui vous amène? Vous venez distribuer des contraventions?

Sommers ne venait pas distribuer de contraventions. Il exposa le but de sa visite et Fuller en oublia ses pompes à essence.

— Berra? répéta-t-il. Qu'est-ce qu'il a donc fait, celui-là?

C'était une réaction intéressante.

— Que voulez-vous dire? demanda Sommers.

— Eh bien, on est venu le demander hier. Un homme, qui voulait savoir si quelqu'un de ce nom-là travaillait ici, et où on pourrait le trouver. Je lui ai répondu que je n'avais jamais entendu parler de ce Berra, et il me l'a décrit : un homme jeune, a-t-il dit ; dans les vingt ans, pas plus. Teint basané, cheveux et yeux noirs, portant des vêtements bien coupés. Cette description ne me rappelait personne, alors le type a commencé à me raconter toute une histoire, affirmant qu'il était venu prendre le dénommé Berra à ma station-service la semaine dernière. Une histoire loufoque, quoi !

— Loufoque ? répéta Sommers. Comment cela ?

— Sur tous les points. La façon dont il est venu chercher Berra, d'abord. Il paraît qu'il a garé sa voiture sur le côté pour ne pas bloquer le passage devant les pompes à essence ; qu'il a éteint son moteur, pensant qu'il devrait entrer dans le bureau pour trouver la personne qu'il était venu chercher ; mais, avant qu'il soit descendu de voiture, la porte des lavabos s'est ouverte et Berra en est sorti en courant, tête baissée. Et le Berra en question a ouvert la portière de la voiture pour demander au type s'il était bien M. Cornell...

— Cornell ? fit en écho Sommers.

— C'est le nom de celui qui est venu hier me poser des questions. Cornell, donc, a répondu que c'était bien lui et Berra est monté dans la voiture, en disant : « Bien. Allons-y ! » Cornell vend des voitures, vous comprenez. Et le type qui est sorti en courant des toilettes lui avait téléphoné au sujet d'une Cadillac noire qu'il voulait acheter...

Max Fuller s'interrompit brusquement. Tout en parlant, il se lavait les mains et, au moment où il reposait la serviette sur son bureau, son regard fut attiré par le journal du matin étalé sous ses yeux. En première page, un article s'intitulait : « Suicide d'un vendeur de voitures. » Fuller parcourut les premières lignes de l'article et releva la tête, l'air stupéfait.

— Mais c'est lui ! bégaya-t-il. C'est le type qui est venu hier !

— Lui-même, en effet, confirma Sommers. Dites-moi, avez-vous vu l'homme que Cornell vous a décrit le jour où il est sorti en courant pour aller le rejoindre ?

— Non, inspecteur, je ne l'ai pas vu. En fin d'après-midi — il était alors dix-sept heures trente, m'a dit Cornell — nous avons beaucoup à faire ici. C'est l'heure où les gens rentrent de leur travail et je n'ai guère le temps de regarder autre chose que mes compteurs d'essence ! A vrai dire, je ne me souviens même pas d'avoir vu Cornell entrer en voiture, mais il peut parfaitement l'avoir fait, sans que je l'aie remarqué. Voyez vous-même : il y a beaucoup de places où garer une voiture loin des pompes.

Sommers retourna vers la porte. Fuller avait raison : il y avait bien une vingtaine de mètres entre le bureau et l'extrémité du parc d'exposition où s'élevait un immeuble commercial de deux étages. Il était fort possible de garer sa voiture loin des pompes à essence, pendant les heures d'affluence, sans être remarqué de personne. De même qu'un homme sortant des toilettes qui se trouvaient à l'autre bout de la station-service avait de grandes chances de passer inaperçu.

— Vous tenez les toilettes fermées d'habitude, je suppose ? demanda le policier.

— Il le faut : ce sont les ordres de la Compagnie. Ça me complique d'ailleurs beaucoup l'existence !

— Ça vous ennuie que j'aille y jeter un coup d'œil ?

— Pas du tout : allez-y. Il faut que je m'occupe de mes clients. Si je peux vous aider en quoi que ce soit, faites-le-moi savoir. Mais j'en doute. Je n'ai rien pu faire pour Cornell. Il est parti en me disant qu'il allait à l'autre station-service.

Sommers, qui s'apprêtait à sortir, s'arrêta brusquement sur le seuil de la porte, en répétant :

— L'autre station-service ?

— Oui, expliqua Fuller, celle qui fait l'angle de la Huitième Avenue et de California Street. Il m'a dit que c'était là qu'il avait laissé Berra après lui avoir fait faire un essai dans la Cadillac. Il semblait très pressé de retrouver ce Berra. C'est une drôle d'histoire, n'est-ce pas ? C'est pour cela que je me la rappelle.

Une drôle d'histoire, en effet... Sommers se demanda quelle aurait été la réaction de Garcy en entendant ce récit. Aurait-il persisté à croire que Berra n'existait pas ? Aurait-il insisté sur ce point, demeuré obscur, que personne, en dehors du mort, n'avait vu Berra ? Sommers fit le tour du bâtiment pour aller inspecter les toilettes réservées aux hommes. Elles étaient extrêmement propres : la Compagnie n'aurait eu que des éloges à faire à ce sujet au gérant de la station-service. Tout était en ordre. Rien ne traînait. La corbeille à papier était placée bien en évidence, le distributeur de serviettes était soigneusement rempli, pas un robinet ne coulait, et il n'y avait aucune trace apparente du passage de Berra la semaine précédente. L'inspecteur procéda à une inspection minutieuse du lavabo de médiocre qualité et, en passant son doigt au-dessous, toucha tout à coup un objet insolite. Il s'accroupit sur ses talons pour examiner le bord du lavabo à la lueur de son briquet. Il y avait en effet quelque chose qui ressemblait à du chewing-gum durci, mais qui s'écaillait sous son ongle comme une plaque de plomb. De la soudure ! C'était de la soudure. Il y en avait plusieurs fragments répartis sous la cuvette du lavabo. Sommers cessa de gratter, éteignit son briquet et se leva.

Qu'est-ce que cela voulait dire ? Trouver là du chewing-gum ne l'aurait pas surpris, mais de la soudure... Quittant les toilettes, il retourna à sa voiture, et se mit à observer l'endroit où Cornell avait dû garer la sienne une semaine avant sa mort. De là on voyait très bien la porte des toilettes. Si celle-ci avait été entrouverte au moment où Cornell arrivait, il aurait été facile pour quelqu'un qui se trouvait à l'intérieur de voir et reconnaître le modèle de voiture que lui-même avait fait venir, comme on appelle un taxi. Mais où ce « taxi » l'avait-il conduit ? Max Fuller l'avait dit : à une autre station-service, au coin de la Huitième Avenue et de California Street.

Cette deuxième station-service, qui n'appartenait pas à une compagnie, n'était pas aussi propre ni aussi moderne que celle que Sommers venait de quitter, mais elle était deux fois plus fréquentée encore car le garage se trouvait à une trentaine de mètres derrière les pompes à essence. Sommers repéra vite un homme trapu et presque chauve, en salopette. C'était Donnegan, le propriétaire de la station-service. Celui-ci, comme Max Fuller, avait une histoire à raconter à l'inspecteur : la veille, Cornell était venu l'interroger au sujet d'un certain Berra.

— Je ne connais personne de ce nom, ce n'est pas un de mes employés, expliqua Donnegan. D'ailleurs, tous mes employés sont des parents à moi. Je ne dirais pas qu'ils travaillent, ce serait trop dire ! Mais ils figurent sur la feuille de paye. De toute façon, c'est moi qui les nourris, alors...

— Que vous a dit Cornell au sujet de Berra ? questionna Sommers.

— Exactement ce que je vous ai répété, répondit Donnegan. Il m'a demandé si je le connaissais. Il m'a fait son portrait : jeune, brun, bien habillé. Il m'a dit qu'il l'avait déposé ici, il y a une semaine, après l'avoir emmené faire un tour dans la Cadillac modèle 1957 que lui-même conduisait. Berra voulait l'acheter, paraît-il, et avait fait promettre à ce Cornell de ne la vendre à personne d'autre. Il disait avoir rendez-vous ici avec son père, qu'il avait l'intention de le taper.

— Rendez-vous ici ? répéta Sommers.

— Ouais. Elle est bien bonne, hein ? Et le vendeur de voitures est tombé dans le panneau. Pourtant, on pourrait croire que ces gars-là sont habitués aux filous qui veulent les prendre pour des poires ! Mais je suppose que, pour un bon pourboire, un homme est prêt à faire du chemin.

— Deux cent cinquante kilomètres, dit Sommers.

— Quoi ?

Sommers ne se donna pas la peine de tout lui expliquer. Mais il n'y avait guère que cinq cents mètres entre le garage de Fuller et celui de Donnegan. Cela laissait donc une grande marge pour atteindre le total de deux cent cinquante dont Garcy s'était plaint et qu'un simple essai sur la Cadillac ne pouvait suffire à justifier.

— Cornell ne vous a rien dit d'autre ? demanda-t-il. Vous a-t-il fait savoir où il comptait aller en quittant votre garage ?

— Non, il ne m'en a pas parlé, répondit Donnegan. Par contre, il m'a raconté quelque chose de bizarre. Il m'a dit que Berra, en descendant de voiture pour retrouver son père ici, s'était mis à courir, tête baissée, vers les toilettes. J'ai suggéré, pour plaisanter, qu'il avait peut-être mal au cœur en voiture. Mais Cornell n'a pas ri : il semblait inquiet ou intrigué. Oui, c'est plutôt ça : intrigué.

C'était bien le mot qui convenait, car Sommers était intrigué lui aussi. Quelque chose commençait à prendre forme, à se dessiner, mais ce dessin était encore très vague, dans l'esprit de Sommers. L'homme dont Garcy s'obstinait à nier l'existence devenait plus réel. Un jeune homme — une voix jeune au téléphone. Un vendeur de voitures inquiet refaisant le même itinéraire une semaine après l'avoir suivi une première fois, et cela le lendemain du deuxième coup de téléphone de Berra... Il n'aurait pas fait tout ce chemin pour trouver quelqu'un dont il eût lui-même imaginé l'existence afin de se faire bien voir de son patron... Avant de quitter le garage de Donnegan, Sommers alla inspecter les toilettes et revint de cet examen plus intrigué encore. Sous le lavabo, il avait trouvé plusieurs fragments de soudure durcie. Quelque chose se précisait, sûrement ; mais il manquait encore quelques pièces au puzzle pour que tout cela eût un sens.

En admettant que M. Berra existât, pourquoi se serait-il servi de Cornell comme chauffeur, et où étaient-ils allés ensemble ? Cornell avait dit à son patron s'être rendu chez Berra mais que celui-ci n'était pas là. A moins que ce ne fût un mensonge, Berra avait dû lui donner une adresse. Celle-ci ne se trouvait pas dans le bureau de Cornell, mais peut-être l'avait-il notée sur un bout de papier qu'il avait mis dans son portefeuille. Sommers se rendit au bureau central de la police afin d'y examiner les effets du mort, mais il n'y découvrit rien. Cette piste qui, au début, semblait si prometteuse, ne menait nulle part. Il ne restait plus qu'un seul endroit où effectuer des recherches.

En bas, dans le garage, la Cadillac de M. Garcy était prête à retourner chez son propriétaire. Cornell était mort très proprement : la banquette ne portait aucune trace de sang et la balle qu'il s'était logée dans le crâne n'avait pas endommagé de vitre. Au moyen d'une bonne publicité, la voiture se vendrait facilement à un client aux goûts morbides. Sommers n'était pas morbide : il était seulement décidé à résoudre cette affaire.

Dès l'instant où il ouvrit la portière de la Cadillac il fut repris par ce sentiment de « déjà vu » mais non reconnu. A peine douze heures plus tôt, il avait fait exactement les gestes qu'il refaisait en ce moment : il avait ouvert la portière de la voiture signalée par les voisins et jeté un coup d'œil sur le siège avant. Etait-ce quelque chose qu'il avait vu ? Non, il n'avait découvert alors que le cadavre de Cornell et le revolver tombé à ses pieds. Quelque chose qu'il avait senti, plutôt ?... Oui, c'était bien cela : une odeur âcre, piquante, comme une odeur de fumée ou de brûlé. Il ouvrit le coffre à gants. Rien qui pût expliquer cette odeur ; pas de chiffons huileux, pas d'objets roussis : il n'y avait qu'une étiquette du garage Garcy où était inscrit le prix de la voiture, et un plan de la ville.

Un plan de la ville ! Pris d'une fiévreuse impatience, Sommers l'approcha de la lumière. C'était un plan tout neuf, sur lequel on avait fait des marques au crayon rouge. Des croix, de petites croix rouges, placées en différents points de la carte. Plus l'inspecteur examinait l'emplacement des croix, plus il était intéressé. Il y en avait une à l'angle de la Troisième Avenue et de Fremont Street, une autre à l'angle de California Street et de la Huitième Avenue. Il y en avait encore trois autres, placées à des endroits très éloignés les uns des autres : deux à des carrefours et une au milieu d'un pâté de maisons. En additionnant ces distances et en les doublant pour le retour, on n'arrivait pas loin du total de deux cent cinquante kilomètres... Maintenant, Sommers avait trois chances de plus de découvrir cet illusoire M. Berra.

Il mit le plan dans sa poche et referma le coffre à gants. La voiture était prête à rouler : lavée, nettoyée, les cendriers vidés. Les cendriers... C'était encore quelque chose à examiner. La nuit précédente, le cendrier placé sur le tableau de bord était ouvert. Sommers le tira d'un coup sec. Il n'avait pas été vidé, sans doute parce que quelqu'un l'avait refermé par inadvertance et qu'il était ainsi passé inaperçu de la personne chargée de nettoyer la voiture. Cornell ne fumait pas à cause de sa gorge délicate, et Garcy devait certainement prendre suffisamment soin d'un modèle d'exposition pour ne pas négliger de faire vider un cendrier dans lequel des mégots dégageaient encore cette odeur d'herbe brûlée que Sommers avait déjà remarquée la nuit précédente. D'ailleurs, il ne s'agissait pas de mégots de cigarettes, mais de marijuana.

Les morceaux de puzzle commençaient à s'assembler. Sommers alla porter le contenu du cendrier au laboratoire pour le faire analyser et s'apprêta à faire un tour en ville. Il y avait sur le plan trois endroits à identifier. Le premier se révéla être une petite épicerie située en face d'un collège : le Collège Charles Steinmetz. Sommers nota ce nom avec intérêt. Il ne s'attarda pas dans l'épicerie. Il lui suffit d'entrer demander un paquet de biscuits pour se rendre compte qu'aucun homme répondant à la description de Berra ne travaillait dans la boutique. D'ailleurs, l'inspecteur ne s'y attendait pas. Le deuxième endroit indiqué sur le plan était plus intéressant : il s'agissait d'une herboristerie tenue par un Oriental qui, s'il n'était pas totalement impénétrable, semblait du moins très maître de lui. Sommers ignorait ce qu'il allait faire du paquet de blé germé qu'il venait d'acheter, mais il sentait que le puzzle commençait à révéler un dessin très intéressant.

La troisième petite croix rouge était placée au milieu d'un pâté de maisons situé dans une rue résidentielle, où les vieux bungalows étaient remplacés par des blocs d'appartements modernes. En ignorant le numéro de la maison, il aurait été difficile de savoir exactement ce qu'indiquait la troisième croix, sans le dessin qui se précisait de plus en plus dans l'esprit de Sommers. Un homme qui ne veut pas qu'on le trouve n'ira pas donner une adresse exacte : il donnera autant que possible, l'adresse d'un endroit où personne n'habite. Dans ces cas-là, ce sont généralement des terrains vagues que l'on choisit ; mais, en l'occurrence, il y avait mieux encore. Une maison prête à être démolie se trouvait là, tel un coquillage vide. Les fenêtres n'avaient plus de rideaux, la pelouse et la véranda étaient jonchées de prospectus. « Il n'y avait personne. » C'est ce que Cornell avait rapporté à Garcy après être allé rendre visite à Berra. Non, à coup sûr, il n'y avait personne ici. Sommers gara sa voiture et se mit à examiner la propriété dans l'espoir d'y découvrir un indice de son propriétaire.

Au premier coup d'œil la maison n'aurait pu paraître que provisoirement vide ; mais, après un examen plus sérieux, on se rendait compte que les démolisseurs s'étaient déjà attaqués aux fondations de la véranda, que plusieurs piliers de brique étaient en ruines et que la cheminée au coin de la maison était à demi démolie. En faisant le tour, Sommers vit un homme debout près d'une brouette et qui, à son approche, releva la tête, surpris. Il se hâta de déposer les briques qu'il tenait à la main sur le tas déjà empilé dans la brouette et, quand Sommers lui eut montré son insigne, il dit avec un sourire narquois :

— Ça va, Inspecteur. J'ai la permission de M. Peterson pour prendre ces briques. C'est sa maison. Nous avons été voisins pendant des années. « Allez-y, qu'il m'a dit, prenez des briques quand on démolira la maison, ça vous permettra de finir votre patio. » Mais, à vrai dire, j' sais pas pourquoi je m' donne cette peine. Un de ces quatre matins, un acheteur va m'offrir un prix auquel je ne pourrai pas résister et on mettra ma maison par terre à son tour.

— Où habite M. Peterson ?

— Il est à Carmel. Retraité. J' pense que c'est là qu' j'irai un jour, moi aussi.

— Depuis combien de temps est-il parti ?

— Vous voulez dire d'ici ? Oh, ça fait sept ou huit ans qu'il n'habite plus cette vieille maison. Il l'avait louée. Les derniers locataires sont partis voici environ trois semaines. J'étais content de les voir s'en aller, vous savez ! Il y a beaucoup de gens bien sur terre, — des gens très biens. De toutes les races, de toutes les nationalités. Mais, quand on tombe sur des voisins désagréables… Ces Berrini…

— Berrini ? répéta Sommers.

— Oui, c'est leur nom. Ce n'était pas vraiment une famille. La mère… on ne pouvait pas trop lui en vouloir. C'était une veuve qui devait travailler pour vivre. Elle avait trois petites filles, encore à l'école primaire, à élever, et deux fils qui auraient dû l'aider mais qui n'pensaient qu'à s'acheter des voitures d'occasion, et de beaux vêtements. Le plus vieux — Bruno — a même été dans une maison de redressement pour jeunes délinquants, il y a quelques années. L'autre, Joe, je ne sais pas. Il est encore au lycée.

— Mais Bruno ? insista Sommers. Quel âge a-t-il maintenant ? Quel genre de garçon est-ce ?

L'homme à la brouette le fixa un instant d'un regard pensif.

— Bruno a encore des ennuis ? demanda-t-il. Oui, ce doit être ça : hier, un homme est venu me poser exactement les mêmes questions que vous à son sujet.

Je ne crois pas, pourtant, que ce soit un policier : il conduisait une grande voiture noire, une Cadillac.

Encore Cornell. La piste qui partait du carrefour entre la Troisième Avenue et Fremont Street avait presque abouti. Il ne restait à situer qu'un troisième endroit pour combler le vide qui séparait cette maison abandonnée d'une ruelle située derrière un chantier de bois...

— Bruno est assez beau garçon, dit l'homme en réponse à la question posée par l'inspecteur. Dans les vingt ans, toujours très bien habillé : je m'demande d'où il sort tout cet argent.

— Je crois le savoir, moi, dit Sommers avec une grimace. Connaissez-vous la nouvelle adresse des Berrini ?

— Non, je ne pourrais pas vous la donner, Inspecteur ; mais vous l'obtiendrez certainement à la poste. Quel que soit l'endroit où ils sont allés, il faut bien qu'ils reçoivent leur courrier.

— Bien sûr, approuva Sommers. D'ailleurs, j'ai moi-même quelque chose pour Bruno Berrini. Un courrier spécial !

Le plan à suivre était tout tracé. De retour au service central, Sommers eut un entretien avec le lieutenant Graves, qui s'occupait de la drogue, et les petites croix rouges tracées sur le plan qu'il avait découvert dans le coffre à gants commencèrent à prendre une signification.

— A mon avis, déclara Sommers, c'est le vendeur de voitures, Cornell lui-même, qui a tracé ces croix. Berrini, ou Berra puisque c'est le nom qu'il se donne, aurait été plus circonspect. Berra se servait de Cornell, et celui-ci a dû s'en rendre compte hier matin, quand il a appelé Garcy pour lui dire qu'il avait rencontré une petite difficulté mais que tout serait arrangé avant la fin de la journée.

Graves approuva de la tête.

Se servir de voitures d'occasion est un nouveau truc, dit-il. Nous n'en avions pas encore fait l'expérience.

Berrini ne pouvait pas utiliser sa propre voiture, car, si nous avions repéré et surveillé les endroits où il trafiquait sa drogue, cette piste nous aurait menés jusqu'à lui. Sa manière de courir tête baissée pour entrer dans les toilettes ou en sortir prouve combien il craignait d'être vu. Utiliser des voitures d'occasion est une méthode plus sûre que le vol d'automobiles car, dans ce cas, les recherches peuvent amener à une arrestation. Mais qui songerait à signaler à la police un client qui n'en finit pas de se décider à acheter une voiture ?

— Très juste, approuva Sommers. Cornell n'a même pas osé en parler à son patron. Imaginez ses sentiments quand il s'est rendu compte qu'il avait servi de chauffeur à un trafiquant de marijuana effectuant ses tournées... Il a dû passer le dernier jour de sa vie à retourner aux endroits où cet illusoire M. Berra s'était fait conduire : la station-service de Fremont Street, celle de California Street — c'était l'itinéraire du premier jour. Puis il a refait la deuxième tournée : l'épicerie située en face du collège et l'herboristerie, en vérifiant sur son plan. A ce moment-là, il savait ce qu'étaient ces points de chute. Mais Berrini a commis une erreur. Sans doute pour faire le malin, au cours de cette deuxième tournée, il a fumé un peu de son produit. Cornell ne fumait pas du tout et ces émanations ont dû lui faire mal à la gorge. En tout cas, quelque chose a dû attirer son attention sur les mégots que j'ai retrouvés dans le cendrier.

Graves, qui avait écouté attentivement, questionna :
— Pourquoi cela ?
— Parce que Cornell a été tué avec son propre revolver qu'il gardait habituellement dans sa chambre. Il est rentré chez lui et, selon ce qu'a déclaré sa femme, y est resté juste assez longtemps pour aller dans sa chambre et y prendre le revolver. A ce moment-là, il avait déjà dû repérer Berrini. Il a dit à sa femme qu'il sortait pour rencontrer Berra et « mettre un terme à cette indécision ».

Il m'a dit : « Je le tiens au bout de mon hameçon. Il ne me reste plus qu'à ferrer. »

Ces mots prononcés par Mme Cornell étaient restés présents à l'esprit de Sommers. Eux aussi avaient leur place dans le puzzle.

— Un homme ne rentre pas chez lui prendre un revolver s'il a simplement l'intention de vendre une voiture, ajouta l'inspecteur. La situation était difficile pour Cornell, mais pas à ce point-là.

— Il y a quelque chose que je ne comprends pas, déclara Graves. A supposer que vous ayez raison et que Cornell se soit rendu compte qu'on se servait de lui pour livrer de la drogue aux endroits indiqués sur le plan, pourquoi a-t-il voulu poursuivre lui-même Berra au lieu de le dénoncer à la police ?

Il y avait plusieurs explications possibles. Celle d'une tentative de chantage, d'abord : c'était la plus probable. Cornell s'était accroché toute la semaine à la perspective de cette vente de voiture : il avait désormais un argument de poids pour contraindre Berra à l'acheter. Peut-être espérait-il aussi recevoir une récompense s'il mettait la main sur un trafiquant de drogue : une prime aurait bien fait l'affaire de Cornell dans la situation où il se trouvait ! Mais, pour savoir pourquoi un homme fait quelque chose, il est nécessaire de savoir quelque chose de cet homme, et tout ce que Sommers avait pu apprendre sur Glenn Cornell laissait supposer que celui-ci était un honnête citoyen et un bon père de famille. En poursuivant Berrini, il risquait sa vie car il devait savoir qu'un drogué est capable de tout. Alors, pourquoi Cornell avait-il commis cette folie ? La seule raison ayant pu l'y inciter, c'était ce grand garçon bien bâti qui portait un pull-over marqué d'un S sur la poitrine : S signifiant Steinmetz.

Graves réfléchit à l'hypothèse que venait d'émettre l'inspecteur, demanda :

— Croyez-vous que le fils de Cornell soit mêlé à cette affaire ?

— Ce n'est pas ce que je crois qui importe, répondit

Sommers, mais ce que craignait Cornell. Je vais aller faire une petite inspection au collège Steinmetz. Je suis prêt à parier qu'Andy Cornell et Joe Berrini sont de bons copains, et que Glenn Cornell, au courant de cette amitié, s'en inquiétait. Pas besoin d'être devin pour faire cette supposition ! L'homme qui a téléphoné au garage Garcy a demandé Cornell en personne. Si le jeune frère de Bruno Berrini est l'ami d'Andy Cornell, il devait savoir que le père d'Andy vendait des voitures chez Garcy. Il savait peut-être aussi que Cornell était facile à manier, qu'il « se laissait avoir » selon l'expression de son fils. Je crois que c'est là l'explication, lieutenant. Je pense que Cornell a pris son revolver pour aller lui-même à la recherche de Berrini, parce qu'une intervention de la police aurait risqué de nuire à son fils. Le poids d'une faute peut retomber aussi sur un adolescent qui agit plus par bravade que de propos délibéré.

C'était là une explication — et il fallait bien qu'il y en eût une, de même qu'il devait y avoir une explication à la présence de ces petits fragments de soudure sous les lavabos des toilettes.

— Vous avez peut-être raison, dit Graves. Il ne devrait pas être très difficile de découvrir ce qui s'est passé la nuit dernière. Nous connaissons les endroits où était déposé la marijuana ; il ne nous reste qu'à observer. Berrini a déjà utilisé ces lavabos — l'accumulation des fragments de soudure l'indique — et il les utilisera certainement encore. Cornell mort, — les journaux affirment qu'il s'agit d'un suicide — qu'a-t-il à craindre ?

Sommers restait pensif. La tâche du lieutenant Graves semblait aisée, mais la sienne l'était moins.

— Peut-être Berrini se fera-t-il encore conduire par un vendeur de voitures ? suggéra-t-il. Il faut reconnaître que le moyen est bon. Sans la curiosité de Cornell et les petites croix sur le plan, jamais nous n'aurions fait de rapprochement entre la Cadillac noire et Berrini.

— Lequel Berrini ignore l'existence de ce plan, ajouta Graves.

— Bien sûr : s'il avait connu son existence, il l'aurait détruit. Lieutenant, j'ai une requête à vous adresser, à vous et aux hommes de votre service. Je voudrais que vous preniez contact avec les vendeurs de voitures d'occasion de la région pour les mettre en garde contre Berra et ses boniments. Il y a de grandes chances pour qu'il recommence le même coup d'ici la fin de la semaine.

— D'ici la fin de la semaine ? répéta Graves.

— C'est la saison du football, précisa Sommers. Quel est, à votre avis, l'endroit rêvé pour écouler de la marijuana — en particulier de la marijuana livrée aux trafiquants avant le samedi ?

— Vous avez fourré votre nez dans nos affaires, dit Graves en grimaçant un sourire. Vous savez que nous avons reçu des rapports sur les matches de football.

— Ce qui m'intéresse, c'est un rapport provenant d'un vendeur de voitures d'occasion, rétorqua Sommers. Vous voulez arrêter Berrini pour avoir fait circuler de la drogue : c'est un travail facile. Moi, je veux l'arrêter pour un motif qui va me donner un peu plus de mal à établir. Je vais de ce pas m'instruire sur la façon de vendre une automobile.

— Vous ? demanda Graves.

— Qui d'autre, lieutenant ? C'est moi qui recherche Berrini pour meurtre.

Bruno Berrini était surveillé. Avant la fin de la journée on avait repéré son nouveau lieu d'habitation, une petite maison à deux étages située à environ deux cents mètres de celle qui allait être démolie. Quant au secrétariat du collège, il était fermé pendant le week-end mais, dès le lundi, on apprit que Joe Berrini, le frère cadet de Bruno, était élève au collège et camarade de classe d'Andy Cornell. Les deux garçons furent vus ensemble dans la cour du collège le lendemain de l'enterrement de Glenn Cornell, c'est-à-dire le mardi.

Le même jour, le lieutenant Graves fit savoir à Sommers qu'il avait averti les vendeurs de voitures de la méthode employée par Berrini. Celui-ci n'avait pas perdu de temps pour remettre cette méthode à l'épreuve : la drogue qu'il utilisait pour lui-même lui donnait plus d'audace que de bon sens. Cette semaine-là, ce fut un vendeur nommé Hamilton, du garage Economy, qui raconta à Sommers l'histoire que l'inspecteur avait déjà entendue lors de ses entretiens avec Max Fuller et Donnegan. Un homme, qui se faisait appeler M. Baron, avait téléphoné le vendredi précédent pour se renseigner au sujet d'une Buick modèle 1958 exposée au garage. Le vendeur lui ayant répondu que la voiture était toujours là, il parut très intéressé et pria le vendeur de venir le prendre, pour un essai, à la station-service de la Troisième Avenue. Le reste de l'histoire était déjà connu de l'inspecteur. L'attitude de M. Baron avait un peu surpris le vendeur, mais les clients bizarres ne sont pas rares dans le métier.

— Vendredi, dit Sommers, réfléchissant à voix haute. C'est aussi un vendredi qu'il s'est servi de Cornell et de sa voiture pour la première fois. J'avais raison : il travaille selon un emploi du temps précis. C'est jeudi, maintenant, qu'il devrait rappeler au sujet de la Buick. Il faut bien qu'il partage ces tournées, comprenez-vous ? Aucun vendeur n'accepterait de s'arrêter en quatre endroits différents au cours d'un essai, et cela éveillerait ses soupçons.

— Alors, Berrini effectue ses tournées en deux fois, à une semaine d'intervalle, conclut Graves.

C'était bien cela. Le jeudi, Hamilton vint faire à la police le rapport suivant : M. Baron avait décidé d'acheter la Buick, mais devait réunir l'argent que sa mère avait promis de lui remettre à condition de voir la voiture dont il désirait se rendre acquéreur. Sommers et Graves allèrent ensemble au parc d'exposition. Dans l'intervalle, M. Baron avait téléphoné pour dire être dans l'impossibilité de venir et demander à M. Hamilton de passer le prendre chez lui. L'adresse donnée était celle de la maison vide.

Sommers monta dans la Buick.

— Je vais vous suivre, lui dit Graves. Berrini doit avoir la drogue sur lui, mais je ne veux pas l'arrêter avant qu'il ait fait ses livraisons. Je veux prendre à la fois ceux qui reçoivent et ceux qui distribuent la drogue.

— Moi, je veux davantage encore, répondit Sommers. Je veux arrêter un meurtrier.

Il alla prendre Berrini devant la maison en démollition. Celle-ci avait toujours l'aspect d'une maison habitée dont les occupants auraient ôté les rideaux pour les laver, et oublié de ramasser les prospectus qui traînaient sous la véranda. Berrini était un homme d'habitudes. Il avait découvert un moyen de transport pour livrer son produit ; mais il ne s'attendait pas à trouver un inconnu au volant de la Buick. Il s'arrêta au bord du trottoir et questionna :

— Où est M. Hamilton ?

C'était un garçon jeune, brun, d'allure engageante, vêtu d'un costume de tweed très élégant. On aurait pu croire qu'il s'était mis sur son trente et un pour aller faire la cour à sa petite amie ; mais Sommers savait bien qu'un meurtrier peut avoir l'air d'un ange.

— Il est malade, répondit-il, en essayant de prendre un ton convaincant. Il m'a demandé de le remplacer.

Berrini hésita. Le mot « flic » était-il inscrit sur le visage de Sommers, démentant son histoire ? Dans ce cas il lui fallait porter la main à l'étui de revolver qu'il avait sous son pardessus. Mais il ne le fit pas. Il garda le revolver appuyé contre ses côtes tandis que Berrini l'examinait d'un regard soupçonneux. Ce regard, en même temps, devenait un peu vitreux. Le jeune homme était sur le point de substituer à ses cigarettes droguées quelque chose de plus fort. Il n'avait plus les idées très claires. Près d'une semaine s'était écoulée depuis la mort de Cornell, dont on n'avait parlé officiellement que comme d'un suicide. Berrini se

276

sentait en sécurité. Il s'installa sur le siège à côté du conducteur, donna une adresse et parla très peu pendant le trajet qui dura environ une demi-heure. Enfin, Sommers arrêta la voiture devant un bungalow situé dans l'un des quartiers les plus élégants de la ville. C'était là qu'était censée habiter la mère de Berrini. L'inspecteur attendait le petit boniment que ne manqua pas de lui faire son compagnon :

— Je ne vois pas sa voiture dans l'allée. Elle a dû aller jusqu'à un petit magasin qui se trouve un peu plus loin, dans cette rue. Elle achète toujours un tas de tisanes et de produits végétariens. Allons-y : nous l'y trouverons sûrement. »

— Vous feriez mieux de sonner à la porte, suggéra Sommers. Elle a peut-être laissé sa voiture au garage.

— Elle ne la laisse jamais au garage — jamais ! Je parierais bien dix dollars qu'elle est dans ce magasin. C'est tout près... »

Une bien piètre histoire mais qui, pour un vendeur de voitures anxieux de toucher une commission, pouvait paraître convaincante. Sommers suivit les instructions données par son compagnon pour se rendre à l'herboristerie. Il s'arrêta au bord du trottoir, quelques mètres devant la voiture dans laquelle attendait le lieutenant Graves. Berrini entra seul dans la boutique. A travers la vitrine, Sommers observa sa conversation animée avec le propriétaire ; puis les deux hommes allèrent dans l'arrière-boutique où ils restèrent quelques instants. Quand Berrini reparut, l'inspecteur comprit que la première livraison venait d'être effectuée ; mais le lieutenant ne bougerait pas avant que tout l'itinéraire eût été parcouru : c'est ce qu'ils avaient décidé entre eux. Les points où Berrini écoulait sa drogue relevaient du domaine de Graves, mais Berrini lui-même appartenait à Sommers.

Le jeune homme revint vers la Buick en déclarant :

— Elle était là il y a un moment, mais on n'avait pas ce qu'elle demandait. Le marchand lui a indiqué un autre magasin. Si vous voulez aller jusque-là, nous l'y trouverons certainement. Cette Buick est exactement la voiture que je cherche depuis longtemps.

Un vendeur qui faisait de moins en moins d'affaires et avait cependant une famille à nourrir pouvait tomber dans le panneau. Arrivé à ce point, il lui fallait continuer s'il voulait conclure la vente. Sommers commençait à se mettre dans la peau de son personnage. Se montrer poli, aimable, souriant. Feindre d'ignorer que le prochain arrêt sera un petit magasin en face du Collège Steinmetz. Au moment de démarrer, il jeta un coup d'œil dans le rétroviseur. Le lieutenant Graves s'apprêtait à descendre de la limousine. Dans quelques minutes il aurait délesté le propriétaire de l'herboristerie de sa dernière livraison. Jusque-là, tout marchait selon le plan établi.

Il faisait presque nuit lorsqu'ils arrivèrent devant le magasin. La cour du collège était déserte, les rues vides. Berrini entra et Sommers, comme il l'avait fait précédemment, l'observa de la Buick. Cinq minutes s'écoulèrent, puis dix, puis quinze. Personne n'entra dans le magasin ou n'en sortit. Ces petites boutiques de quartier ne font pas beaucoup d'affaires, surtout aux heures où les ménagères sont occupées à préparer le dîner attendu impatiemment par leur famille. Vingt minutes... Sommers descendit de voiture pour examiner la rue derrière lui. Graves avait dû être retardé à l'herboristerie car il n'y avait pas trace de sa limousine. Mais, maintenant, Sommers savait ce que Glenn Cornell avait appris à la fin de son long parcours : Berrini, Berra, Baron — quel que fût le nom qu'il se donnât — ne revenait pas. C'était la fin de la course. Merci pour la promenade, pauvre imbécile ; je n'ai plus besoin de toi ! Sommers attendit vainement, pendant cinq minutes encore, l'arrivée du lieutenant, puis entra seul dans le magasin.

Le propriétaire fut catégorique : Monsieur devait se tromper. Un jeune homme brun, en costume de tweed ? Dans son magasin ? Mais personne n'était entré depuis plus d'une heure ! Les affaires étaient calmes et l'heure de la fermeture approchait...

— Je ne crois pas, dit Sommers. Je crois, au contraire, que c'est l'heure de l'ouvrir !

Il tira de sa poche sa carte d'inspecteur et la fourra sous les yeux effrayés de l'homme.

— Allons, ouvre-là ! ordonna-t-il. Où est Berrini ?

Le visage écarlate, l'autre bredouilla :

— Qui ?

— Berrini. Il est dans de sales draps — dans de très sales draps. Vous ne voulez tout de même pas être complice d'un meurtrier, si ?

Une chose était de distribuer de la drogue à des collégiens, quitte à leur détraquer pour toujours la santé, une autre de se trouver face à face avec un policier de la Brigade criminelle et risquer de perdre sa propre liberté...

Le regard inquiet jeté par son interlocuteur vers l'arrière-boutique donna à Sommers la réponse qu'il attendait.

— Qu'y a-t-il au fond du magasin ? questionna-t-il.

— La réserve, répondit l'homme. Rien d'autre.

Il avait crié ces mots, pour un motif précis, bien sûr. Sommers ne l'écoutait pas, mais Berrini l'avait entendu. Il n'y avait donc pas de temps à perdre. La réserve était plongée dans l'obscurité mais, un peu plus loin, un rai de lumière apparaissait sous une porte fermée. Au moment où Sommers se dirigeait vers elle, la lumière s'éteignit. Il n'y avait maintenant qu'une porte, noyée dans l'obscurité, entre l'inspecteur et un homme sachant pourquoi Glenn Cornell était mort le menton appuyé sur le klaxon d'une Cadillac qu'il n'avait pas réussi à vendre.

— Berrini !

Sommers cria ce nom dans le silence avant de se plaquer contre le mur à côté de la porte. Il attendit quelques secondes, puis reprit :

— Je te donne quelques secondes pour sortir, Berrini. Si tu ne veux pas aggraver ton cas, sors calmement quand j'aurai compté jusqu'à trois. Je sais que tu as tué Glenn Cornell. Nous avons découvert une jolie empreinte digitale, bien nette, que tu as oublié d'essuyer sur son revolver. Allons, je commence : un... deux...

C'était un mensonge. Il n'y avait sur le revolver de Cornell d'autres empreintes que celles de Cornell lui-même ; mais Sommers n'eut pas besoin d'aller plus avant dans ses menaces. Il y eut d'abord un juron étouffé, suivi d'un coup de feu qui sembla ébranler les murs. Berrini ne tirait pas sur la porte ; il ne tirait même pas du tout. Sommers s'en rendit compte quand, ayant forcé la porte et laissé pénétrer la faible lumière qui venait du magasin, il découvrit Berrini accroupi par terre, les bras repliés sur sa tête comme pour empêcher le .45 braqué sur lui de lui faire éclater le crâne.

— Lâche ce revolver ! ordonna Sommers. Laisse-le tomber !

Pendant quelques secondes, la vie de Berrini ne tint qu'à un fil. Puis, le canon du .45 s'abaissa et le revolver tomba par terre.

— Bon. Maintenant, pousse-le vers moi d'un coup de pied.

Le revolver glissa sur le parquet. Quand il fut en sûreté sous son pied, Sommers eut un soupir de soulagement. Ce n'était pas un petit exploit que d'avoir réussi à apaiser la haine qui brillait dans les yeux d'un garçon blond portant un pull-over marqué d'un grand S.

Amené au poste central, Bruno Berrini passa aux aveux. Il n'avait pas eu l'intention de tuer Cornell. C'était celui-ci qui, l'ayant cherché et retrouvé, avait insisté pour faire un nouvel essai avec la Cadillac. En cours de route, Cornell avait demandé des explications sur le rôle joué par le frère de Berrini, Joe, et sur sa camaraderie avec Andy. Vendeur et « client » s'étaient alors pris de querelle et Cornell avait sorti son revolver. Bruno avait agi en état de légitime défense. C'était un accident. On a bien le droit de défendre sa vie, n'est-ce pas ? Le coup était parti alors qu'il tentait d'arracher le revolver des mains de son adversaire. C'était bien un cas de légitime défense et Berrini avait l'intention de soutenir cette thèse devant le tribunal. Il n'appartenait pas à Sommers de savoir si le jury le croirait ou non, mais il lui restait à entendre ce qu'Andy Cornell avait à lui dire.

Bouleversé, le jeune garçon raconta son histoire :

— C'est une remarque faite par Joe Berrini, le lendemain de l'enterrement de mon père, qui m'a mis la puce à l'oreille. Je suppose qu'il voulait être gentil. « Ton pauvre père devait avoir un sacré courage pour se flanquer une balle de .45 dans la tête », m'a-t-il dit. J'y ai repensé plus tard. J'ai même regardé dans de vieux journaux pour être sûr, mais aucun ne précisait que le revolver de mon père était un .45. Je ne le savais pas moi-même avant que la police l'ait envoyé à ma mère et que je l'aie tenu entre mes mains. Jamais Papa ne m'aurait laissé y toucher. Il disait toujours qu'il y avait trop de gosses qui se tuaient en jouant avec des revolvers qu'on croyait non chargés. Mais c'était bien un .45, et comment Joe aurait-il pu le savoir s'il n'en savait encore beaucoup plus qu'il ne le disait ?... Ensuite, j'ai pensé à ce M. Berra et j'ai remarqué que le nom ressssemblait beaucoup à celui de Berrini. Je savais que mon père n'aimait pas tellement que je fréquente Joe, à cause de la réputation de son frère. Je ne voyais pas trop quel rapport ça avait avec Joe, mais en tout cas ça tracassait Papa, et j'ai fini par me demander s'il n'avait pas eu une discussion avec Bruno. Je savais que Bruno était mêlé au trafic qui avait lieu dans l'épicerie en face du collège. Alors, j'ai continué à observer et attendre une occasion de discuter avec Bruno — ce qui s'est produit aujourd'hui.

— Discuter avec Bruno qui était armé fit remarquer l'inspecteur en fronçant les sourcils. Tu aurais pu être tué en lui arrachant ce revolver. Vous autres, les

Cornell, n'avez-vous donc jamais l'idée de vous adresser à la police?

Andy baissa la tête. Le moment était venu d'entendre un sermon sur la folie des citoyens qui veulent faire justice eux-mêmes. Mais Andy Cornell perdit soudain contenance. Seule sa détermination de poursuivre et de châtier Bruno l'avait jusqu'alors empêché de manifester un chagrin qui se donnait maintenant libre cours. Il se rappelait les avertissements de son père au sujet des Berrini et le remords l'accablait. La vie qui attendait le jeune garçon serait suffisamment difficile pour que l'inspecteur se refusât à l'écraser du poids de sa culpabilité.

— En tout cas, il faut reconnaître une chose, dit-il, interrompant son sermon à peine commencé, c'est que tu ne l'es pas davantage que ton père ne l'était.

— Quoi donc? demanda Andy en relevant la tête, surpris.

— Dégonflé, répondit Sommers.

The Very Hard Sell.
Traduction de Denise Hersant.

TABLE

Achevé d'imprimer en juin 1990
sur les presses de l'Imprimerie Bussière
à Saint-Amand (Cher)

PRESSES POCKET - 8, rue Garancière - 75285 Paris
Tél. : 46-34-12-80

— N° d'imp. 1626. —
Dépôt légal : mars 1983.
Imprimé en France